MIRA A TU ALREDEDOR

NOVELA INDEPENDIENTE Y
TAMBIÉN LIBRO 9 DE LA COLECCIÓN DE
LAS DOCE PUERTAS

Vicente Raga

addvanza books

Vicente Raga

Nacido en Valencia, España, en 1966. Actualmente residiendo en Irlanda, pero mañana ¿quién sabe? Jurista por formación, político en la reserva, ávido lector, escritor por pasión, guionista, articulista de prensa, viajante impenitente y amante de su familia. Viviendo la vida intensamente.
Carpe diem.

Autor superventas de la serie de éxito mundial de ***«Las doce puertas»***, traducida a varios idiomas. Número 1 en los Estados Unidos, México y España. TOP 25 en Europa, Canadá, Australia y Nueva Zelanda.

AVISO IMPORTANTE

Esta novela es el noveno libro
de la colección de ***Las doce puertas***

Se puede leer de forma independiente al resto de la colección, ya que tiene su propia trama.

De todas maneras, para poder disfrutar de una mejor experiencia, **es recomendable respetar el orden de lectura de las novelas:**

LIBRO 1 LAS DOCE PUERTAS

LIBRO 2 NADA ES LO QUE PARECE

LIBRO 3 TODO ESTÁ MUY OSCURO

LIBRO 4 LO QUE CREES ES MENTIRA

LIBRO 5 LA SONRISA INCIERTA

LIBRO 6 REBECA DEBE MORIR

LIBRO 7 ESPERA LO INESPERADO

LIBRO 8 EL ENIGMA FINAL

LIBRO 9 **MIRA A TU ALREDEDOR → LIBRO ACTUAL**

LIBRO 10 LA REINA DEL MAR

En cada una de las novelas se desvelan hechos, tramas y personajes que afectan a las posteriores. Si no respeta este orden, a pesar de que hay un breve resumen de los acontecimientos anteriores, es posible que no comprenda ciertos aspectos de la trama.

Primera edición, diciembre de 2020
Segunda edición, enero de 2022
Tercera edición, marzo de 2022
Cuarta edición, febrero de 2023

Fotocomposición y maquetación: Addvanza

Diseño de portada: Juan Revert
Ilustraciones: Leyre Raga y Cristina Mosteiro

ISBN: 978-84-1201898-1

Los veranos de mi adolescencia fueron mágicos y marcaron el resto de mi vida. Creo que es imposible juntar tanta gente buena en un mismo lugar.

Va por vosotros, Mari Carmen Ramírez, Gustavo, Ángel Luis Díez, Arturo Ramírez, Vicente Fabregat, Víctor Álvarez, Javier Saldaña, Susana, Cristina Díez, Guillermo Hernández, Miguel Bardem, Bettina del Rey, Luis del Rey y a todo el resto de la gente maravillosa de los apartamentos Azulmar, en Benicàssim.

ÍNDICE

NOTA DEL AUTOR

Esta novela está basada en hechos reales.

La práctica totalidad de los personajes existieron en la realidad. La mayoría de ellos con sus nombres verdaderos, a otros les cambio el apellido o el nombre y, a los menos, se lo altero completamente. Hay que tener en cuenta que narro hechos delicados y no quiero remover conciencias más de lo estrictamente necesario. Tan solo deseo contar una historia. Pensad que, aunque todos los personajes de la parte histórica han fallecido, aún pueden pervivir sus hijos y sus nietos.

Todas las referencias que aparecen citando a La Gran Guerra, aluden a la Primera Guerra Mundial. Hasta el comienzo de la Segunda Guerra Mundial, era conocida por ese nombre, como es lógico. No podía existir una primera sin una segunda.

Aunque en esta novela no aparezca, en apariencia, ningún personaje de *Las doce puertas* y ni siquiera se nombre la palabra "puerta", pertenece a su universo. En la próxima novela, que es la última de la colección de *Las doce puertas*, ***La reina del mar***, todo cobra sentido.

1 VALENCIA, 28 DE MARZO DE 1939

—Hoy no has venido a comer —dijo Felicia, observando cómo su marido entraba en casa. Era un hombre de costumbres y no era nada habitual que no acudiera a mediodía. De hecho, no recordaba cuándo había sido la última vez que había ocurrido.

—Hoy me he quedado a comer en el periódico —le respondió Hugo, mientras se quitaba la gabardina y la colgaba en el perchero.

De inmediato, Felicia supo que algo no iba bien. A pesar del trabajo de su marido en *El Mercantil Valenciano*, uno de los pocos periódicos que aún circulaban en la ciudad, principalmente junto a *Las Provincias* y *El Pueblo*, en su rostro no se reflejaba tan solo la preocupación general que se respiraba en la ciudad. Había algo más.

«¿Qué estaba pasando?», se preguntó.

—¿A comer? —siguió Felicia, casi de modo automático—. ¿Con quién?

—Con mi hermano —respondió Hugo, con absoluta naturalidad.

Felicia se levantó de golpe de la silla donde estaba sentada. Ahora sí que se preocupó de verdad y lo dejó traslucir, con un evidente tono de enfado en su voz.

—¿Con tu hermano? ¿Y lo dices tan tranquilo?

—¿Qué querías que hiciera? Hacía tiempo que no lo veía y ha venido a visitarme a la redacción.

—¡Estáis locos! Si le pillan a él, le fusilan, y si os apresan comiendo juntos, tú vas detrás.

El motivo de la alarma de Felicia no era otro que José María Font, hermano de su marido, era un conocido falangista. La ciudad de Valencia era el último bastión republicano que quedaba en España, en los estertores de la guerra civil. O sea, un lugar peligroso para un falangista y sus posibles acompañantes.

—Tranquila, está en la ciudad con un salvoconducto firmado por el mismísimo Segismundo Casado, actual presidente de la República. Dispone de entrada y salida libre de Valencia. Nadie le va a tocar ni un pelo.

Felicia frunció el ceño.

—¿Para qué demonios iba a hacer eso el coronel Casado?

—Porque mi hermano ha venido con instrucciones del general Aranda. Se ha presentado ante él, junto con José Antonio Sáenz de Santamaría, que ya sabrás quién es.

—¡Pues claro! ¡Ese es uno de los *jefazos* de la Falange! —exclamó, escandalizada.

—Así es. Además, Sáenz de Santamaría ha acudido al edificio de la Capitanía General de Valencia con su uniforme reglamentario de la Falange, sin ningún rubor.

—¡Es inaudito!

—Si lo piensas bien, no tanto. Los *quintacolumnistas* lo llevan haciendo, con absoluta impunidad, por lo menos, desde hace una semana. Huelen que la victoria está muy cercana. Los he visto con mis propios ojos. Sin ir más lejos, ayer fui testigo del paseo, por la emblemática calle de la Paz, del empresario Fernando Londres, que iba acompañado de otras personas que no reconocí, con su uniforme de la Falange y la cabeza bien alta. Nadie les dirigió ni una sola palabra ni les recriminó nada. Ahora mismo, Valencia parece una ciudad sin ley. La confusión y el desconcierto se palpan en el ambiente.

La expresión «quinta columna» se le atribuye al general Mola, que, en el principio del levantamiento militar contra la Segunda República, en 1936, en una locución radiofónica, mencionó que disponía de cinco columnas bajo su mando, que se dirigían hacia Madrid. Una que avanzaba desde el norte, otra desde el sur, otra desde el este y otra desde el oeste. Ante la lógica pregunta acerca de que tan solo había enumerado cuatro y no cinco, para la absoluta sorpresa de todos, dijo que la quinta columna ya estaba dentro de Madrid. Sus miembros, conocidos coloquialmente como *quintacolumnistas*, eran personas desafectas al poder establecido, que colaboraban con los rebeldes, en secreto. Por ejemplo, en la ciudad, había una locutora de Radio Valencia que, cuando había muchos barcos atracados en el puerto, emitía una determinada canción. Era una señal para que los temidos aviones Savoia S-79 y S-81 de la *Aviazione Legionaria* de Benito Mussolini, con base en Mallorca, supieran que era un buen momento para bombardear las instalaciones del puerto y sus alrededores.

Tan numerosos y efectivos fueron estos bombardeos, sobre todo por la falta de respuesta del ejército republicano, que llegaron a arrasar, hasta su completa destrucción y desaparición, uno de los barrios de los poblados marítimos de Valencia, llamado Cantarranas, dejando seriamente dañados al resto. A pesar de disponer de más de 200 refugios antiaéreos a lo largo de la ciudad, murieron casi 1.000 personas tan solo por los efectos de los bombardeos aéreos, que dejaron también más de 3.000 heridos. La aviación italiana no solo fijaba sus objetivos en la zona del puerto, también en los núcleos de comunicaciones, como la *Estación del Norte* y otros edificios emblemáticos. Se calcula que cerca de un millar fueron arrasados.

Felicia estaba atónita. No sabía cómo continuar la conversación, que se le antojaba surrealista.

—¿Me estás diciendo que tu hermano portaba instrucciones de uno de los generales franquistas que nos está machacando? —seguía preguntando cómo una autómata. No se esperaba que pudieran ocurrir los hechos que le estaba narrando su marido.

Las tropas que comandaba el general Aranda, junto con las divisiones de los generales García Valiño y Martín Alonso, hostigaban la región de Levante con excesiva saña. Algunos de los últimos bombardeos que se habían producido, quizá habían sido innecesarios, con la guerra prácticamente decidida. Ya habían conquistado numerosas poblaciones cercanas, y se rumoreaba que el asalto final a Valencia era cuestión de días.

Hugo continuó la conversación.

—Sabes que el coronel Casado lleva todo el mes intentando negociar un final a esta guerra con el mismísimo Franco. Tan solo le solicitaba «una paz digna y honrosa» para los republicanos. Una especie de «Abrazo de Vergara» como el que protagonizaron Espartero y Maroto, que dio fin a la Primera Guerra Carlista en el siglo XIX, pero en versión del siglo XX —trató de explicarse.

—¿Y quién no lo sabe? Tu propio periódico lo ha publicado. Casado llegó a Valencia ayer por la noche, con el rabo entre las piernas, sin conseguir ni una sola concesión, después de rebajarse ante el golpista Franco, atreviéndose a dirigirse a él, en todas las misivas que le ha enviado, con ese ridículo y altivo título autoproclamado de «Generalísimo» y suplicándole migajas de pan. Con su golpe de estado contra sus propios compañeros, no ha conseguido nada más que debilitar a la República, además de no obtener nada de los sublevados.

—No te equivoques Felicia. Esta República lleva muchos meses a la deriva. Andan como pollo sin cabeza.

—Eso no es cierto —le replicó, en un tono que demostraba enfado—. Si Casado hubiera dejado hacer las cosas al modo de Negrín, quizá las cosas serían diferentes.

—Lo que tú llamas «el modo de Negrín» nos ha conducido dónde estamos ahora. La guerra se perdió hace ahora un año, con la derrota en la batalla de Teruel y el fracaso en la ofensiva de Aragón, en marzo de 1938. Los propios Manuel Azaña e Indalecio Prieto así lo vinieron a reconocer. Sus ideales políticos no los cegaban, eran personas sensatas y realistas.

—Sensatas no, cobardes. En ese momento todavía quedaba mucha partida por jugar.

—De eso nada y tienes la prueba. ¿Sabes cómo reaccionó tu «amigo», el presidente Negrín? Haciendo oídos sordos de los consejos y yendo por el camino contrario al lógico. Como tú, él pensaba que aún se podía ganar la guerra. Destituyó a Prieto y asumió personalmente el Ministerio de Defensa y, desde entonces, las cosas han ido a peor. Incorporó al gobierno a miembros de los sindicatos UGT y CNT, con lo que politizó todavía más un gobierno que ya estaba muy politizado. Junto con el general Vicente Rojo nos condujo al desastre de la batalla del Ebro, la más dura y cruenta de toda la guerra civil. Negrín y los comunistas aún confiaban en algún tipo de apoyo internacional, que jamás llegó a materializarse. Y ya para rizar el rizo de la incompetencia, la operación militar en Cataluña, en enero de este mismo año, acabó como la batalla del Ebro, con otra sonada derrota. Las tropas de Franco entraron en Barcelona sin apenas resistencia. Una auténtica vergüenza. Ese es el resultado de «el modo de Negrín». Alargar una agonía y provocar la muerte de decenas de miles de personas, de forma innecesaria.

—Estás pintando las cosas muy negativas.

—Yo también soy realista, como Azaña. Escucha Felicia, que no nos cieguen nuestros ideales. Los que creíamos camaradas ya no están en España, salieron por los Pirineos en cuanto tuvieron ocasión. El gobierno republicano, que se encontraba en Barcelona, cruzó la frontera francesa el 5 de febrero, sin mirar atrás.

—Sí, pero...

—No hay peros— le interrumpió Hugo—. El coronel Casado se dio cuenta de que Negrín y los comunistas de su gobierno eran un estorbo para alcanzar una paz honrosa con los sublevados. La guerra ya estaba perdida y tan solo restaba negociar los términos de la rendición. Pensó que, entre militares, se entenderían mejor con Franco que con los comunistas en el gobierno. Como ya sabes, formó el Consejo Nacional de Defensa, integrado por tres socialistas, dos republicanos y dos anarquistas. Fulminó cualquier rastro de los comunistas. Recuerda que, una vez consumado el movimiento de Casado, tu amado Negrín abandonó España, el muy valiente.

—Sí, lo sé —contestó Felicia, ante la apabullante argumentación de Hugo.

—¿No te das cuenta? Ahora, en la España republicana, tan solo quedamos los idiotas.

—Querrás decir los idealistas —le intentó corregir, viendo que el tono de toda la conversación era muy deprimente.

—Pues corren malos tiempos para los idealistas —le retó Hugo.

A pesar de todo, Felicia seguía sin comprender la actitud de su marido.

—Pero tú no tienes por qué preocuparte de un modo personal por todas estas cuestiones. No eres ni militar ni político ni sindicalista. Tampoco has participado en ningún acto de apoyo a la república. Eres un simple trabajador que redacta crónicas nacionales e internacionales en un periódico local, además de un modo bastante imparcial.

—Quizá yo pueda parecer imparcial, como tú dices, pero te olvidas que trabajo para *El Mercantil Valenciano*. Ya sabes cuál es su línea editorial. Ha pasado de apoyar al partido Acción Republicana al Partido Republicano Radical Socialista y, ahora, a Izquierda Republicana. Convendrás conmigo que no es precisamente afín a la causa franquista, ni mucho menos. Solo tienes que mirar detrás de ti.

Felicia se giró, aunque ya sabía que había en esa pared. Era el ejemplar que publicaron cuando el gobierno y la capitalidad de la Segunda República española se trasladaron a Valencia, en 1937. Su marido lo tenía enmarcado en el salón.

—¿Y qué? Tú jamás has escrito expresamente de política. Tus ideales jamás los has expresado de forma pública, ni oral ni en papel. Excepto en tu círculo íntimo, nadie sabe cuál es realmente tu ideología.

Nada más pronunciar esta última frase, a Felicia le dio un vuelco el corazón.

EL MERCANTIL VALENCIANO

DIARIO CONTROLADO POR LA DELEGACION DE PROPAGANDA Y PRENSA DEL COMITE EJECUTIVO POPULAR

UNA MEDIDA TACTICA ACERTADISIMA

El Gobierno se ha instalado en Valencia para organizar desde aquí la victoria definitiva

El pueblo de Madrid llevó a cabo ayer una jornada heroica

—¿No te habrá delatado tu hermano? ¿Por eso te ha visitado en el periódico y te estás comportando de esta manera tan extraña?

—¡Por favor, Felicia, no digas tonterías! —le respondió enfadado Hugo—. Si las guerras siempre son malas, las peores son las civiles, entre compatriotas. Muchas veces te ves obligado a tomar partido, no por tus ideales, sino por motivos tan triviales como el lugar dónde te encuentras. Si tu zona la controla un determinado bando, es muy posible que te acabes uniendo a él, aunque sea de forma ficticia, por una simple cuestión de supervivencia. No seas tan frívola juzgando a las personas simplemente por eso.

—No pretenderás convencerme de que tu hermano no es un fascista...

—¡Pues claro que lo es, tanto como yo soy republicano! En mi caso, mi ideología no ha variado ni un ápice, pero no le puedo reprochar a mi hermano que se haya dejado influir, durante estos últimos años, en otros ambientes. También tiene familia, ¿sabes? Es ingeniero y necesita trabajar para dar de comer a sus hijos, no que le fusilen. No todo es blanco o negro, ni es tan simple ni sencillo como tú lo planteas.

—Pues para ti sí que lo ha sido. Tus ideales, tu forma de ver la vida es, al final, lo que perdura y da sentido a lo que somos, a nuestra esencia.

—Te equivocas. Tu ideología puede variar y modularse con el trascurso del tiempo. Lo único que perdura para siempre son los lazos de sangre. Mi hermano y yo siempre hemos sabido apartar la política de nuestra relación, incluso en estos espantosos tiempos de guerra, desgracia, miseria y hambre.

—Parece que lo estés blanqueando. No me digas que no te fastidia que sea un destacado falangista. Lo siento, no te puedo creer —insistía Felicia.

—¡Pues claro que me fastidia! —casi gritó Hugo— Después de la horrible muerte de mi padre a manos de esos perros fascistas, ya sabes que me costó un tiempo volver a mirarle a la cara, pero, como te decía, los lazos de sangre son más poderosos que eso. Creo que no soy nadie para juzgar su cambio de ideas políticas, sea genuino o no, aunque no me guste nada.

La conversación no trascurría por los senderos que Felicia deseaba. Decidió no continuar e intentar rebajar la tensión que se respiraba en el ambiente, cambiando el tema, aunque no podía evitar estar nerviosa. Lo que tenía claro es que algo grave estaba ocurriendo delante de ella y no lo estaba sabiendo ver. Había algo más en la actitud de su marido de lo que le estaba contando. Se lo podía ver en los ojos.

—Has dicho que tu hermano le traía instrucciones al coronel Casado.

—Sí —le respondió lacónico.

—Entonces, ¿qué tienes que ver tú con esta historia?

—Nada —le volvió a contestar con un monosílabo, aunque, esta vez, apartando la mirada de los ojos de su esposa.

Este hecho no le pasó desapercibido a Felicia, que comenzó a impacientarse.

—¿Me piensas contar qué es lo que ocurre? —le espetó. Aquello se parecía mucho a un interrogatorio y no le gustaba nada.

—Disculpa mi actitud —Hugo se dio cuenta de la preocupación de su esposa—. No es que no te quiera contar lo que ha pasado, pero...

—Pues se parece mucho a eso —le interrumpió, en un tono de voz más potente.

Hugo se giró hacia el pasillo de su casa, como buscando a alguien.

—¿Dónde está Gisela? —preguntó, de repente.

—Tranquilo, está en su habitación, estudiando. Puedes hablar con tranquilidad, no nos escucha.

Gisela era la única hija del matrimonio. Su simple mención, por parte de su marido, hizo que Felicia se pusiera más nerviosa todavía. No sabía a cuento de qué venía esa pregunta fuera de lugar. «¿Qué será lo que no quiere que escuche?», se dijo. Su desasosiego iba en aumento.

Hugo continuó la conversación con aparente normalidad.

—Mi hermano traía una última oferta del general Aranda, que es tanto como decir del general Franco. Por eso portaba el salvoconducto del coronel Casado.

—¡Caramba! No es lo mismo traer instrucciones que una oferta. No se ha publicado nada, ni siquiera en tu periódico, y eso que es un *notición.*

—Por lo visto, la oferta es confidencial. No ha sido filtrada a los medios por ninguno de los dos bandos, por eso no ha trascendido su contenido.

—Desde luego, porque de eso no se sabía nada. Parece que, al final, Casado ha logrado algo, con su estrategia suicida.

—Te equivocas.

—¿Qué? —preguntó Felicia, sorprendida.

—Casado ha despachado a mi hermano y a Santamaría sin darles ninguna respuesta ni explicación. En pocas palabras, los ha echado de su estancia, después de aceptar reunirse con ellos.

—Pero...

—Mi hermano se ha quedado igual de perplejo que estás tú ahora mismo —le interrumpió Hugo—. Si no quería hablar con él, le bastaba con no haber aceptado la reunión. No olvidemos que, aunque supongo que por muy poco tiempo, Casado todavía es el presidente del gobierno de la República de España.

Felicia se volvió a sentar en la silla, aunque seguía visiblemente nerviosa.

—¡Eso no tiene ningún sentido! El coronel lleva todo el mes buscando una salida honrosa a esta guerra y, ahora que le ofrecen algún tipo de pacto, lo rechaza.

—Ni siquiera ha llegado a rechazarlo. La cuestión es que no se ha dignado ni a escucharlos. Tal cual han entrado en su despacho, han salido.

Felicia seguía sin comprender nada.

—¿Estás seguro de la versión de tu hermano?

—Completamente. ¿Para qué me iba a mentir en un tema como este? En unos días todo habrá acabado, además, no olvides que no estaba solo en la «no conversación» en el edificio de Capitanía General.

—Eso es cierto —reflexionó en voz alta—. No tiene sentido que te mienta.

Hugo observaba las reacciones de su esposa, sin querer añadir nada más a la conversación.

Felicia también se quedó mirando a su marido, intentando escrutar algún tipo de respuesta en aquel rostro impasible. De repente, después de un instante en silencio, se volvió a levantar de la silla.

—A no ser que... —empezó a decir Felicia, con el rostro trasmutado.

—Exactamente, ahora lo has comprendido.

2 HUGO DESCANSANDO. RECUERDOS DE VALENCIA, EL 25 DE MARZO DE 1919

Hugo le había pedido media hora de descanso a su mujer antes de continuar con la conversación. Estaba agotado y lo que le tenía que explicar a Felicia era demasiado importante para hacerlo cansado.

Se tumbó en el sillón. Su idea era vaciar su mente y relajarse, pero le fue imposible.

Sin pretenderlo, se vio a sí mismo reviviendo los años de su infancia y juventud. Su madre falleció siendo él un niño y apenas guardaba ningún recuerdo de ella. Había sido su padre el que había criado a su hermano y a él, de formas muy diferentes, porque también ellos eran muy diferentes. José María era muy aplicado y estudioso, y él odiaba el colegio. Siempre pensó en que la vida era la principal escuela y que no servía de nada estar encerrado, estudiando entre libros que, además, le costaba comprender.

Su padre, haciendo un gran esfuerzo, ya que no ganaba mucho dinero con su trabajo como oficial tipógrafo en *El Mercantil Valenciano* y pidiendo mil favores, consiguió que admitieran a su hermano en la *Universidad Central*, ubicada en Madrid, mientras a él le colocó de aprendiz de su propio oficio. Aquello sí que le gustaba de verdad.

Los dos, padre e hijo, vivían felices, a pesar de las apreturas económicas. Hugo comprendía que su hermano sería un gran ingeniero y que merecía la pena el sacrificio familiar. Por otra parte, le ayudaba mucho la devoción que él sentía con todo lo relacionado con el periódico. Era capaz de pasarse horas mirando cómo la nueva rotativa, adquirida en mayo de 1915 y que sustituyó a la antigua de 1909, *vomitaba* 24.000 ejemplares a la hora. Casi los podía contar uno a uno. Le apasionaba hasta su característico ruido mecánico. Le gustaba tanto estar en aquel lugar que, al mismo tiempo, le encantaba mancharse las manos de grasa ayudando a los mozos del taller, vagar por el almacén o incluso repartir los periódicos recién impresos, a horas intempestivas de la madrugada.

Esa era toda su vida, hasta que llegó la muerte.

Su padre pertenecía al sindicato llamado Confederación Nacional del Trabajo, más conocido por sus siglas CNT, fundado en 1910 en Barcelona. Era de corte anarquista, aunque muy influido por la ideología comunista. Desde su constitución, siempre había sido muy reivindicativo y beligerante en favor de los derechos de los trabajadores. Aún recordaba, orgulloso, cómo su padre le contaba que el gobierno del conde de Romanones se había comprometido, con su sindicato, a adoptar la jornada laboral de ocho horas de lunes a sábado, es decir, cuarenta y ocho a la semana, después de la huelga de *La Canadiense*, que paralizó Barcelona durante 44 días. España se iba a convertir en el primer país en promulgar una ley de estas características por escrito.

«Es un grandísimo avance en la lucha obrera», le decía. Pero, para su desgracia, su padre no llegaría a verla consumada.

Jamás conseguiría olvidarlo. Recordaba perfectamente aquellos dramáticos acontecimientos que sucedieron el 25 de marzo de 1919. Tenía dieciocho años, curiosamente la misma edad que su hija Gisela. Ese día, estalló una huelga en todos los periódicos de la ciudad, promovida por los tipógrafos y periodistas, que dejaron de trabajar y, en consecuencia, no se pudo publicar ni una sola cabecera. La calle era un hervidero de gente y se podía sentir la enorme tensión. La sensación que recordaba Hugo es que aquello parecía un polvorín, esperando a que alguien le prendiera la mecha.

Su padre iba al frente de la marcha. Era el primer día de huelga y los ánimos estaban muy exaltados. Hugo no terminaba de comprender la huelga, aunque iba en segunda fila, justo detrás de su padre. Era consciente que trabajaban muchas horas, con jornadas, en ocasiones, interminables, pero ¿y qué? A él no le importaba en absoluto, no tenía otra cosa que hacer y disfrutaba con ello. Pero ese era su caso particular. Junto a él, se manifestaban padres de familia y personas que quizá sí necesitaran una mejora en las condiciones laborales, que, a pesar de su ilusión, tenía que reconocer que no eran las mejores. A muchos de los que marchaban junto a ellos los conocía personalmente, y, por otra parte, no estaban reclamando nada descabellado ni inasumible para los propietarios de los periódicos.

Durante buena parte de la marcha, no ocurrió nada diferente a otras manifestaciones a las que había acudido.

De vez en cuando, en el momento que los guardias lo decidían o se producía algún incidente, como el volcado de un tranvía, cargaban contra los manifestantes, deteniendo a unos cuantos.

Se vivían episodios de violencia, también con esquiroles contratados por las patronales, pero rara vez había heridos de gravedad.

No obstante, había escuchado que, hacia apenas tres años, una huelga de mujeres había acabado en tragedia, con varios muertos, que incluso obligó a dimitir al alcalde de Valencia, pero él no había sido testigo de nada de aquello.

Parece que fue un hecho muy sonado en la ciudad, pero Hugo apenas tenía quince años de edad y sus preocupaciones eran otras. Estaba despertando su curiosidad por las mujeres, pero no precisamente las huelguistas, sino las que vestían esas faldas que le volvían loco. A pesar de lo recatadas que eran, Hugo tenía mucha imaginación.

Hugo llevaba intranquilo toda la manifestación. Se había dado cuenta de que, junto a los guardias habituales, seguían la marcha, por el exterior, una serie de personas con pistolas bien visibles en el cinto, que no había observado nunca en ninguna otra. Recordaba que llegó a pensar, con temor, que podían ser la mecha que hiciera estallar el polvorín.

No le faltaba razón. Cuando los huelguistas desembocaron en la plaza de Emilio Castelar, justo enfrente del ayuntamiento, estas personas siniestras se pusieron enfrente de la marcha y les conminaron a detenerse, con una actitud claramente provocativa. Cuando observó que los guardias parecían desentenderse de esta sorprendente acción, comprendió que sus temores eran fundados.

La mecha acababa de ser prendida.

Los manifestantes, lejos de amedrentarse, continuaron su marcha hacia aquellos matones malcarados que les cortaban el paso, insultándoles. A pesar de que eran tan solo unos diez frente a una inmensa muchedumbre, los pistoleros no se movieron ni un ápice de su posición.

Nada bueno presagiaba aquella acción, como así sucedió. Sin más aviso, sacaron las pistolas de sus cintos y comenzaron a disparar de forma indiscriminada. Los manifestantes, sorprendidos por la inesperada y extrema violencia del ataque, rompieron su formación y salieron corriendo en todas las direcciones de la plaza. Hugo se agachó, como acto reflejo, y se quedó inmóvil en su posición. En ese momento, observó cómo los guardias se dirigían contra aquellos mamporreros, posiblemente pistoleros contratados por la patronal.

En apenas un minuto había acabado todo. Se giró hacia atrás, para poder observar cuál había sido el resultado de aquel ataque. Entre la confusión general, pudo ver a unas cinco o seis personas tendidas en el suelo, pidiendo auxilio, probablemente heridas de bala. La manifestación había quedado disuelta por las bravas, con una violencia innecesaria.

Fue entonces cuando cayó en la cuenta de su padre. Todo había ocurrido tan rápido que no había tenido tiempo de pensar en él. Se levantó del suelo y se giró hacia lo que había sido la cabecera de la manifestación.

Allí estaba su padre, tendido en el pavimento de la plaza.

Inmediatamente, dio un par de pasos adelante y le levantó la cabeza del suelo. Tenía la ropa manchada de sangre, a la altura del pecho. Estaba semiinconsciente y parecía malherido. Hugo empezó a gritar, pidiendo ayuda. Para su sorpresa, su padre le cogió con un brazo y acercó su boca a su oído.

Nunca olvidaría aquellas palabras, que ahora evocaba en su mente, como si la conversación estuviera trascurriendo en estos momentos.

—Cállate y escúchame —le dijo su padre—. No me queda mucho tiempo de vida, así que ni te muevas.

Hugo recordaba haber intentado zafarse de la garra para continuar pidiendo ayuda y que alguien les auxiliara, pero su padre lo sujetaba con sorprendente fuerza.

—Me muero —prosiguió—. Antes de que venga nadie, tengo un sobre dentro de mi gabardina. Ábrelo de inmediato, nada más llegues a casa y sigue sus instrucciones al pie de la letra. No tienes tiempo que perder. Recuérdalo, es muy importante… —hizo una pequeña pausa. Estaba claro que le quedaba un hilo de vida al que se aferraba para terminar la conversación— . Contiene… —en ese preciso instante le vino una arcada de sangre, que le brotó súbitamente por la boca. Ya no pudo decir ni una sola palabra más.

Había muerto.

Hugo recordaba la conversación, palabra por palabra, pero en los instantes inmediatamente posteriores, se sumió en una nube de inconsciencia. Entre lágrimas, le pareció ver que acudían unos guardias y que se llevaban a su padre. Él continuaba en el suelo, sin reaccionar. Todo le parecía borroso y confuso.

Lo siguiente que recordó fue despertarse en su cama. Estaba desorientado. Por un breve instante pensó que había vivido una horrible pesadilla, pero ese pensamiento se disipó de inmediato en cuanto vio su ropa ensangrentada. No tenía conciencia del tiempo que había trascurrido. Por no saber, desconocía hasta cómo había llegado hasta su casa.

Se sentó en la cama y se desvistió. La simple visión de la sangre en su ropa le provocaba mareos. La dejó amontonada en la silla de su habitación y se fue directo a darse un baño. Estaba actuando como un autómata, aún no se había hecho a la idea de lo que acababa de ocurrir. Parecía que su mente se había bloqueado emocionalmente.

Sin saber el porqué, cuando salió del baño se dirigió a la habitación de su padre. Su atronador vacío parece que le hizo reaccionar y salir del trance. Intentó llorar, pero las lágrimas no le brotaban. Aunque seguía confuso, ahora podía recordar los sucesos con algo más de claridad.

Se vistió con ropa limpia y se sentó en el salón. No podía quitarse de la cabeza la visión de su padre, en el suelo, muriéndose en sus brazos. Entró en bucle. No hacía más que repetirse, para sí mismo, sus extrañas últimas palabras, pero sin buscarles un significado concreto. Era una especie de flagelación psicológica, sin ninguna razón de ser.

No supo el tiempo que estuvo en ese estado, hasta que cayó en la cuenta de que se estaba haciendo de noche. Debía de ser alrededor de las siete de la tarde. De repente, se percató de que llevaba más de ocho horas de desconexión mental. No había comido ni bebido nada. Tampoco tenía ninguna intención de hacerlo, pero este simple hecho le hizo esforzarse por salir de ese letargo, que le tenía atrapado.

Seguía sin recordar cómo había llegado hasta su casa. Aún algo desorientado, se planteó que alguien le podía haber traído y se preocupó. Se dirigió a la puerta de entrada. No presentaba ningún signo de violencia. Ya que nadie más que él mismo y su padre disponían de llaves de la vivienda, supuso que, en algún momento de la mañana, habría vuelto por su propio pie y no lo recordaba. Parecía claro que no habían intervenido terceras personas.

Volvió a entrar en su habitación. Tomó su gabardina y buscó entre los bolsillos.

Allí estaba.

Tenía en su mano un sobre bastante ajado. Le dio la impresión de que su padre lo podía haber llevado durante meses en el bolsillo interior de su gabardina, a juzgar por lo arrugado que estaba y su lamentable estado de conservación. Eso le llevó a pensar que estaba preparado para una situación como la que le había ocurrido, por extraño que le pareciera.

«¿Por qué?», se preguntó. Aquello era francamente raro. No le encontraba explicación.

Su padre le dijo que abriera el sobre nada más llegar a casa. Eso ya no iba a ser posible, ya que había pasado el día completo aturdido y ya estaba empezando a anochecer. No obstante, tomó el sobre entre sus manos. A pesar de que aún no había recuperado la lucidez mental de forma completa, decidió que debía abrir ese sobre sin más demora. Tenía que ser muy importante para que su padre, muriéndose, se despidiera de él con esas instrucciones tan concretas.

Lo rasgó con sumo cuidado. No sabía qué se iba a encontrar en su interior. Suponía que algún tipo de despedida. No se podía olvidar de que su padre se había convertido en un dirigente anarcosindicalista de cierta relevancia. Eran tiempos muy convulsos para la causa obrera y quizá pensó que, en algún momento, podría ocurrir la desgracia que había terminado sucediendo. No era el primer sindicalista asesinado y, suponía, que tampoco sería el último.

Se asomó a su interior, con una mezcla de temor reverente y curiosidad.

Allí no había nada.

Aquello no era posible. Miró mejor, buscando entre los recovecos del sobre. En un extremo, parecía haber un minúsculo papel doblado sobre sí mismo varias veces. Lo extrajo y lo desdobló con extremo cuidado. Leyó su escueto contenido:

«Vete ya. No acudas a mi entierro. Coge la bandera. Georg Bernhard».

Tuvo que leer la nota varias veces para darse cuenta que no la comprendía en absoluto. La dejó encima de la mesa y se quedó mirándola, con un gesto de profunda extrañeza.

«¿Esa era su manera de despedirse?», pensó. La nota parece que la firmaba otra persona, un tal Georg, pero estaba claro que la había escrito su padre, era su caligrafía.

Tiró al suelo la ropa sucia y se sentó en la silla de su habitación. Cada vez se encontraba más despejado. Estaba claro que si su padre se había tomado tantas molestias para que leyera esa nota, era porque pensaba que la iba a comprender.

La primera parte estaba clara. Le estaba diciendo que abandonara Valencia, sin dignarse a acudir a su entierro. Suponía que su padre lo consideraba peligroso para él, aunque desconociera el motivo. A partir de ahí, ya no entendía nada más. Estrujó su mente al máximo. Debía de ser capaz de comprender el mensaje.

«¿Qué necesito para abandonar Valencia con tanta urgencia?», se preguntó, intentando ser lo más racional y analítico posible, dadas las circunstancias. «Medios y un destino» se dijo. «Necesito dinero para poder desplazarme y, por supuesto, el sitio adónde debo acudir». Pero no disponía de ninguna de las dos cosas. Ni destino ni medios.

Sentado en la silla, miraba, como hipnotizado, el cabezal de la cama de su habitación.

«¡Claro!», recuerda que gritó.

De repente, se hizo la luz en su mente. Acababa de recordar que su padre guardaba una pequeña cantidad de dinero, para posibles emergencias, detrás de la bandera de su sindicato, que tenía colgada encima del cabezal de su cama. Se lo había dicho hacía un par de años, por eso no le había venido a la mente de forma inmediata.

«Me está pidiendo que tome el dinero de sus ahorros», pensó. Eso le parecía claro ahora, pero «¿para ir adónde?».

No conocía a ninguna persona que se llamara Georg Bernhard, ni siquiera había oído su nombre jamás. Era un perfecto desconocido. Por más que pensara, estaba seguro de que no lo había escuchado. Antes de volverse a bloquear, decidió pasar a la acción.

Consideró ir a la habitación de su padre, a buscar ese dinero. Mientras tanto, podía ir pensando en el tal Georg Bernhard.

Se subió a la cama, descolgó la bandera, quitó un pequeño azulejo y observó el resultado. Como su padre le había indicado, halló una estrecha oquedad en la pared. A pesar de que su padre se lo había explicado, le sorprendió la extrema estrechez de aquel agujero. Su padre tenía las manos muy grandes y los dedos como porras.

Metió la mano y extrajo un fajo de billetes.

Estaban llenos de polvo y no se distinguían. Los agitó un poco. Al principio, le parecieron de cinco pesetas. Los contó, habían sesenta y dos billetes. Cuando terminó de limpiarlos, para su absoluta sorpresa, eran de cincuenta pesetas. O sea, tenía en su mano 3.100 pesetas.

Aquello era una pequeña fortuna.

Esa cantidad no la ganaban ni su padre ni él en todo un año de duro trabajo. No se podía imaginar de dónde había salido semejante dinero cuando vivían prácticamente al día. Estaba claro que lo guardaba para él, aunque, ahora mismo, no comprendiera el motivo.

«¿Para qué se supone que lo debo de necesitar?», se preguntó. Aquello suma era demasiado elevada para cualquier cosa que se le pudiera ocurrir.

Se lo guardó en el bolsillo, como el que esconde un tesoro. En realidad, lo era.

Hugo no sabía qué hacer. Su padre le había insistido que debía cumplir las instrucciones del sobre blanco de inmediato, pero seguía sin saber cómo.

Después de pensar durante un instante más, llegó a la conclusión de que debía pedir ayuda, pero ¿a quién? Su hermano estaba en Madrid y no tenía más familiares en la ciudad. Estaba solo.

«¿Solo realmente?», se preguntó.

No era así. Tenía muy buena relación con todo el personal que trabajaba en *El Mercantil Valenciano*. No eran familia carnal, pero los podía considerar como familia laboral.

Pensó a toda velocidad. ¿Quién podría ayudarle dentro del periódico? Descartó los mozos y los repartidores. Quizá algún compañero de su padre, pero, analizando la cuestión, no consideraba probable que le hubiera hecho confidencias a ninguno de ellos. De repente, se le ocurrió una idea un tanto descabellada. Su padre mantenía una buena relación don Tomás Peris Mora, que era el director. Ambos compartían las ideas políticas de la república y creía que, incluso, podían ser amigos, a pesar de las reivindicaciones sindicales de su padre. Los había visto hablando en varias ocasiones en el despacho del director, de una manera muy natural y cordial.

No tenía nada claro si era una buena idea, pero no se le ocurría otra. Como ya se había vestido con ropa nueva y ya pasaban de las siete de la tarde, si quería hacerle una visita, debía ser ya, antes de que anocheciera del todo.

Salió de su casa y se dirigió hacia el centro de la ciudad. No iba corriendo, pero a un ritmo muy parecido. En apenas quince minutos llegó al domicilio de don Tomás. No sabía cómo iba a ser recibido, después de que su padre encabezara la huelga en su periódico y, además, hubiera fallecido. Esta situación seguro que habría sublevado a sus compañeros, que veneraban a su padre, y la huelga se podría extender más de lo previsto, lo que, sin duda, disgustaría al señor director.

Llamó a la puerta con cierto temor. Para su sorpresa, le abrió el propio don Tomás, que, nada más verlo, le abrazó de forma cariñosa. Le dio el pésame por su padre y le dijo que sentía mucho su pérdida, ya que era de las pocas personas a su cargo con el que podía mantener conversaciones muy satisfactorias.

Hugo recordaba el breve diálogo que mantuvieron, allí mismo, en la puerta, sin llegar a entrar en su casa.

—Perdone que le moleste, don Tomás, pero rebuscando entre los papeles de mi padre, he encontrado sus últimas voluntades. Lo extraño es que no las entiendo.

—Si estaban escritas para ti, ¿cómo es eso posible? —le respondió, intrigado.

—Me dice que me marche de Valencia.

—Quizá sea un buen consejo, pero ¿adónde? Tu hermano mayor está en Madrid estudiando. ¿Te ha pedido que te reúnas con él?

—No, don Tomás. Esa es la parte que no entiendo. Me ha pedido que lo haga con Georg Bernhard.

Al oír este nombre, el director se alteró de forma visible.

—¿Ocurre algo extraño? —le preguntó.

—Ocurre que eso es imposible —le respondió don Tomás, al que aún se le notaba una notable agitación.

—Mi padre no me lo hubiera pedido si fuera imposible —intentó razonar Hugo.

—¿Qué te ocurre? ¿No escuchas lo que te digo? —le preguntó el director, mientras se abalanzaba contra él, tomándole por los hombros y zarandeándole.

—Por favor, no me haga daño —le respondió Hugo, que, ahora, estaba muy asustado.

3 VALENCIA, 28 DE MARZO DE 1939

Gisela estaba en su habitación, pero no estudiando. Ya había terminado hacía unos quince minutos. Ahora tenía otras preocupaciones.

La Universidad de Valencia era un auténtico caos. Durante la guerra civil española, las universidades se dividieron en dos bandos: las que permanecieron fieles al gobierno republicano y las que se alinearon con los postulados franquistas. La de Valencia, junto a la de Barcelona, Madrid o Murcia, fueron literalmente «capturadas» por el bando republicano, debido a la emergencia de la guerra. Sus planes de estudio se vieron seriamente alterados, ya que primaba el conflicto armado.

Las universidades del banco franquista, que eran más numerosas, como la de Santiago de Compostela o Salamanca, se comportaron de forma diferente, ya que destinaron a sus docentes a labores relacionadas directamente con la guerra, y abandonaron, en una gran parte, la enseñanza reglada. Fueron años perdidos.

Gisela se decantó por estudiar medicina, porque el bando republicano hacía hincapié en que se precisaban cirujanos, enfermeras y médicos de campaña. Ella, a su manera, también quería ayudar, pero no se imaginaba lo que iba a ver.

Sabía que dentro de las Facultades se hacía política, pero jamás se le había pasado por la cabeza que no es que se «hiciera política», sino que «eran pura política». La Federación Universitaria Escolar, más conocida por «la FUE», era el principal sindicato de estudiantes. Estaba muy implantado en Valencia y controlaba toda la vida docente. A pesar de que su ideología iba en su línea, se resistió todo lo que pudo, pero al final, no le quedó más remedio que unirse a ellos. No le gustaban las etiquetas, pero comprendió, a su pesar, que, en la actualidad, la palabra «aprendizaje» iba indisolublemente unida a «política». No podías hacer vida universitaria sin hacer vida política, a través del sindicato de estudiantes. Lo había intentado, pero le había resultado imposible.

Le llamaba la atención que, incluso en una Facultad técnica, como era la de medicina, casi todos sus recursos iban destinados a asignaturas como la cirugía militar, química y epidemiología en guerra, higiene para enfermeras de campaña y así unas cuantas más, desatendiendo otras cuestiones muy importantes para la formación completa de un médico.

Como el avance de la guerra lo requería, incluso se expedían títulos de medicina a alumnos de últimos cursos, con asignaturas pendientes y con materias que desconocían, por no haberlas estudiado.

Podía comprender que en otras, como Derecho, se incorporaran asignaturas relativas a la lucha de clases, o que se destinara la Facultad de Bellas Artes a diseñar y confeccionar cartelería de propaganda republicana, por no hablar de Magisterio, que era la más politizada de todas. Llegó a contribuir decisivamente en la creación de la *Universidad Popular*, sita en la calle del Mar, para, según ellos, «gestar un nuevo tipo de profesores». Más que profesores, lo que gestaban eran adoctrinadores. En sus inicios tuvo mucho éxito, ya que llegó a contar con mil alumnos.

A pesar de las ideas de Gisela, aquello no le parecía bien. Siempre había creído que cada individuo debía ser educado de una forma neutral y, una vez tuviera en su poder todos los conocimientos lo más asépticos posibles, formarse su propia conciencia social y política, desde su libertad individual. Comprendía que eran tiempos difíciles, precisamente para las libertades, amenazadas por los militares golpistas sublevados, pero aun así, no lo veía motivo suficiente, y eso que tenía miedo del triunfo de la oscuridad. Franco se disponía a eliminar todas las libertades e instaurar una dictadura militar de corte fascista, similar a la italiana de Benito Mussolini.

La Universidad de Valencia, en 1939, como ocurría en toda España, era una caricatura de lo que había sido unos años antes. A principios de los años treinta, llegó a tener más de 3.500 alumnos matriculados. Ahora languidecía. Un amigo suyo le había comentado que en Derecho apenas quedaban unos veinte alumnos, y en otras populares, como Ciencias y Letras, no pasaban de cincuenta. Medicina resistió mejor. Al inicio de conflicto eran unos novecientos y ahora quedaba una tercera parte, aun estudiando. Los demás alumnos estaban en las trincheras, prestando sus servicios como enfermeros, cirujanos o lo que hiciera falta.

Pero las preocupaciones de Gisela eran mucho más mundanas que toda la situación universitaria, política y bélica.

Era consciente que, por su físico poco latino, más bien tirando a nórdica, rubia con ojos azules y, sobre todo, por su altura, alrededor de 1,80 metros, llamaba bastante la atención. Estaba claro que no había heredado los rasgos adustos de su padre, sino los de su madre. No solo era la más alta de su familia, sino también lo era de la Facultad. Tan solo un puñado de estudiantes masculinos la superaban.

A pesar de la guerra, en la ciudad, los jóvenes sabían divertirse y se organizaban guateques. Gisela acudía a todos los que podía. Le gustaba evadirse de las miserias de la guerra. Lo que no le gustaba tanto era ser el centro de atención de muchos de ellos, por su aspecto un tanto exótico. No rehuía a los chicos, pero se sentía un tanto incómoda rechazando proposiciones, sobre todo de cualquiera que le sugiriera algún tipo de relación estable. Eran tiempos convulsos y no quería atarse a nadie tan joven, con tantas incertidumbres.

Como suele suceder en estas cuestiones del corazón, basta con que no quieras que algo pase, para termine ocurriendo. Es decir, lo que no quería que, bajo ningún concepto aconteciera, terminó sucediendo.

Desde hacía seis meses tenía novio, más o menos formal.

Aunque había terminado haciendo lo contrario a sus deseos, desde su juventud, suponía que las cosas ocurrían cuando debían suceder y no cuando una las programaba. Al menos, eso era lo que se decía a sí misma, para intentar tranquilizarse y justificarse, aunque con poco éxito.

A pesar de todo, tenía que reconocer que era feliz, pero, al mismo tiempo, su conciencia acarreaba un peso que le preocupaba.

Sus padres no sabían nada.

No se lo había ocultado por cuestiones de vergüenza o similares, sino porque pensaba que la relación no iba a cuajar, dados los tiempos tan complicados que corrían. Para su sorpresa, se había equivocado por completo. La relación no solo se había consolidado, sino que ya había sido invitada formalmente a comer a casa de Toni, su novio, además pasado mañana por la noche.

La situación se había precipitado y había llegado el momento que más temía.

Ya no le quedaba más remedio que contárselo a sus padres, pero no veía la ocasión. Comprendía que eran malos tiempos para hacer planes de futuro, con la incertidumbre de una guerra perdida y las consecuencias que todo aquello podría suponer para su familia, que eran republicanos. Suponía que se acercaban tiempos difíciles para España en general, para Valencia en particular y, probablemente, para su familia, más concretamente. Valencia era el último bastión republicano y estaba segura de que traería hambre y penurias, sobre todo para las personas que habían apoyado al bando perdedor. Eso para los que consiguieran librarse de las purgas, que seguro que las habría.

Suponía que la posguerra iba a ser muy dura para todos, pero más para ellos.

En su interior, le parecía hasta algo frívolo el tema de su noviazgo, pero cada vez que le venía esa idea a la cabeza, se repetía a sí misma que estas cosas suceden cuando suceden. Era su mantra particular, la vedad, un tanto inútil.

Pero, a pesar de todo ello, lo que peor llevaba es que no estaba siendo sincera con sus padres. Siempre lo había sido y ahora les estaba fallando. Este último sentimiento era el que la machacaba sin cesar y su mantra le ayudaba muy poco.

Se decidió. No quería seguir soportando esa carga sobre su conciencia, que le estropeaba una situación que, aunque indeseada en sus orígenes, ahora le hacía feliz.

«¿Por qué no ahora?», pensó, dándose ánimos. «Es un momento como otro cualquiera y el tiempo se me acaba. O lo cuento ahora o mañana».

Había escuchado entrar a su padre en casa hacía un momento. Ahora estaban todos en casa y aún faltaba un buen rato para la hora de la cena. Quizá fuera el momento ideal, así que se dispuso a salir de su habitación y sincerarse con ellos.

«¡Vamos allá!», se dijo. «Pase lo que pase».

4 HUGO DESCANSANDO. RECUERDOS DE VALENCIA, EL 25 DE MARZO DE 1919

—Hugo, ¿qué te ocurre? ¿No me escuchas?

—Sí, pero, por favor, no me haga daño.

—¿Pero qué tonterías dices? ¿Te has vuelto idiota de repente?

Como gesto reflejo, Hugo se había agachado, ante la inesperada acometida de don Tomás Peris Mora, director de *El Mercantil Valenciano*, que lo acabó soltando de los hombros.

Estaba desconcertado, pero sintió como reaccionaba. Levantó lentamente la vista, aún con temor. Lo que vio le dejo totalmente sorprendido. Estaba sentado en el sillón del salón de su casa, y tenía a su esposa, Felicia, enfrente de él. Trató de recomponerse lo mejor que pudo.

—Me parece que he tenido una pesadilla —le respondió, todavía aturdido.

—No te parece, te lo puedo confirmar. La has tenido. Estabas gritando de forma tan aparatosa que te he podido escuchar desde la cocina. Me has asustado y me he acercado para despertarte, moviéndote un poco, pero me has respondido que no te hiciera daño. ¿Quién te creías que era?

—No lo tengo muy claro —le mintió.

—Pues fuera quien fuese, tu rostro de pavor hablaba por sí mismo. Estabas desencajado.

—Ya te he dicho que era una pesadilla. Ya sé que quieres continuar la conversación que hemos dejado a medias. Te había pedido media hora tumbado en el sillón para poder descansar un poco, y, como ya has comprobado, he conseguido el efecto contrario.

—Eso parece, desde luego.

—Déjame un poco más, a ver si ahora consigo descansar de verdad. No me encuentro demasiado bien, después de todas las tensiones del día. Además, parece que ha sido una pesadilla muy desagradable.

—Claro, cariño. Tómate el tiempo que necesites. Luego continuaremos con la conversación, supongo que no hay prisa —dijo Felicia, mientras abandonaba el salón en dirección a la cocina.

En realidad, Felicia suponía mal. Sí que había mucha prisa, pero eso no lo sabía todavía.

Hugo se volvió a tumbar en el sillón.

Los recuerdos revividos le habían alterado. No sabía si iba a ser capaz de descansar, pero lo intentó. Cerró los ojos y procuró relajarse. Como se temía, sin ningún éxito. Su mente tenía vida propia. Decidió que quizá le vendría bien seguir rememorando los recuerdos, una vez pasado el acontecimiento más dramático de su vida, el asesinato de su padre y la muerte en sus brazos. Después de aquello, todo lo sucedido a continuación le parecía agradable.

Intentó continuar sus pensamientos donde los había dejado. El director del periódico le acababa de comunicar que era imposible que se reuniera con Georg Bernhard, que parecía que es lo que le había indicado su recién fallecido padre. Continuo rememorando aquella conversación, tal y como la recordaba.

—¿Por qué es imposible? —le preguntó a don Tomás.

—Porque ya no está con nosotros —le respondió.

Aquella contestación sí que no se lo esperaba. Le pilló por sorpresa. «¿Era posible que estuviera muerto y su padre no lo supiera?», recuerda que se preguntó en aquel momento. Ahora, el azorado era Hugo. El director se dio cuenta.

—¿En serio tu padre te ha pedido que te reúnas con él? —siguió preguntando el director—. Me resulta altamente sorprendente.

—Sí —respondió confuso Hugo—. Por lo visto, usted lo conoció.

—Así es. Vino hace años al periódico. En 1909, acabábamos de estrenar nuestra primera rotativa, que era de las más modernas de Europa. Estaba muy interesado en conocer su funcionamiento. Me pareció que tu padre sería la persona más adecuada para acompañarle y está claro que acerté. Para mí fue una liberación, ya que tenía mucho trabajo y pude desentenderme de esa aburrida ocupación. Tengo que reconocer que tu padre me hizo un buen favor.

—¿Cómo era?

—Bueno, te puedes imaginar al típico germánico. Lo que más me llamó la atención fue que, de inmediato, hicieran buenas migas entre ellos, hasta diría que llegaron a ser amigos personales. Un día los vi comiendo juntos fuera de la redacción, y supongo que no sería la única vez. Estaba claro que se habían caído bien.

—No me extraña. Entre tipógrafos siempre ha existido una especial camaradería que traspasa fronteras.

El director sonrió.

—Te equivocas. *Herr* Bernhard no tiene nada que ver con la tipografía.

—¿Entonces? —preguntó, confuso.

—Georg Bernhard es el director de otro periódico, en concreto del *Vossische Zeitung*, en Berlín, Alemania.

Al oír esas palabras de don Tomás, Hugo no pudo evitar estremecerse. Más que eso, sintió una punzada en el estómago y la sensación de que el corazón se le salía por la boca. Aquello lo cambiaba todo.

—Ha empleado el presente al dirigirse a él —exclamó, emocionado.

—¿Y por qué no lo iba a hacer? —preguntó el director, extrañado.

—Pensaba que estaba muerto. Ha dicho que ya no estaba entre nosotros.

—Claro, porque volvió a Alemania al cabo de un par de meses. ¿No pretenderías que se hubiera quedado en España para siempre?

En ese momento, Hugo recordaba perfectamente que salió corriendo de la casa del director, dejándolo con la palabra en la boca.

Oía gritar a don Tomás, desde la distancia: «¿no se te ocurrirá atravesar Europa para reunirte con un desconocido?». Lo escuchaba mientras se alejaba a toda velocidad. No paró ni un instante para tomar aire.

Regresó a su casa y se sentó en la silla de su habitación. Su mente era todo un torbellino.

Debía de tranquilizarse para analizar toda la información con calma, pero sentía que las piezas empezaban a encajar en su mente. Ahora, la nota de su padre había cobrado sentido. Como le gritaba el director, le estaba pidiendo que abandonara la ciudad de inmediato, sin asistir a su entierro, y visitar al tal Georg Bernhard, en Berlín.

Era perfectamente consciente de que era un viaje muy largo y complicado. La Gran Guerra había terminado hacía apenas cuatro meses, con la derrota de Alemania. Las infraestructuras europeas estaban muy dañadas. Muchas líneas de tren aún estaban parcialmente funcionales o directamente inoperativas. Si conseguía llegar a Berlín, cosa que ahora mismo no tenía nada claro, le iba a costar mucho tiempo. La guerra había sido muy dura.

Era irónico. La paz a esa guerra se había firmado en un vagón de tren, el 11 de noviembre de 1918, en concreto en el número el 2419-D de la Compagnie Internationale des Wagons-Lits, a noventa kilómetros al norte de París. Por parte alemana participó el ministro de Estado Matthias Erzberger y por parte francesa el mariscal Ferdinand Foch.

Recordaba que le había hecho gracia que la paz se hubiera firmado «a la undécima hora del undécimo día del undécimo mes». Curiosidades de la Historia.

Era una de las ventajas de trabajar en un periódico. Hugo estaba informado de todas las noticias que ocurrían en el mundo. A pesar de no haber estudiado, más allá de su oficio de tipógrafo, acumulaba muchos conocimientos.

Por otra parte, ahora se explicaba la enorme cantidad de dinero que le había dejado su padre. Desplazarse hasta Berlín, además de complicado, no le iba a resultar barato.

Se fue al armario y tomó su vieja maleta que, aunque ajada, era de buena calidad. La había heredado de su abuelo. Necesitaba que aguantara un largo viaje. La llenó con la ropa imprescindible, no quería iniciar un periplo de estas características con una carga excesiva. Cenó algo frugal y, sin esperar un momento, se marchó hacia la *Estación del Norte* de Valencia, inaugurada hace apenas año y medio.

Mientras Hugo se dirigía hacia la estación, no pudo evitar admirar su belleza. El edificio era una maravilla modernista, construido por el arquitecto Demetrio Ribes, que trabajaba para la Compañía de los Caminos de Hierro del Norte de España, conocida coloquialmente como «Norte». De ahí el nombre de esta estación, monumental y emblemática.

Sabía que, a estas horas, no partiría ningún tren, pero prefería pasar la noche lejos de su casa, aunque fuera tumbado en un banco. Las palabras de su padre, antes de morir, le habían asustado. Parecía que la urgencia en abandonar la ciudad era vital.

Las compañías ferroviarias eran reacias a publicar sus propias guías y horarios, por lo que eran los periódicos locales los que lo hacían. Desde finales del siglo XIX, habían surgido publicaciones especializadas. Quizá la más famosa fuera la *Guía General de Ferrocarriles,* por ello lo primero que hizo Hugo, cuando llegó a la Estación del Norte, fue hacerse con un ejemplar de la más reciente edición. Eran muy interesantes, ya que no se limitaban a informar sobre destinos, horarios y tarifas, también incluían detalles acerca de las estaciones, alojamientos y demás datos de interés para los viajeros.

Planificó su ruta. Mañana por la mañana salía un expreso hasta Tarragona. Allí tendría que hacer un trasbordo hasta Portbou, cerca de la frontera francesa, previo paso por Barcelona. Luego debería cruzar Francia. Había una línea que le llevaría hasta Lyon, desde allí a Frankfurt, ya en Alemania, para concluir su viaje en Berlín. Sobre el papel de la guía, parecía hasta sencillo, pero debía cruzar Europa en un recorrido de unos 2.500 kilómetros. Teniendo en cuenta que la velocidad de los trenes apenas superaba los 40 km/h, además con cortes intermitentes, presumía que el viaje se le iba a hacer interminable.

Busco un banco lo más apartado de los andenes y se acurrucó, atando su maleta a una de sus patas. No podía permitir que le robaran su equipaje. A pesar de la incomodidad, se durmió con sorprendente rapidez. Los acontecimientos del día lo habían dejado agotado.

Cuando se despertó, la Estación del Norte ya había recuperado el bullicio de un día habitual. Desató su maleta y miró los relojes de la estación. Eran las nueve de la mañana. Aún faltaban dos horas para la partida del expreso a Tarragona. No acostumbraba a tomar café, pero, ahora mismo, pensó que le vendría bien uno, aunque fuera con leche.

Mientras lo saboreaba, se paró a pensar en la aventura que le esperaba por delante. Era de locos. Ayer habían asesinado a su padre y hoy estaba dispuesto a atravesar Europa para llegar a Berlín, y lo peor de todo, no sabía por qué iba a cometer semejante locura. No tenía miedo al viaje, pero sí le asustaba un poco no conocer el motivo.

«¿Por qué me manda con tanta urgencia mi padre a Alemania, precisamente ahora?», era la pregunta que no dejaba de rondarle la cabeza. Si lo pensaba bien, don Tomás tenía razón. Lo más lógico es que se marchara a vivir con el único familiar vivo, que era su hermano, a Madrid. Tenía dinero suficiente para pasar, al menos, un año, y allí podría buscar trabajo.

Por otra parte, era verdad que España estaba sumida en una profunda crisis social y económica, desde el verano de 1917. En aquel momento, la Gran Guerra todavía estaba en un periodo de incertidumbre. No estaba nada claro cuál de los dos bandos podía finalmente ganarla. La condición de país neutral de España debía favorecerlo, pero lo único que consiguió fue el crecimiento desmesurado de las burguesías industriales y comerciales, junto a los oligarcas terratenientes y financieros, sobre todo en la zona de Cataluña. Se produjo una gran brecha económica entre las clases sociales, al mismo tiempo que un enfrentamiento entre las sociedades urbanas y rurales. Los salarios no aumentaban al mismo ritmo que la riqueza, además la inflación estaba fuera de control. Era un cóctel explosivo para la clase obrera, que lo estaba pasando verdaderamente mal. Se produjo lo inevitable, una gran huelga general.

Hugo recordaba que, en el mes de agosto de 1917, por unos días, se llegó a paralizar el país. Su periódico publicaba constantes noticias. Se acordaba perfectamente de la huelga ferroviaria del sindicato UGT en la ciudad de Valencia porque fue testigo directo. Durante esos días críticos de agosto, se temió que la situación desembocara en una revolución similar a la rusa, pero no ocurrió. El ejército tomó partido por el gobierno y, en apenas tres días, ya solo quedaban episodios aislados.

De la gran crisis salió reforzado el papel del rey Alfonso XIII y también el de los militares. «Nada bueno», pensaba Hugo. «Es el germen perfecto para un golpe de estado y una dictadura». Quizá por eso su padre lo alejaba de España. Al fin y al cabo, trabajaba en un periódico y manejaba mucha información.

Por otra parte, en Alemania, la situación era bien diferente. La intervención estadounidense en la Gran Guerra había decantado la balanza. Alemania se relamía las heridas de una dolorosa derrota.

Eso significaba oportunidades.

Quizá la decisión de su padre no había sido tan descabellada como le había parecido en un principio. Había que reconstruir un país, y él tenía dieciocho años y ganas de comerse el mundo. Se animó un poco, que falta le hacía.

Con sus pensamientos, había pasado distraído más de una hora. Decidió acercarse al andén del expreso de Tarragona. Ya estaba situado en la cabecera de la vía cuatro. Decidió subirse y acomodarse.

Comenzaba la que creía que iba a ser la gran aventura de su vida. De una cosa estaba seguro, ya nada volvería a ser como antes.

Proféticos pensamientos.

5 HUGO DESCANSANDO. RECUERDOS DEL VIAJE VALENCIA A BERLÍN, DEL 25 DE MARZO AL 6 DE ABRIL DE 1919

El viaje hasta Portbou, en la frontera francesa, trascurrió sin incidentes. Se le hizo pesado tener que cambiar dos veces de ferrocarril, pero no hubo ninguna interrupción en el servicio. Había llegado dentro del horario previsto.

Ahora comenzaba la parte más complicada de su aventura. Para empezar, Hugo nunca había salido de Valencia, y no hablaba ningún idioma, aparte del español y el valenciano. A pesar de ello, no era eso lo que le preocupaba. Se adentraba en territorio desconocido y castigado por la reciente guerra. No sabía qué se iba a encontrar. Suponía que nada bueno, y, desde luego, suponía bien.

Los problemas empezaron incluso antes de llegar a Lyon. Los trasbordos fueron interminables, al igual que los retrasos. Pero eso no fue nada comparado con Alemania. Una vez cruzada la frontera, había tramos de las vías inutilizados, por lo que tenían que bajarse de un tren, hacer un trayecto a pie, para poder continuar el viaje en otro ferrocarril. Se veía a bastantes obreros trabajando en su reparación, pero había que construir algunos puentes dañados por la guerra. A pesar de que utilizaban estructuras provisionales, no parecía una tarea sencilla ni rápida. Desde luego, para los pasajeros era algo muy incómodo, pero, aun así, era la opción más rápida para viajar.

En consecuencia, la llegada hasta la estación de Frankfurt fue toda una odisea. Le llevó una semana completa desde su salida de Valencia. El cansancio empezaba a apoderarse de él, pero le podía más su curiosidad. Como el expreso a Berlín no salía hasta el día siguiente, se atrevió a salir de la estación de tren, cosa que no había hecho en ningún momento de su viaje. Siempre había permanecido bajo su resguardo.

Al contrario de lo que había observado durante todo el viaje, le sorprendió que apenas se notara la huella de la guerra en la ciudad, teniendo en cuenta lo cruenta que había sido. Su periódico publicó que se habían dejado la vida más de nueve millones de combatientes y siete millones de civiles. Dieciséis millones de muertos, algo casi inimaginable para la joven mente de Hugo. «¿Qué valen tantas vidas humanas?», se preguntaba.

El *káiser* o emperador de Alemania, Guillermo II, abdicó apenas dos días antes del fin de la contienda y abandonó el país, proclamándose la república. El país, curiosamente, mantuvo su denominación de *Deutsches Reich*, es decir, Imperio Alemán. Era un imperio sin emperador, algo que, a ojos de Hugo, le parecía absurdo. Posteriormente este periodo sería conocido como República de Weimar, cuyo nombre provenía de la ciudad donde se reunió la Asamblea Nacional Constituyente. Otras curiosidades de la Historia.

«He abandonado un país, España, con una república agonizante, para recalar en otro país, Alemania, con una república naciente», recuerda que pensaba, para darse ánimos. Y desde luego que los necesitaba. A pesar de que los frenéticos acontecimientos recientes no le habían dejado mucho tiempo para pensar, no pasaba la noche que no llorara a hurtadillas, durmiendo en cualquier rincón, recordando la trágica muerte de su padre. Se consideraba una persona fuerte y eso intentaba aparentar, pero, en su interior, el dolor de las heridas en el alma, aún no cicatrizadas, era casi insoportable.

Intentaba distraerse para pensar lo menos posible, por ello ahora disponía de una magnífica oportunidad para ello. Hacer algo de turismo en Frankfurt. Al salir de la estación principal, se quedó con la boca abierta un buen rato.

Recordaba que se sentía como un pueblerino ante una gran urbe europea. «Quizá no sea un sentimiento, seguro que lo soy», pensó. Valencia no era una ciudad pequeña, pero el tipo de edificaciones y la configuración de Frankfurt no tenían nada que ver.

Aquello le pareció grandioso. Paseó por sus calles, e incluso se permitió subir a lo alto de la torre de la *Paulskirche,* desde dónde se observaba una magnífica panorámica de la ciudad. La iglesia tenía una historia muy interesante, ya que había sido sede de la primera Asamblea Nacional, que se reunía para redactar la Constitución de una Alemania unida. Eso no lo sabía por los carteles informativos de la iglesia, ya que estaban escritos exclusivamente en alemán.

«Definitivamente, trabajar en un periódico te da algo de cultura general», se dijo.

Estuvo vagando, sin un rumbo fijo, durante un par de horas, sin alejarse demasiado de la estación. No quería extraviarse y tener que hacerse entender para poder volver.

Como era norma habitual en este viaje, buscó uno de los bancos más discretos de la estación, y se sentó. Alzó la vista para observarla en su totalidad. Era la más grande que había visto en su vida. Su composición interna se asemejaba a la de Valencia, pero con una diferencia sustancial. La de su ciudad disponía de ocho vías y ya le parecía grande. La de Frankfurt contaba con dieciocho y muchísimo más espacio entre los andenes. Databa de finales del siglo XIX, aunque con muchas modificaciones. No en vano, hasta hacía apenas cuatro años que se construyó la nueva estación de Leipzig, había sido la más grande de Europa.

«Será todo lo grande que quiera, pero la belleza exterior de la *Estación del Norte* de Valencia todavía no ha sido superada», se dijo.

El tiempo se le pasó rápido, viendo la frenética actividad de la estación. Cuando se quiso dar cuenta, ya eran las nueve de la noche. Su expreso a Berlín salía a las seis de la mañana y no debía perderlo, ya que, en ese caso, tendría que pasar dos días más en Frankfurt. Presumía que los últimos 600 kilómetros del viaje iban a ser los más complicados, así que dispuso el banco, como de costumbre, y se aprestó a dormir.

No se enteró de nada en toda la noche y se despertó a las cinco y media. Aunque el andén estaba próximo, debía darse cierta prisa. Siempre le gustaba acercarse a los aseos y acicalarse un tanto antes de subirse al tren, pero hoy no disponía de tiempo.

Aún tuvo suerte de encontrar un asiento con ventanilla. Le gustaba observar el paisaje, tan diferente al de su tierra natal.

Debía de reconocer que, por primera vez en todo el viaje, estaba asustado de verdad. Ahora no solo se trataba de un cierto temor a lo desconocido, no. Era miedo. No solo Berlín era el final de su periplo a través de Europa. Iba a llegar a la capital de Alemania desde 1871. Había leído que, no solo se la consideraba la capital de su país, sino que rivalizaba con las mismísimas París y Viena como capital intelectual de Europa, y eso a pesar de la Gran Guerra.

Como se imaginaba, el trayecto en tren se vio interrumpido en dos ocasiones por destrucciones de puentes. Aunque ya estaba acostumbrado y llevaba poco equipaje, no dejaba de ser un incordio tener que andar unos kilómetros.

Por fin, después de un día entero, llegó a su destino final, la mañana del domingo 6 de abril de 1919. Respiró profundamente cuando salió de la estación. Lo había conseguido, recuerda que pensó, con gran satisfacción.

Consideró que, después de algo más de una semana de viaje, sería más adecuado buscar una pensión, darse un buen baño y descansar. Le hacía falta ambas cosas. No quería causarle mala impresión a la persona que su padre le había indicado que buscara. Al fin y al cabo, hoy era festivo y dudaba que Georg Bernhard estuviera en la sede del *Vossische Zeitung.* Mañana lunes podría encontrar su ubicación y hacerle una visita.

Antes de buscar un lugar para descansar, aprovechó para comprarse el ejemplar del día de hoy del *Vossische Zeitung.*

Berlin

Sonntag, 6. April 1919

Vossische Zeitung

Die bayerische Regierung in Bamberg.

Englands Stellung zum Frieden.

Los von München!

Trennung von Staat und Kirche.

Como era de esperar, no entendió ni una sola palabra, pero por lo menos esperaba poder encontrar la dirección de la redacción, entre ese diabólico lenguaje que no entendía, el alemán.

Anduvo unos quince minutos, hasta que encontró lo que parecía una pensión. Era un edificio con un aspecto exterior sucio y abandonado, pero, para su objetivo de esta noche, le serviría.

Se hizo entender por gestos. La gruesa persona a cargo de la gestión le sonrío de oreja a oreja cuando vio que llevaba dinero en abundancia y le dio una habitación bastante confortable. Había cambiado las pesetas a marcos alemanes en la estación de Frankfurt.

De inmediato, soltó su maleta y se tumbó en la cama. Mirando al techo, recordaba que pensó que, por fin, había llegado a su destino definitivo.

¿Definitivo?

6 HUGO DESCANSANDO. RECUERDOS DE BERLÍN, EL 7 DE ABRIL DE 1919

Hugo se despertó como nuevo. Hacía muchos días que no dormía en una cama decente. Pensó quedarse disfrutando de la comodidad un rato más, pero se quitó esa idea de la cabeza. Tenía cosas importantes que hacer.

No en vano, hoy era el día.

Todos los esfuerzos de la última semana culminaban hoy. Tenía que visitar a Georg Bernhard en la redacción del periódico *Vossische Zeitung*.

Le sorprendió no estar nervioso, ni siquiera un poco. Durante el viaje, había tenido tiempo de sobra para pensar y creía que disponía de una estrategia para enfrentarse a esta situación, un tanto insólita. No podía olvidar que estaba en un país extranjero, cuyo idioma no hablaba y, para culminar la aventura, se iba a entrevistar con una persona que no conocía y que no esperaba verle.

Había resuelto no preocuparse por las cuestiones que no podía resolver, pero había una que sí podía. El idioma. Había pensado prepararse para la eventualidad de que no le entendieran, cuando llegara a su destino.

Ya había averiguado dónde se encontraba la dirección del periódico, por el ejemplar que compró ayer, pero no conocía Berlín. Para empezar, no sabía ni dónde se encontraba la pensión. Sabía que cerca de la Estación Central, pero poco más.

Esperaba entenderse con la encargada de la pensión, y que le indicara cuál era el camino adecuado para llegar.

Se vistió, recogió su maleta y bajo a la planta baja. Cuando vio a la encargada, le señaló la parte de la cabecera del periódico, donde ponía la dirección. Enseguida comprendió lo que le estaba preguntando. Con mucha amabilidad, le mostró, en un plano de la ciudad, cómo llegar. Parecía que estaba lejos, pero eso no era un problema para Hugo, acostumbrado a andar. Lo hacía rápido.

Ayer, cuando llegó a la pensión, observó que, en un extremo de la pequeña recepción, había una máquina de escribir. Su marca era *Culema*. No había visto una así en su vida. Supuso que sería de fabricación alemana.

Por medio de gestos, le indicó a la encargada si podía usarla. Levantó ambas palmas de las manos hacia arriba, señalándola, en gesto de clara aprobación.

A su lado había un pequeño montón de papeles. Tomó uno de ellos y escribió:

`Georg Bernhard`

A continuación, tomó otro pequeño papel y volvió a escribir.

`Hugo Font`
`Valencia - España`

Esa era toda su gran estrategia, urdida durante el viaje. Era consciente de que no era gran cosa, pero esperaba que funcionara.

Suponía que cuando llegara a la redacción del periódico, como es lógico, le iban a recibir hablando alemán. Como no iba a entender ni una sola palabra, en ese momento, mostraría el primer escrito con el nombre del director. También suponía que, a continuación, le preguntarían qué quería o de parte de quién. En cualquier caso, les entregaría el segundo papel, con su nombre en él. Era la secuencia más lógica de preguntas y respuestas. Por lo menos, pensaba salvar el primer escollo. Para lo de después no tenía ni idea cómo actuar, ni siquiera sabía si se haría comprender.

Se despidió de la encargada saludándola con la mano. Por su expresión, se había sorprendido de que un joven como él supiera manejar con soltura una máquina de esas. A pesar de haberse inventado a finales del siglo XIX, no estaban tan extendidas. Se utilizaban, sobre todo, en oficinas y para escribir literatura y teatro, periodismo, cine y poco más. No se había extendido su uso doméstico, por lo menos en España.

La verdad es que en la redacción de *El Mercantil Valenciano* usaban algunas, pero no se parecían a esta. Eran de la marca *Underwood*, americanas.

Observaba a los redactores cuando las utilizaban. Nadie le había enseñado, pero tan solo con verles y algo de práctica, cuando estaban ausentes, había conseguido cierta destreza en su manejo.

Salió a la calle.

De inmediato, dos cosas le llamaron la atención. La primera, que se trataba de una ciudad enorme, nada que ver con Valencia, que tendría unos 300.000 habitantes. Berlín rozaba los dos millones y en mucha más extensión de terreno, por ello no le extrañó que la encargada de la pensión le indicara por gestos que le iba a costar llegar hasta el periódico casi una hora andando. Le señalaba constantemente el símbolo del ferrocarril metropolitano subterráneo, coloquialmente conocido como «metro». Quiso entender que le recomendaba su utilización, pero Hugo no deseaba correr riesgos, ya que jamás había visto uno y temía no entender sus indicaciones.

La redacción se encontraba en Rochstraße 22, hacia el oeste de la ciudad, justo al lado de la Alexanderplatz, cerca del Palacio Real de Berlín y el río Spree. La plaza tenía estación de metro. Eso era lo que le indicaba la encargada de la pensión. Hugo estaba acostumbrado a andar. En Valencia lo hacía a todas partes. Era consciente de que las distancias no eran las mismas en Berlín, pero le pareció que el paseo iba a ser agradable, junto al río.

Acertó.

Alexanderplatz estaba abarrotada de gente. Jamás había visto tanta concentración de personas y vehículos en una misma plaza. En Valencia, nunca había visto así la plaza de Emilio Castelar, que era más grande.

Y aquí entraba la segunda cuestión que le había llamado la atención de la ciudad. Hacía un frío del carajo. Menos mal que había traído un buen abrigo, porque la temperatura apenas superaría los cinco grados, además con un aire gélido.

Le costó llegar algo más de lo previsto, ya que iba entretenido observando la ciudad, sus habitantes y la cantidad de gente que circulaba por las calles. Jamás había observado tanta concentración de personas, sin embargo, lo que más le llamó la atención no fue eso. Le resultó curioso que los berlineses no parecían hablar entre ellos. Se limitaban a andar a paso rápido, como él estaba haciendo ahora, pero rara vez interactuaban.

Eso era impensable en una ciudad como Valencia, dónde era extraño no ver corrillos de personas charlando en cada esquina. Supuso que el tamaño de la ciudad y el clima tendrían algo que ver con su carácter, pero le resultó curioso. No podía olvidar que era un ciudadano del sur de Europa en una urbe del norte. No debía esperar que su manera de ser fuera la misma.

Después de su agradable y gélido paseo, por fin llegó a su destino. En la fachada había un gran cartel donde rezaba *«Vossische Zeitung: Berlinische Zeitung von Staats und gelehrten Sachen»*, que, suponía, era el nombre completo del periódico. Enfrente de él había dos grandes puertas que estaban abiertas. No sabía si quedarse esperando que alguien le recibiera o entrar directamente. Decidió lo primero, no quería ser descortés, pero observó que los mozos del almacén no le hacían ni el más mínimo caso, así que cambió de opinión y entró.

Ni así.

Nadie parecía recelar de su presencia en el interior. Observó, durante unos minutos, la inmensidad de aquellas instalaciones. Nada que ver con las de *El Mercantil Valenciano*, aunque el olor, el ambiente y el ruido eran muy similares. De hecho, algunos de los sonidos le eran familiares. Supuso que todos los talleres de los periódicos, independientemente de su tamaño, sonarían parecidos.

En medio de todo aquello, le llamó la atención una placa. No entendió lo que ponía, pero sí vio que estaban grabadas las cifras 1704-1904. Supuso que conmemoraba el bicentenario de su fundación. Se sintió impresionado. Casi nada.

Por fin, después de unos interminables diez minutos, pareció que alguien advirtió su presencia.

Recordaba la conversación.

—*Wer wist du?*

Supuso que le estaba preguntando qué quería. Como tenía previsto, sacó del bolsillo de su abrigo el primer papel y se lo entregó.

Georg Bernhard

Aquel enorme alemán lo tomó en sus manos y lo leyó. Sin saber el motivo, comenzó a reírse.

«Mal empezamos, nos estamos saliendo del guion», recuerda que pensó, preocupado por su falta de recursos.

—*Was willst du?* —continuó preguntando, sin perder la sonrisa de su boca.

No sabía qué le estaba diciendo, así que decidió entregarle el segundo papel. No se le ocurrió otra opción.

Hugo Font
Valencia - España

Ahora, el alemán se quedó en silencio, leyendo la segunda nota. Estaba claro que estaba pensando. Después de unos interminables segundos, le dio la impresión que lo había comprendido. Le hizo un gesto con la mano para que se esperara, mientras se marchaba y desaparecía por unas escaleras.

Posteriormente, se enteraría del motivo de la hilaridad de aquella persona. La primera pregunta que le había formulado significaba qué quién era. Le había entregado un papel con el nombre de su director, por ello aquel empleado del *Vossische Zeitung* no había podido evitar reírse.

Después le había preguntado qué quería. Al ver, en el segundo papel, un nombre en español, pensó y supuso acertadamente, que era él y que lo que estaba solicitando era hablar con el director del periódico.

Permaneció, al menos, cinco minutos en aquel lugar, observando a su alrededor. Las instalaciones eran más grandes y disponían de más de una rotativa, pero eran más antiguas que la nueva que ellos habían estrenado en 1915. Supuso que, durante el periodo de la Gran Guerra, tendrían otras muchas preocupaciones diferentes a la modernización de su maquinaria. Durante el último año, 1918, Alemania había sufrido un severo castigo militar.

Estaba despistado entre sus pensamientos y no advirtió de inmediato que el risueño alemán le estaba haciendo gestos, desde lo alto de la escalera. Parecía que le indicaba que fuera hacia allí. Así lo hizo. Subió las escaleras hasta encontrarse con aquel bigardo con un bigote exagerado. Le indicó que le siguiera.

La parte superior del almacén albergaba las oficinas donde trabajaban los redactores, y la parte inferior, de dónde venía, era la parte técnica de impresión. Tenían espacio de sobra para separar ambas secciones con la suficiente amplitud para no ser molestados con los ruidos, cosa que no sucedía en *El Mercantil Valenciano.*

Anduvieron hasta el fondo del pasillo hasta que se encontraron una gran puerta. En un lateral, aparecía el nombre de Georg Bernhard rotulado. Su acompañante llamó con los nudillos. Escucharon a una persona contestar y el alemán abrió la puerta, cediéndole el paso, mientras cerraba el portón a sus espaldas.

Había llegado el momento de la verdad.

—*Wie gehts?* —le dijo una persona, de edad parecida a su padre, mientras se acercaba hacia él.

—Perdone, no hablo alemán —acertó a contestar.

Ya se había quedado sin papelitos y sin plan. Sin pretenderlo, se puso nervioso, y más todavía cuando aquel desconocido le dio un afectuoso abrazo.

—Ya me he enterado de la muerte de tu padre, lo siento de verdad —le respondió en un español más que aceptable, aunque con un marcado acento alemán.

Sin saber muy bien el motivo, se puso a llorar. Supuso que la tensión acumulada y el escuchar el pésame por la muerte de su padre, además en su idioma, le rompió el alma.

Estuvieron abrazados, al menos, un minuto. Hugo recordaba el cariño que le profesó aquel desconocido, sin embargo, para su sorpresa, no le resultó extraño.

—Disculpe mi reacción —dijo Hugo, apartándose del director—. No pretendía causarle esta impresión en nuestro primer encuentro. Lo lamento de verdad.

—No es nuestro primer encuentro.

7 VALENCIA, 28 DE MARZO DE 1939

Gisela tenía un nudo en la garganta, y no era para menos. Le aterrorizaba la reacción de sus padres, cuando se enteraran de que se había echado novio, en las circunstancias actuales.

«Tendré que deshacer ese nudo y sincerarme de una vez», se dijo, dándose ánimos.

Se levantó de la cama y se dirigió hacia la puerta. Parecía una corderita camino del matadero.

Abrió la puerta de su habitación.

De repente, algo llamó su atención. Se escuchaban unos ruidos provenientes de su ventana. Vivían en un primer piso y no era extraño que los chavales se entretuvieran lanzándoles pequeños guijarros.

De todas maneras, como estaba buscando cualquier pretexto para retrasar la temida conversación, decidió encaminarse a la ventana para recriminar a los niños su acción. Recordaba que, en una ocasión, habían roto un cristal de su ventana.

La abrió de par en par. Allí no había chiquillos traviesos, al menos en plural.

—¡Toni! ¿Qué haces aquí? —gritó, sorprendida.

Antonio Cano era el novio de Gisela, compañero de la Facultad de Medicina.

—Yo también te quiero —le respondió, sarcásticamente.

—Perdona, es que eras la última persona que esperaba ver, ahora mismo, en mi ventana. Precisamente estaba pensando en ti.

—¿Para bien?

—Para mal. Me has interrumpido. Iba a contarles a mis padres lo de nuestra relación y la cena de pasado mañana con tus padres.

—¿Y eso te parece malo?

—¡Claro que lo nuestro no es lo malo, idiota! Lo malo es que, como ya sabes, mis padres ni siquiera saben que existes, y menos todavía lo de la cena.

—De eso quería hablarte.

—¿Se ha suspendido? —preguntó Gisela, cuyo rostro pareció iluminarse por un momento.

—Parece que te alegre la mera posibilidad —le reprochó Toni.

—No es eso, ya sabes que la situación me agobia un poco. Conocer a tus padres ya me pone bastante nerviosa, pero lo peor es tener que contárselo a los míos. Se me hace un mundo.

—Pues, en ese caso, me temo que no traigo buenas noticias para ti —dijo Toni, en un tono claramente burlón. Parecía que se estaba divirtiendo.

—¿Por qué dices eso? —le preguntó, con evidente curiosidad.

—Porque la cena se adelanta un día.

—¡Qué dices! —exclamó Gisela, escandalizada.

—Mi padre me acaba de comunicar que no hay más remedio que celebrarla mañana miércoles, en lugar del jueves, como estaba prevista inicialmente.

—Me acabas de matar. Si me quedaba alguna pequeña duda acerca de posponer darle la noticia a mis padres, la acabas de disipar. Tengo que hablar con ellos esta noche, o sea, en unos minutos.

—¿No me preguntas el motivo del adelanto? ¿No tienes curiosidad?

Gisela se quedó mirando a Toni. Estaba claro que la pregunta tenía trampa, o alguna oscura intención que no terminaba de pillarla.

—Pues supongo que a tu familia le habrá surgido algún compromiso o imprevisto para el jueves.

Para su sorpresa, Toni se puso a reír.

—Bueno, es una manera de decirlo.

Ahora, Gisela estaba confundida.

—De decir, ¿qué exactamente?

—Que el jueves hay programado un acto muy importante en la ciudad.

Gisela ya no es que estuviera confundida, estaba completamente desorientada.

—No me tomes el pelo. Las Fallas acaban de terminar y, que yo sepa, el jueves no es festivo ni hay ningún acto social programado.

Toni se quedó en silenció, observándola, sin perder esa sonrisa burlona que tanto intrigaba a Gisela, que continuó hablando.

—Claro, a no ser que sea otra de las aburridas huelgas que organiza el sindicato de estudiantes. Ya estoy un poco harta. Me matriculé en la Universidad para aprender, no para hacer carrera política, y menos durante el trascurso de una guerra.

—De eso se trata —le respondió Toni, enigmático.

—¿De otra huelga? Pues, esta vez, conmigo que no cuenten. Me tienen contenta.

Toni se volvió a reír.

—Se ve que estoy graciosa hoy —continuó Gisela, que estaba empezando a perder la paciencia.

—No te enfades, aunque la verdad es que, cuando lo haces, estás más guapa todavía.

—No me hagas perder el tiempo —le respondió, haciendo amago de cerrar la ventana—. Tengo cosas más importantes que hacer ahora mismo, y más con el adelanto de la cena.

—¡Espera, no cierres! —exclamó Toni—. Es importante que lo sepas.

—Que sepa ¿qué?

—El motivo por el que se adelanta la cena.

—Tienes un minuto, no más.

—Me sobra. La ofensiva final de la guerra ya está en marcha por todos los frentes.

—¡Menuda sorpresa que me das! Que yo sepa, ya se inició hace días.

—Hoy ha caído Madrid.

—¡Qué dices! No lo ha publicado ningún periódico ni lo he escuchado en lugar alguno. Menos mal que Valencia aún resiste.

—Te equivocas.

—¿Cómo lo sabes?

—Ya conoces quién es mi padre, un antiguo policía republicano. Aún tiene sus contactos en el cuerpo. El jueves día 30, entraran las tropas franquistas en Valencia, por eso no podemos quedar a cenar ese día. El día 1 de abril se hará todo oficial.

—¿Qué dices? ¡Eso no puede ser!

—Ya ha ocurrido. De hecho, el general en jefe del Ejército de Levante, Leopoldo Menéndez López, acaba de ordenar, hace apenas una hora, la rendición de todas las tropas bajo su mando y el abandono de las trincheras que defienden Valencia. Por otra parte, no ha hecho otra cosa que confirmar lo que ya se estaba produciendo desde hace días. Se podría decir que el ejército republicano ya no existe oficialmente. Se acabó.

—¿No hay ninguna posibilidad?

—Ninguna —afirmó con rotundidad Toni.

A continuación, le pasó a relatar la vergüenza del abandono de todos los mandos políticos y sindicales de España, es especial desde Valencia, que se estaba produciendo esta misma semana. Le dio detalles que Gisela ni se imaginaba. Aquello le pareció bochornoso, pero, al mismo tiempo, desesperante.

—¡Eso es horrible! —exclamó Gisela. Le había salido del fondo del alma.

—¿Por qué? ¿No decías que ojalá se hubiera acabado la guerra antes?

—Desde luego, pero no con este resultado ni de esta manera.

—¿Qué más da? Supongo que vendrán tiempos difíciles para todos, pero, por lo menos, se terminarán los sufrimientos y las agonías de las trincheras. Nosotros mejor que nadie los conocemos. ¿Te tengo que recordar las prácticas en los hospitales de campaña y lo que hemos visto? Eso sí que se merece el calificativo de horrible. La política para los políticos. Te recuerdo que, en parte, estas son palabras tuyas. Ha sido una guerra entre hermanos, que ya era hora de que se acabase.

—Pero iniciada por Caín, no por Abel —le respondió Gisela, que estaba algo aturdida por la noticia—. Tanto sufrimiento para nada.

—¡Caramba! No sabía que profesaras la fe católica con ese fervor.

—No te burles de mí, ya sabes que no creo en ninguna religión. Era una simple metáfora, ya me entiendes.

—Bueno, en un día, nuestro compromiso será oficial y al día siguiente, se pondrá fin a esta guerra fratricida. Quizá no sea de la manera que nos hubiera gustado, pero siempre preferiré la paz. Te vuelvo a recordar que algunas palabras son textuales tuyas. No está mal.

—Si quieres que te diga la verdad, no sé cómo está. Ya veremos qué tiempos nos esperan, pero me temo que no muy buenos.

—Nos espera la paz —insistió Toni.

Gisela no lo tenía tan claro. Se alegraba de que, por fin, se acabara aquella masacre, pero, por otro lado, no le gustaba el resultado de la contienda.

—Ahora debo dejarte, me has dejado hundida. Tengo que pensar.

—Pensar, ¿por qué?

—Porque ahora tengo que contarles a mis padres, hoy día 28, que tengo novio, que el día 29 ceno con sus padres y, para concluir la extraordinaria función, que el día 30 perderemos la guerra.

8 HUGO DESCANSANDO. RECUERDOS DE BERLÍN, EL 7 DE ABRIL DE 1919

—Me va a disculpar, *Herr* Bernhard. No quiero parecerle descortés, pero yo no recuerdo haberle visto jamás y tengo buena memoria.

Ya se habían separado del prolongado e inesperado abrazo, pero a Hugo aún le quedaban algunas lágrimas en la mejilla. Sacó su pañuelo del bolsillo y se las limpió.

—Para empezar, no me llames *Herr* Bernhard. Eso tan solo lo hacen mis empleados. La gente cercana a mí me llama Georg.

«¿Gente cercana?», recordaba Hugo que pensó en ese momento, completamente desconcertado. «¿Qué tengo yo de cercano con este señor alemán?».

—Veo, por tu expresión, que no terminas de comprenderme —siguió el director con aquella extraña conversación.

—Si quiere que le sea sincero, la verdad es que no entiendo nada de nada.

—Por lo menos, supongo que sabrás que estuve en tu ciudad hace diez años.

—Claro, sé que estuvo en *El Mercantil Valenciano* cuando estrenamos la rotativa de 1909. Me lo contó el director de aquella época, don Tomás Peris Mora. Entonces yo era un niño de tan solo ocho años de edad, aún me faltaban tres años para que comenzara a frecuentar los talleres del periódico de manera habitual. No llegamos a coincidir.

—Bien, vamos avanzando.

—¿Hacia dónde? Porque ese dato ya lo conocía y...

—No seas tan impaciente —le interrumpió—. Después de tanto tiempo, déjame que te explique las cosas a mi ritmo, para que las comprendas con total claridad.

—Bueno, de todas maneras, diga lo que le diga, lo va a hacer, así que puede seguir —le respondió resignado Hugo, que acostumbraba a ser más directo en sus explicaciones, sin tantos rodeos.

—Esos dos meses que pasé en tu ciudad, no solo estuve en la redacción de tu periódico.

—¡Vaya sorpresa! Ya lo supongo, no creo que viviera allí, encerrado en los talleres y abrazado a su amada rotativa.

—Tú lo acabas de decir.

—Qué acabo de decir, ¿qué? —preguntó Hugo, que estaba empezando a perder la paciencia por la lentitud de aquel alemán con su explicación.

—Que esos dos meses no viví en el periódico —dijo, con una extraña sonrisa en su rostro.

—Me va a disculpar, pero no sé dónde quiere llegar con todas estas obviedades. Allí no vive nadie.

—Tampoco me llames de usted. Hace diez años no lo hacías.

Hugo recordaba perfectamente su profunda turbación. Respondió de forma automática, repitiendo sus palabras para intentar ganar tiempo y pensar.

—¿Qué hace diez años no lo hacía?

—Sí, recuérdame. Entonces, además de ser diez años más joven que ahora, obviamente, llevaba una tupida barba y no necesitaba las gafas que ahora preciso. También pesaba unos diez kilos menos. Esta barriga incipiente es de reciente creación. Sé que como demasiado, pero es de los pocos placeres que me quedan en esta vida.

De repente, Hugo cayó en la cuenta. Aquello no podía ser, pero era la única explicación que le encontraba.

—¿Tú eras el tío Jorge? —preguntó, con una expresión de sorpresa indisimulada.

—Veo que ya vas recordando —Georg seguía con la misma cara burlona.

—Estuvo alojado en mi casa, pero mi padre me dijo que era el hermano de mi abuela materna. Compréndeme, por eso no te conseguía relacionar con esta situación. Te hiciste pasar por mi tío —se excusó Hugo—. En realidad, siendo más precisos, por mi tío-abuelo.

—Supongo que, para un niño de ocho años, era más sencillo optar por esa explicación —observó el director—. Por eso tu padre optó por lo fácil.

—Perdona, pero optó por la mentira —le corrigió.

—¿Quién te ha dicho que es una mentira? Lo fácil no es la mentira, es la verdad.

Hugo se quedó mirando a aquella persona. Para él, en la actualidad, era un perfecto desconocido.

—No te lo tomes como una descortesía, pero no te creo. Mi abuela materna tan solo tenía una hermana. Además, ¿cómo iba a tener un tío-abuelo alemán viviendo en Berlín y yo no saberlo, durante dieciocho años?

—En realidad, sí que lo sabías. Tu padre te lo dijo, pero no lo recordabas.

—Nadie me ha hablado de tu existencia jamás, dejando de lado esa ocasión hace diez años, pero no creí que fueras mi tío carnal. ¿Cómo lo ibas a ser, siendo alemán y llamándote Georg Bernhard? Yo soy español y me llamo Hugo Font.

—Me parece que hay muchas cosas que desconoces. Pero vayamos una a una, no pretendas comprenderlo todo a la vez. Mírame a los ojos y reflexiona un poco. ¿Para qué te iba a contar una mentira tan estúpida como esa? ¿Qué gano con ello?

Hugo se quedó un momento en silencio. Tenía razón, no encontraba ninguna razón para que aquella persona le mintiera, sobre todo en una cuestión de esa naturaleza. Por otra parte, era un hecho que su padre le había dado instrucciones para reunirse con él y no con su hermano en Madrid, que parecía la opción más lógica. Algún motivo de peso debería existir. Los lazos familiares quizá podrían explicar esa decisión.

—Entonces ¿eres mi tío de verdad? ¿Lo de visitar el periódico en Valencia para ver la rotativa fue una patraña?

—A la primera pregunta, la respuesta es sí, aunque, en términos familiares, en realidad, como ya has dicho, sea tu tío-abuelo. Es cierto, créeme. En cuanto a lo del periódico, no fue una patraña, como tú dudas. El *Vossische Zeitung* estaba interesado en vuestra rotativa de 1909, de hecho, la acabó comprando, cuando la cambiasteis por un nuevo modelo, unos años después. No sé si la habrás visto cuando has llegado. Estaba funcionando.

Hugo recordaba que los sonidos que había escuchado, hacía un momento, en la sección técnica del periódico, le habían resultado familiares, probablemente porque ya los hubiera oído antes.

—Aunque quiera creerte, me cuesta mucho hacerlo. Compréndeme.

—Entiendo tu confusión, pero reflexiona. ¿Por qué te crees que fui yo a Valencia y no un tipógrafo o un operario de las rotativas del periódico? Además, en aquella época, ni siquiera trabajaba para el *Vossische Zeitung*, era el editor en jefe del *Berliner Morgenpost*. Hace tan solo cinco años que comparto la dirección de este periódico con Hermann Bachmann. Tuve que pedir el favor al editor en jefe de hace diez años del *Vossische Zeitung*, que era un buen colega mío, para que me enviara a España. Luego, tuve que convencer, de una manera muy sutil a don Tomás, diciéndole que me sentiría más cómodo trabajando con el oficial tipógrafo, que era tu padre. Creo que se sintió aliviado aceptando mi propuesta, no creo que le apeteciera tratar con un estirado alemán para hablar de cuestiones técnicas acerca de la rotativa. Ahora, piensa un poco en todas las molestias que me tomé para hacer ese viaje y estar con vosotros. La rotativa tan solo era el pretexto.

—No he hecho otra cosa desde que he llegado aquí, pensar. Y cada vez que lo hago, me confundo más. ¿Cómo puede ser que afirmes ser hermano de mi abuela llamándote Georg Bernhard? Que yo recuerde, ella no tenía ese apellido ni era alemana.

El director se limitó a sonreír de un modo extraño. Hugo no lo comprendió.

—Como entenderás, para vivir y trabajar en la Alemania actual, ayuda mucho tener un nombre nativo —le respondió, después de unos segundos de silencio—. Comprende que jamás me hubiera podido labrar la carrera social, política y periodística que he desarrollado durante todos estos años, llamándome de otra manera.

Hugo notó algo extraño en el tono de la respuesta, pero su cabeza no era capaz de asimilar más misterios. Iba de sorpresa en sorpresa. Ya hacía bastante con seguir el hilo de la conversación.

—¿Y por qué te ibas a escapar de tu propia casa? Además, ¿a otro país? ¿Qué sentido tiene eso? Y para concluir, ¿por qué tu existencia es una especie de secreto familiar?

Ahora, Georg se puso más serio.

—Es una historia muy larga que no me apetece recordar y que la gente desconoce, pero supongo que tú mereces y debes conocerla. Te la voy a resumir en una sola frase. Digamos que no me gustan las mujeres.

Hugo se quedó con la boca abierta.

—¿Eres un afeminado?

Ahora, Georg recuperó la sonrisa. Le había hecho gracia la expresión de su sobrino.

—Tu bisabuelo materno, es decir, mi padre, no era tan fino como tú. Era como un general prusiano. Cuando se enteró, dejó de llamarme «hijo» para referirse a mí como «el marica». Yo era el primogénito varón, la persona que se suponía que le iba a heredar. Sus otras dos hijas, mis hermanas, eran más jóvenes que yo. Supongo que su mundo se le vendría abajo con estrépito. Con su mentalidad del siglo XIX, imagínate lo que yo le debía parecer a sus ojos, una aberración de la naturaleza. Acostumbraba a decir que era un castigo que le había enviado Dios por sus pecados. Hasta mi madre rezaba arrodillada todos los días para que me curara, como si fuera una enfermedad cualquiera. Llegó un momento que la situación familiar se hizo insoportable. La única aliada que tenía en casa era tu abuela, que siempre me aceptó como era. Mi otra hermana... bueno, mejor no decir lo que pienso. Me hizo la vida imposible, como mi padre y mi madre. Por eso, desde la distancia, siempre te he tenido un especial cariño. No puedo evitar que me recuerdes a tu abuela, a mi hermana.

Hugo seguía en una nube.

—¿Y te han permitido ser el director del periódico? ¿A un extranjero marica? Perdona si te ofendo con las preguntas, pero no las hago con esa intención.

—No te preocupes, no me ofendes. Aquí nadie lo sabe y así tiene que seguir. Los prejuicios sociales son enormes. Te lo he contado porque eres mi sobrino y era necesario que lo conocieras para comprender la historia, pero no se te ocurra repetírselo a nadie.

Hugo era bastante liberal, pero no podía evitar mirar a su tío con otra expresión.

—Espero que no te importe —continuó Georg—. Tu abuela siempre me ayudó todo lo que pudo. Dentro del infierno que fue la convivencia en mi casa, ella siempre fue como un pedacito de cielo. Se comportó como mi ángel de la guarda. Era todo bondad y cariño hacia mí. Confío en que hayas heredado su comprensión y tolerancia.

«¿Realmente lo había hecho?», recordaba que se preguntó. Quería suponer que sí, aunque no lo tenía del todo claro. No la había conocido y su padre nunca hablaba de la familia, más allá de su hermano José María.

—Ahora nos marcharemos del periódico y nos iremos a mi casa. Espero que no te importe.

—Claro que no —respondió Hugo, que aún estaba confundido. O quizá aturdido.

—Aunque me hubiera gustado que jamás hubiera llegado este momento, en realidad, te estaba esperando. En mi interior, sabía que acabaría sucediendo.

—¿Esperando? —Hugo salía de una sorpresa para meterse en otra.

—Siempre lo he hecho.

—¿Por qué?

—Porque era necesario.

—Necesario ¿para qué?

—Esa es otra larga historia que no te puedo contar aquí —le respondió, enigmático, su tío.

«¡Más misterios y sorpresas no, por favor!», recordaba que le había gritado su mente. «Por hoy ya tengo el cupo cubierto».

9 VALENCIA, 28 DE MARZO DE 1939

Gisela cerró la ventana. De repente, se puso nerviosa. Por primera vez, tenía vergüenza de tener novio. No por Toni, que era un encanto de persona, sino por la situación en su conjunto. La papeleta que le esperaba, en tan solo unos minutos, era de órdago. Por no saber, no sabía ni como comenzar la conversación, si por el principio o por el final. Por un pequeño instante se le pasó por la cabeza no decir nada.

«Mis padres no se lo merecen», pensó. «Siempre he sido sincera con ellos y no voy a cambiar ahora». A pesar de su loable intención, permanecía sentada.

«¡Vamos Gisela!», casi gritó, a modo de ánimo, mientras se levantaba de la mesa de estudio y se dirigía a la puerta de su habitación.

Salió hacia el salón con decisión. «Ahora o nunca», se dijo. Para su absoluta sorpresa, su madre apareció desde la cocina para detenerla.

—No entres —le dijo, llevándose el dedo índice a la boca, en señal de silencio.

—¿Qué ocurre? —susurró Gisela, extrañada.

—Tu padre está descansando. Por lo visto, ha tenido un día complicado en el periódico. Hace nada ha tenido una pesadilla. Más vale dejar que descanse y que se despierte por él mismo. No lo quiero molestar.

Gisela se quedó sin saber cómo reaccionar. Ya llevaba su guion mental preparado y acababa de saltar por los aires. Permaneció en silencio, mirando a su madre.

—¿Te preocupa algo? —le preguntó—. Anda, pasemos a la cocina y me lo cuentas, si te parece.

Gisela la siguió, pero no tenía nada claro si anticiparle a su madre lo que tenía que decirles. Prefería hacerlo con sus dos padres presentes. Si ya se le hacía difícil contarlo una vez, repetirlo dos veces ni se lo imaginaba.

Se sentaron en dos sillas alrededor de la mesa de la cocina. Durante un pequeño instante se quedaron mirando, en silencio.

—Bueno, ¿me piensas contar que te preocupa? —rompió el hielo Felicia.

—Nada, simplemente he tenido una jornada muy dura en la Facultad. Creo que por hoy ya he tenido bastante. Salía al salón a charlar con vosotros, a ver si me despejaba un poco. Tengo la cabeza que me estalla.

—¿Y cuándo no tienes tú una jornada dura en la Facultad? —le preguntó Felicia, mirándole a los ojos.

Gisela se dio cuenta de que iba a ser complicado ocultarle a su madre lo que quería decirles. Era demasiado perspicaz o la conocía demasiado bien. Ahora que lo pensaba, quizá se tratara de ambas cosas a la vez.

—Hay algo más que quería contaros —reconoció.

—Eso ya lo sé. Anda, puedes hacerlo conmigo con absoluta tranquilidad.

—Ya lo sé, mamá, pero quería contarlo delante de los dos — intentó zafarse Gisela.

—¡Caramba! La cosa promete más de lo que me imaginaba. Como ya te he dicho, tu padre está descansando y no creo que sea una buena idea despertarle. Así que tienes dos opciones, o nos quedamos mirando las caras, aquí sentadas, en silencio, o me avanzas algo de eso tan interesante que nos tienes que contar. Creo que será más entretenido para ambas si empezamos a hablar, aunque sea un avance. Así, hacemos tiempo para que tu padre se incorpore del sillón.

Gisela pensó rápidamente. Era consciente de la situación en la que le había puesto su madre. No se podía quedar callada, Algo tenía que contar. Lo que tenía claro es que la conversación acerca de su novio la tendría con los dos presentes. Con pasar un mal trago era suficiente. Decidió empezar por el final.

—Un compañero de la Facultad, cuyo padre es un antiguo policía republicano, me ha hecho una confesión muy perturbadora, con multitud de detalles.

—¿No me digas que se te ha declarado?

A Gisela le dio un vuelco el corazón y era plenamente consciente que se había puesto colorada. Estaba segura de que su madre se había percatado. Debía continuar la conversación lo más rápido posible y escaparse de ese escabroso tema, antes de que volviera a la carga.

—No se trata de eso, tonta —respondió, un tanto alborotada—. Me ha dicho que las tropas franquistas entrarán en Valencia pasado mañana. La guerra se ha terminado, aunque todavía no sea de público conocimiento.

—¡Eso no es posible! Las trincheras del perímetro de la ciudad aún resisten.

—Eso es lo que lees en la prensa republicana. La realidad es que los combatientes ya han abandonado sus posiciones. Todos los líderes políticos y sindicalistas también han abandonado la ciudad por temor a represalias. Mañana saldrán a la calle los *quintacolumnistas* y prepararán la ciudad para la entrada triunfal del general Aranda, pasado mañana. No se espera ninguna resistencia.

Felicia se llevó las manos a la cara.

—Creía que la situación no era tan desesperada —acertó a decir.

—No es desesperada. Eso ya lo era hace muchos meses. Ahora es terminal. Se acabó —sentenció Gisela, que estaba aliviada centrando el tema de conversación en la guerra y olvidándose de su novio y la puñetera cena de mañana.

—Es verdad que los falangistas, últimamente, parece que han perdido el miedo a salir a la calle y el ambiente que se respira en la ciudad es un tanto pesimista.

—No es pesimista, es peor. Es apatía e indiferencia. La gente, incluso los republicanos, ya están cansados de la guerra. Desean que acabe y que sus maridos y sus hijos, combatientes, regresen a casa. En el fondo, ya no esperan nada más que sobrevivir como puedan y que no les fusilen. Temen la posguerra, pero la prefieren a la guerra. Esa es la realidad de la ciudad.

—Llámame ilusa, pero, en el fondo de mi corazón, siempre esperé la intervención, a última hora, de algunas potencias internacionales.

—¿Qué potencias? Francia e Inglaterra reconocieron, el pasado 27 de febrero, la legitimidad del gobierno del general Franco, el mismo día que dimitió Azaña como presidente del gobierno republicano. ¿Qué esperas? ¿Qué venga Estados Unidos en la ayuda de la república? En todo caso, apoyarían a Franco para detener el avance del comunismo. Les conviene mucho más un gobierno militar que una república que no controlarían.

—¿Y qué pasa con la legalidad vigente? ¿Todos se desentienden? ¿Acaso no importa? —por las mejillas de Felicia se veían deslizarse algunas lágrimas.

—Por favor, madre, ¿qué legalidad vigente? Para nuestra desgracia, eso ya no existe. A la «legalidad vigente» que tú dices, le ha faltado el tiempo para largarse de España y dejarnos tirados. A principios de febrero, además del gobierno republicano casi al completo, se calcula que se largaron por los Pirineos unos 300.000 miembros de la «legalidad vigente», después de la caída de la ciudad de Barcelona. Además, para bochorno de Valencia, hoy mismo, han salido desde el aeródromo de Chiva, una ciudad ya ocupada por los franquistas, dos aviones con destacados militares de alta graduación, miembros de la «legalidad vigente» con dirección a Orán. ¿Quieres que continúe?

—¿Aún hay más? —preguntó, entre sollozos, una abatida Felicia.

—Por supuesto. Esta mañana ha zarpado del puerto de Valencia el buque francés *Lezardrieux*.

—No sabía nada. Parece que llevo viviendo en la ignorancia durante bastante tiempo.

—No es culpa tuya. La prensa republicana lo oculta por pura vergüenza. ¿Sabes quién llevaba a bordo? ¿A gente de a pie que se ha dejado la piel por la república? ¡Por supuesto que no! Nada más y nada menos que más de quinientos cuadros y mandos del partido comunista y del resto de partidos del Frente Popular.

Felicia estaba desolada. Sentía que estaban abandonados a su suerte. Gisela continuó haciendo alarde de sus conocimientos.

—Y el general republicano Miaja, humillándose ante el cónsul inglés Goodden, suplicándole ayuda. ¿Sabes también para quién? ¿Para el pueblo? ¡Claro que no! Exclusivamente para él y sus familiares cercanos. Por supuesto consiguió salvar el culo, su propio culo, en otro avión rumbo a Orán. Lo mismo te digo del Federación Socialista, fletando aviones y barcos para su huida. Por ejemplo, en buque carbonero inglés *Stanbrook*, que se sabe que va a partir esta noche desde Alicante.

—A pesar de mi ideología, te tengo que reconocer que no me parece una manera moral de actuar.

—Es que no lo es, y eso que el capitán del *Stanbrook*, el galés Archibald Dickson, ha afirmado que va a intentar acomodar a la mayor cantidad de gente posible, incluso personas del pueblo llano. Pero ha matizado que tendrán preferencia, sobre todo, cuadros del Partido Socialista, gobernadores civiles de toda España, militares de alta graduación y miembros de los Servicios de Inteligencia— continuó Gisela—. Ahora háblame de la «legalidad vigente». Me parece que todos han huido como ratas o lo van a hacer en las próximas horas.

Felicia ya estaba llorando abiertamente.

—El único que se ha negado a irse de España ha sido el gran poeta alicantino Miguel Hernández, a pesar de tener plaza reservada para salir con avión desde el improvisado aeródromo de Monóvar, desde dónde utilizaban los aviones Douglas DC-2 de las Líneas Aéreas Postales para su propio beneficio. No sé cuál será la suerte de Miguel, pero me temo lo peor —continuó Gisela—. Al menos, morirá como un señor. ¿Quién lo iba a decir? Un poeta dando más ejemplo que todos nuestros políticos juntos, que lo único que han hecho es ser lo que son y siempre lo han sido, sucias ratas.

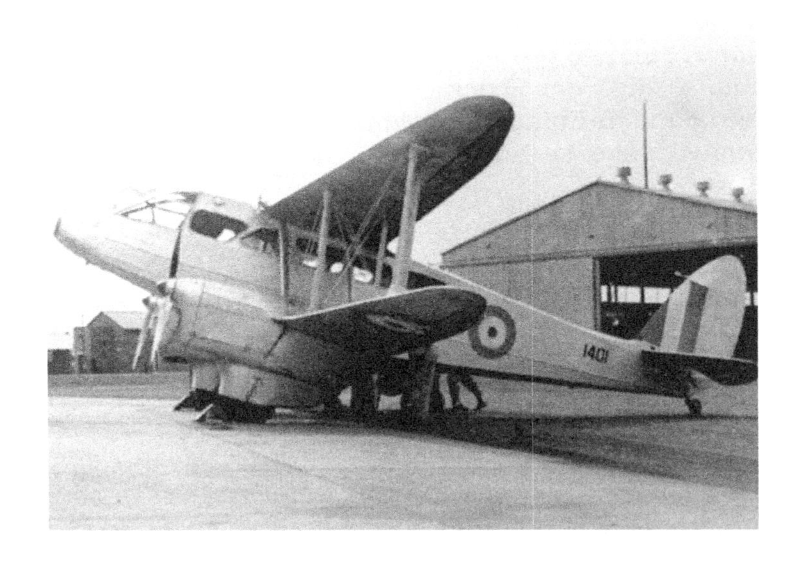

—Lo cuentas como si estuvieras enfadada con la república, de la que eras firme defensora.

—Como comprenderás, prefiero mil veces una república a una dictadura militar, pero eso no me hace ciega ni tener mi propio criterio acerca de cómo se ha gestionado esta guerra y, sobre todo, su final. Por supuesto que estoy enfadada y creo que tú deberías estarlo también. Una cosa es perder una guerra, y otra muy diferente abandonar al pueblo que te ha estado apoyando durante toda la contienda, incluso utilizando medios públicos para el beneficio particular de las élites. No me parece muy republicano, qué quieres que te diga. A ellos, que se les llenaba la boca con la palabra «pueblo». Les ha faltado tiempo para abandonarlo.

—¿Y Jacinto Benavente? ¿Ha conseguido huir? —preguntó Felicia, preocupada.

—No, no ha huido.

—¡Bien! Otro que se queda por sus ideales. Demuestra valentía.

Gisela se permitió una tímida sonrisa, por primera vez en toda la conversación.

—Me temo que, en este caso, demuestra lo contrario. Se rumorea que el Premio Nobel, después de participar en el Congreso de Intelectuales Antifascistas, parece que se ha hecho más franquista que el propio Franco. Incluso dicen que piensa acompañar a las tropas sublevadas en su entrada triunfal por las calles de la ciudad y subir al balcón del ayuntamiento, junto con todos los militares y falangistas.

—¡No lo puedo creer!

—Pues hazlo. Hay ratas que abandonan España, pero también hay ratas que se quedan.

—No seas tan dura. Seguro que todos los que han huido sabían que serían fusilados si se quedaban. Y Jacinto Benavente es todo un Premio Nobel.

—Supongo que Jacinto ha preferido la vergüenza de convertirse al franquismo a la vergüenza de huir con el rabo entre las piernas. Sabe que, por su prestigio internacional, no será fusilado. Es un privilegiado y supongo que lo será siendo con los militares franquistas.

—En cualquier caso, como tú dices, con su decisión ya se ha convertido en una vergüenza para los republicanos españoles.

—¿Te crees que le importará algo? Por otra parte, en cuanto a la gente del pueblo llano, puedo comprender, desde un punto de vista personal, su huida del país. Siento verdadera pena y lástima por los cientos de miles de exiliados, los que ya se han ido y los que todavía se van a marchar de España. Debe ser un gran drama familiar. Se avecina una dictadura militar y una posguerra dramática, por lo que ellos están completamente disculpados. Pero que se larguen primero los jefes, que son los que la han pifiado, y que dejen al pueblo a su suerte, pues no sé qué quieres que te diga... Dicen que el último que abandona un barco que se hunde es el capitán. Aquí ha sido el primero en subirse a un bote salvavidas, sin importarle lo que dejaba atrás.

A Felicia ya no le quedaban argumentos. Había sido completamente desarbolada por el torbellino de su hija.

Durante un instante, se hizo un silencio incómodo en la cocina. Gisela quiso continuar la conversación, para evitar que su madre le preguntara por ese «amigo» de la Facultad.

—Me parece que es obvio que la República Española ha fracasado rotundamente en cuidar de su gente de base — afirmó Gisela, a modo de resumen de toda la conversación.

Todos los datos que había expuesto se los había contado su novio Toni, hacía apenas un momento, desde la ventana.

—Ahora comprendo la actitud de tu padre de hoy — reflexionó Felicia, cabizbaja.

—¿Qué actitud? —preguntó Gisela, con curiosidad. Si, en cuanto terminara de descansar, iba a mantener una conversación con él y su madre acerca de su novio, le interesaba conocer su estado de ánimo.

—Para empezar, este mediodía no ha venido a comer.

—¿Y eso te preocupa?

—Me preocupa el motivo por el que no ha venido. Ha comido con tu tío José María.

—¿Qué hace en la ciudad? —preguntó Gisela, muy sorprendida—. Lo pueden detener y fusilar. Aunque la guerra esté decidida, hoy por hoy, Valencia aún es republicana.

—Eso mismo le he dicho yo.

Gisela se quedó pensativa. Su rostro pareció trasmutarse cuando pudo vislumbrar el motivo de esa visita.

—Me parece que, cuando termine su reposo, las noticias nos las va a dar él, no yo.

—¿Qué quieres decir? —preguntó Felicia, intranquila.

—No creo que nos espere nada bueno, mamá. Nada ocurre por casualidad.

10 HUGO DESCANSANDO. RECUERDOS DE BERLÍN, EL 8 DE ABRIL DE 1919

Hugo recordaba que, cuando llegaron a la casa de su tío Georg Bernhard, insistió en que descansara. Había hecho un viaje muy largo y complicado, cruzando media Europa. A pesar de que le explicó que ya lo había hecho la noche anterior, en una pensión cercana a la estación de tren, su tío no cedió y se mantuvo firme.

Para su sorpresa, había dormido a pierna suelta. Suponía que aún le quedaban muchas horas de sueño por recuperar, además, la cama era la más confortable y lujosa que había utilizado en toda su vida, al igual que el resto de la casa de su tío. Aquello parecía un palacete decorado con muchísimo gusto y cuidado al detalle. Se notaba que la vida le había sonreído.

—¡Caramba! El que ayer no quería descansar, me parece que lo ha hecho a lo grande. Tienes un aspecto bastante mejorado —le dijo Georg, cuando lo vio aparecer en el salón—. Anda, siéntate conmigo y desayunemos. Hoy nos espera un día algo pesado.

Hugo no quiso preguntarle el porqué, supuso que ya se enteraría. Estaba más interesado en el desayuno, ya que no había ni cenado.

Georg tocó una campanilla. De repente, apareció por la puerta una señorita, impecablemente uniformada de negro y blanco.

—*Sophie, ein Frühstück für meinen Neffen, bitte.*

—*Ja, Herr Bernhard.*

Cuando Sophie desapareció del salón, su tío se explicó.

—A pesar de que me he dirigido a ella en alemán, es por costumbre. Lleva conmigo desde que era muy joven y habla perfectamente el español. Su nombre real es Sofía y su madre es alicantina. Supongo que, aparte de su diligencia en el trabajo, la contraté para tener alguien con quién practicar el español y no perderlo. Te debía esperar, y ello requería que me pudiera comunicar contigo de una manera satisfactoria.

—Hablas un excelente español y manejas un gran vocabulario, aunque ese ligero acento alemán te delata —le respondió con educación. Era cierto que dominaba su idioma con soltura, pero su acento le delataba.

Por otra parte, era la segunda vez que hacía alusión a que lo estaba esperando. A pesar de que tenía curiosidad en saber el motivo, supuso que su tío no le diría ni una sola palabra hasta que lo considerara oportuno. Además, tenía hambre y le acababan de servir un suculento desayuno, como no había visto otro en su vida. Lo primero era lo primero.

Dio cuenta de las viandas a una velocidad que llamó la atención de su tío.

—Supongo que llevas varios días comiendo mal, durante el largo viaje.

Hugo pensó decirle que no había desayunado así jamás, pero decidió no hacerlo y darle la razón a su tío.

—El viaje ha sido más duro de lo que yo mismo quería reconocer, a la vista de lo que he dormido y desayunado.

—No te preocupes, no necesitas justificarte. Además, como ya te he dicho, hoy tenemos bastantes cosas que hacer. Prefiero que estés descansado y bien alimentado.

Después de una charla intrascendente, Georg le indicó a su sobrino que tenían que salir de su casa.

—Hoy te vas a enterar de una cosa que te va a sorprender —le dijo.

—¿Mucho? —preguntó Hugo, casi de forma automática. No sabía qué decirle y empezaba a preocuparse.

Su tío advirtió su gesto y quiso tranquilizarlo.

—Me temo que sí, pero será divertido. No temas, no se trata de nada malo.

—¿Adónde vamos?

—Antes, debo ponerte en antecedentes. Sabes que acabamos de salir de una espantosa guerra y que el emperador se exilió del país. Ahora, Alemania es una república.

—Eso lo sé. No olvides que trabajo en un periódico, como tú. Estoy al día de las noticias.

—Pues entonces igual conoces a la persona que vamos a visitar. Es un antiguo compañero del *Sozialdemokratische Partei Deutschlands,* más conocido por sus siglas, SPD. O sea, el Partido Socialdemócrata de Alemania. Se llama Fiedrich Ebert.

—No, no sé quién es.

—Es comprensible. La Alemania de la posguerra ha vivido de forma frenética, sobre todo en materia política. Te diría que se ha abierto un nuevo horizonte y que los acontecimientos y las novedades casi se producen a diario. Las elecciones de enero de 1919 han aclarado un poco el horizonte político, pero tampoco te creas que tanto.

—¿No eras partidario del emperador Guillermo II? ¿Con la posición social que pareces ostentar?

—¡Por supuesto que no! Aunque no tuvimos más remedio que apoyarlo durante la guerra, por cuestiones patrióticas, ello provocó muchas tensiones dentro del Partido Socialdemócrata de Alemania, que aún continúan hoy en día —respondió indignado Georg—. Tengo que reconocerte que soy uno de los periodistas alemanes más influyentes de los últimos años, pero, como puedes observar, también tuve y tengo mi vertiente política, social, económica y universitaria, que desconoces. ¿Sabes que empecé siendo banquero?

—No te imagino en esa profesión. Parece que hayas nacido para el periodismo. Ni siquiera como político, me has sorprendido.

—No te niego que es lo que más satisfacciones me ha dado en la vida, pero me vas a permitir que me guarde mi mayor sorpresa personal para el final del día. Por cierto, ¿sabes que en el año 1903 fui miembro del *Reichstag,* el parlamento alemán? No solo eso, después de salirme del SPD, fui uno de los fundadores del *Deutsche Demokratische Partei,* es decir, el Partido Demócrata Alemán, más conocido por sus siglas en alemán, DDP. Quedamos segundos, después del SPD, en las elecciones de enero. Pertenezco a su junta.

—¡Caramba! Eres una caja de sorpresas.

—¡No lo sabes tú bien! —exclamó, con una sonrisa pícara en su rostro.

Hugo se percató, pero fiel a su plan, permaneció en silencio y no hizo ningún comentario. Las cosas llegarían a su debido momento, que no era otro que cuando su tío quisiera.

Georg continuó hablando.

—Para lo que nos interesa ahora mismo, te diré que fui militante y, en cierta manera, aún tengo muy buenas relaciones con la mayoría de miembros del SPD, entre los que se encuentra Fiedrich Ebert, cuyas ideas, como comprenderás, tampoco estaban en la línea del emperador. Supongo que eso ya lo habrás deducido de la conversación.

—Perdona mi curiosidad, pero ¿cuál es la causa de que vayamos a visitar a ese antiguo camarada político tuyo?

—El motivo es que es mucho más que un antiguo camarada, como tú dices. Ya sé que suena enigmático, pero en breve lo comprenderás. Anda, vayamos saliendo de casa, que aún se nos hará tarde —dijo, mientras se dirigía al armario. Le dio a Hugo un abrigo bastante más elegante que el suyo y bajaron unas escaleras, en dirección a lo que parecía ser un sótano.

—No te sorprendas por el abrigo. Mañana iremos de compras. Tu ropa es demasiado española. No te lo tomes como algo peyorativo, pero aquí, como ya habrás observado, se viste de otra manera. Berlín comienza a despuntar en materia cultural, cosa que me llena de orgullo.

Hugo observó que había cogido un elegante maletín de cuero, cuya única utilidad era portar documentos. Desconocía su contenido y se abstuvo de preguntarlo. Como su tío le acababa de decir, en breve lo iba a comprender.

Georg pulsó un pequeño interruptor. De repente, aquel oscuro sótano cobró vida. Hugo se quedó con la boca abierta, cuando vio lo que tenía delante de él.

Georg observó la cara de sorpresa de su sobrino.

—Mi nivel social me permite ciertos caprichos, y este es uno de ellos. Se trata de un modelo *Benz 16/45* de 1916. Me es muy útil para desplazarme por la ciudad, además de que me encanta ir al volante.

—Nunca había visto uno así —intentó excusarse Hugo.

—Ni tú ni casi nadie, no te avergüences. No te creas que aquí, en Alemania, se ven muchos modelos como este tampoco.

—¿Por qué no vamos caminando? La verdad es que esta ciudad me parece preciosa, a pesar de la guerra. Desde la pensión, junto a la estación, al día siguiente de llegar, fui caminando hasta la redacción del *Vossische Zeitung* y, a pesar del frío, disfruté el paseo junto al río Spree.

—Ya tendrás tiempo de sobra para recorrerla y conocerla, pero ahora nos dirigimos a la *Wilhelmstraße*, calle que no está próxima a mi residencia. Prefiero utilizar el coche.

En realidad, Hugo también lo prefería. Jamás se había montado en uno de esos cacharros, pero, una vez en su interior, le parecía demasiado ostentoso.

«Supongo que sigo con mi mentalidad española, tendré que acostumbrarme a que ahora voy a vivir en Berlín», recuerda que pensó. «Las cosas son muy diferentes».

Después de un recorrido de unos quince minutos, Georg detuvo el vehículo.

—Ya hemos llegado a nuestro destino.

—¿Qué destino? —preguntó Hugo, que no veía ninguna casa a su alrededor.

—Mira enfrente de ti. Ese es nuestro destino.

Hugo no comprendía nada.

—Pero esto no es una casa. Es un palacio.

—¿Quién te ha dicho que íbamos a una casa? —le respondió su tío, con la misma sonrisa burlona de hace un rato—. Estás enfrente de la residencia oficial del *Reichspräsident.*

—¿De quién? —preguntó Hugo, que no había entendido la última palabra.

Georg no pudo evitar reírse.

—Lo siento, me olvido que todavía no hablas alemán. Aquí vive el presidente de la incipiente nueva República Alemana.

—¿Y qué hacemos aquí? ¿Turismo?

—Se llama Fiedrich Ebert.

11 HUGO DESCANSANDO. RECUERDOS DE BERLÍN, EL 8 DE ABRIL DE 1919

Hugo estaba atónito. Aquello no se lo esperaba.

—¿Quieres decir que hemos venido a hablar con el presidente de la República de Alemania?

—Bueno, en realidad lo es desde hace apenas dos meses. Fiedrich y yo somos amigos personales desde 1903, hace ya dieciséis años. Tenemos una muy buena relación. Yo le presté toda mi ayuda política y periodística para que alcanzara el puesto que ocupa ahora, pero eso no es lo importante. Por encima del cargo, que desempeña ahora con cierta interinidad, está nuestras vivencias personales en tiempos más complicados para nosotros y nuestro país. Nos hemos ayudado mutuamente durante muchos años.

—¡Pero es el presidente! —exclamó Hugo, que aún estaba asombrado por las relaciones de su tío.

—No lo mires así. Es mi amigo y ahora nos puede ayudar. Me debe muchos favores.

—¿Y cómo se supone que nos va a ayudar?

Mientras iban andando, habían llegado a la entrada del palacio. Su tío aprovechó para zafarse y evitar responder a su pregunta. Los guardias de la puerta se cuadraron cuando lo vieron aproximarse. Hugo supuso que lo conocían perfectamente.

—*Wir haben ein Treffen mit Herrn Ebert* —les dijo su tío.

—*Bitte Herr Bernhard, warten Sie einen Moment, während wir mit dem Palast kommunizieren* —le respondió el que parecía el jefe de la guardia.

—*Keine Sorge, wir warten auf Ihre Kommunikation* —replicó su tío.

—¿Qué ocurre? ¿Algún problema? —preguntó Hugo, que no había entendido nada.

—¡Claro que no! He venido a este palacio unas cuantas veces. Los guardias me conocen, pero tienen que comunicarse con el interior del palacio, para comprobar que tenemos cita con el presidente.

—¿Y la tenemos?

—No —respondió su tío, estoico—. Pero no creo que Fiedrich nos haga esperar mucho.

Hugo estaba visiblemente sorprendido por aquella situación, pero, al cabo de apenas un par de minutos, uno de los guardias les hizo un gesto con la mano, indicándoles que podían pasar.

—¿Te das cuenta? —le preguntó, con cierta sorna, su tío—. No ha sido tan complicado.

Anduvieron por el jardín hasta llegar a la entrada principal. Desde la distancia, Hugo vio un miembro del servicio que les estaba esperando en la puerta.

—Eres más importante de lo que creía. Todo el mundo te trata con mucho respeto.

—Más que con respeto, con cierto temor. Saben que un artículo mío en el *Vossische Zeitung* puede ser favorable o negativo. Es el poder de la prensa. Fiedrich Ebert es amigo mío, pero si fuera mi principal enemigo, te aseguro que nos habría recibido de parecida manera.

—Nos espera un criado en la puerta.

—Es lo usual, tranquilo. Nos guiará hasta el interior del palacio.

Al llegar a la puerta, para asombro de Hugo, su tío se abrazó con aquel miembro del servicio. Supuso que serían amigos del partido también.

—*Hallo, mein Freund. wie gehts?* —le dijo su tío.

—*Schlimmer als du, dass du jeden Tag jünger scheinst* —le respondió el desconocido.

—¿Te importa que continuemos la conversación en español? Mi sobrino Hugo no habla nuestro idioma.

—Por supuesto que no. Bienvenido al palacio, señor Font — se dirigió aquella persona a Hugo, con cierta reverencia.

Hablaba el español con menos acento alemán que su propio tío, pero Hugo se alarmó No porque un criado hablara español, supuso que era una especie de mayordomo con carácter diplomático, que recibía visitas internacionales y que, en consecuencia, requeriría el conocimiento de idiomas. Lo que le había alarmado es que se había dirigido a él como señor Font. Su tío le acababa de decir que no había concertado una cita y tan solo le había presentado como su sobrino. Entonces, ¿cómo podía conocer aquel mayordomo su apellido?

—Muchas gracias —respondió, cohibido y confuso.

—No nos quedemos aquí en la puerta, pueden pasar al interior.

Georg se quedó mirando a su sobrino, con un gesto divertido en su rostro.

—*Mein Neffe denkt du wärst ein Diener* —dijo su tío.

El criado se rio.

—*Du kanns es nicht vermeiden stets en Witzbold zu sein, sogar mit deinen Neffen* —le respondió, devolviéndole la sonrisa.

—*Du kennst mich seit vielen Jahren.*

—*Du wirst dich nie ändern* —siguió sonriendo el criado.

—*Wofûr?*

Ahora, Hugo observó que ambos se ponían a reír de forma estruendosa. No sabía si lo debía hacer también, pero prefirió quedarse serio. Le pareció más apropiado, ya que no había comprendido ni una palabra de toda la conversación.

El criado los condujo por el interior del palacio, hasta que llegaron a una puerta de grandes dimensiones. Hugo observó que estaba tallada en madera con profusión de detalles. Tenía aspecto de ser muy antigua. Supuso que, detrás de ella, se encontraría el despacho del presidente del *Reich* alemán.

Les abrió la puerta y les franqueó el paso, con extrema elegancia. La estancia era enorme, y estaba decorada con un estilo «poco republicano». Aquello parecía el despacho de un emperador.

—Ya sé lo que piensas —le dijo su tío—, y tienes razón. Estamos ante las estancias privadas del emperador Guillermo II, felizmente exiliado y apartado del poder. De forma provisional, mientras se redacta la nueva Constitución alemana, ciertas cuestiones continúan como antes. Recuerda que tan solo han trascurrido cuatro meses desde que somos una república. Venimos de épocas imperiales.

Aun así, Hugo no pudo evitar sorprenderse y también sentirse cohibido ante tan fastuoso decorado.

—Pueden sentarse en las sillas enfrente de la mesa —les dijo, mientras cerraba la puerta de la imponente estancia a sus espaldas.

Tal y como les había indicado el mayordomo, se sentaron en los dos butacones, justo enfrente de una mesa. Pero no era una mesa cualquiera. Hugo jamás había visto una así. También le llamó la atención la profusión de objetos y detalles que no creía que pertenecieran a un presidente socialista de la república. Se suponía que debía ser más austero.

—También tienes razón —volvió a intervenir su tío, leyéndole de nuevo el pensamiento—. Los objetos que ves en este despacho son del abdicado emperador. Piensa que abandonó Alemania dejando atrás todas sus pertenencias, incluso a su mujer, la emperatriz Augusta Victoria. Supongo que, en algún momento posterior, le serán enviadas a su actual residencia provisional, en el Castillo de Amerongen, en Utrecht, en los Países Bajos. Me refiero a sus pertenencias, no a Augusta Victoria —dijo, con cierto toque de humor.

—Bueno, ¿a qué debo esta agradable visita? —escuchó Hugo a sus espaldas.

Para su absoluta sorpresa, se trataba del criado, que los había acompañado también al interior de la estancia. Hugo no reaccionó cuando se sentó en la silla que le debía corresponder al presidente.

Viendo la cara de sorpresa de su sobrino, su tío rompió el hielo.

—Ya te lo había dicho, se creía que eras una especie de criado o algo así.

Hugo supuso que hacía referencia a la conversación que habían mantenido en alemán, hacía un momento, que acabó con ambos riéndose.

—Disculpa, es una descortesía por mi parte saber quién eres tú y no haberme presentado yo. Soy Fiedrich Ebert y, mientras se redacta la nueva constitución o me muera, lo que antes suceda, han decidido que sea el presidente de la República de Alemania.

Hugo conocía, por *El Mercantil Valenciano*, que, después de la Revolución de Noviembre de 1918, Guillermo II, en contra de su voluntad, ya que quería mantener, al menos, el control sobre Prusia a título de rey, había sido obligado a abdicar y huir, pero no conocía nada de Fiedrich Ebert.

—Sí, en realidad, pasaba por allí —continuó Fiedrich—. Después del vacío de poder que se produjo con el fin de la guerra, y dado mi cargo como presidente del SPD, las fuerzas vivas de Alemania, entre las que se encuentra tu tío, consideraron que era la única persona que podía mantener al país unido y en paz. Me nombraron canciller provisional. Además, el pueblo estaba deseoso de una verdadera democracia y le pareció más apropiado que pilotara ese proceso el Partido Socialdemócrata Alemán. Al fin y al cabo, llevamos la palabra «democracia» en nuestro nombre. Fíjate que, hasta los más mínimos detalles, importan en esta vida, no lo olvides.

—No lo haré —dijo Hugo, un tanto abrumado por la clase de la historia reciente de Alemania que estaba recibiendo.

Fiedrich continuó con su explicación.

—En enero se convocaron elecciones, que ganamos por un amplio margen de votos. Obtuvimos un 38 %, frente al 19 % que consiguió el Partido Demócrata Alemán de tu tío, el DDP, que lo fundó hace apenas un año. Pactamos con ellos y con el Partido de Centro, que había obtenido un 16 %. Con más del 70 % de los votos, disponemos, en la actualidad, de una amplia y cómoda mayoría absoluta de los escaños en la Asamblea Nacional. El 10 de febrero, dicha Asamblea aprobó la llamada *Gesetz über die Vorläufige Reichsgewalt*, o sea, una ley sobre el poder temporal en el *Reich*, que creó la figura del *Reichspräsident*, es decir, la persona que estaría al cargo de los asuntos ordinarios de la nación. Al día siguiente, el 11 de febrero, me eligieron para ese cargo, de nuevo de forma provisional. No espero estar en esta posición mucho tiempo, tan solo hasta la redacción de la nueva constitución y la convocatoria de otras elecciones, de acuerdo con las reglas que emanen de ella. Además, ya no soy aquel joven que una vez fui, cuando conocí a tu tío. Mi salud no es la misma.

—Estarás hasta que te mueras, ya lo verás. Ahora mismo, no hay nadie mejor que tú para pilotar la nave —le dijo, en tono jocoso, Georg —, y confío en que aún falte mucho para eso.

—¡Y lo dice quién ha creado de la nada un partido que acaba de obtener un respaldo popular del 19 %! No te hagas el modesto, que ya nos conocemos muchos años.

Hugo asistía a la conversación, pero no se acababa de encontrar cómodo con la situación.

—Disculpe mi incultura. Soy un simple aprendiz de tipógrafo en un periódico local de España y tan solo conozco lo que leo en él, y, por lo visto, no todo.

—No te disculpes por ello. Creo que tan solo me conocen en Alemania, y de eso tampoco estoy muy seguro —rio el presidente—. No soy ni lo pretendo ser líder de nada. Tan solo pilotaré esta difícil transición, con la ayuda, entre otros, de tu tío.

—Si no te importa, Fiedrich, vayamos al grano. Ya te puse en antecedentes hace un mes, ¿lo recuerdas?

—Claro. Por eso, cuando me han anunciado tu llegada, acompañado de un joven, he supuesto que se trataba de tu sobrino.

Hugo estaba pasmado. «¿Cómo podía saber mi tío que estaba a punto de llegar?», recuerda que se preguntó. Lo había hecho a causa de la desgraciada muerte de su padre, y no creía que Georg supiera cuándo se iba a producir.

—En esta carpeta llevo todos los documentos acreditativos. Me ha costado más de un mes conseguirlos y reunirlos todos, pero, como podrás comprobar, no hay ninguna duda —dijo su tío, mientras abría el maletín y dejaba encima de la mesa varios papeles. Hugo intentó echarles un vistazo. Parecían certificados oficiales, pero como estaban redactados en alemán, no entendió nada.

El presidente los tomó entre sus manos. Se pasó unos cinco minutos en silencio, leyéndolos. Cuando concluyó, levanto la cabeza con una sonrisa en sus labios.

—Bueno, parece que, después de todo, tenías razón.

—Ya te lo dije. Tan solo debía buscar y encontrar los documentos. No ha sido nada sencillo, ya que muchos archivos han sido destruidos por la guerra. Pero lo conseguí. Ahora, aquí los tienes, delante de ti.

—Se nota que te has tomado y te tomas mucho interés por este asunto. En consecuencia, yo también lo haré. Ahora mismo, mandaré un criado para que se los lleve a Philipp.

Ante las abrumadoras pruebas que has reunido, no creo que le lleve más de una semana regularizar la situación.

Hugo recordaba que no se había sentido más confuso en su vida. Creía entender que hablaban de él, pero ¿qué documentos eran aquellos? ¿Qué probaban? ¿De qué regularización estaban hablando?

Tomó la palabra su tío, dirigiéndose a su sobrino.

—Por si no lo sabes, Philipp Heindich Scheidemann es el *Reichsministerpräsident*, es decir, el primer ministro de Alemania— ahora se giró hacia Fiedrich—. Muchas gracias, veo que de verdad te tomas interés en este asunto, que sabes que es muy importante para mí.

—No hace falta que te diga que es un placer ayudar a un amigo como tú —le respondió el presidente—. Ya nos vamos haciendo mayores y amigos de verdad, quedan pocos.

A continuación, cambiaron de idioma y se pusieron a hablar en alemán. Hugo recordaba estar allí sentado, sin comprender nada y un tanto incómodo. Esperaba salir del palacio, para poder preguntarle a su tío de qué iba todo aquello.

Al cabo de unos diez minutos, terminaron su conversación. Fiedrich Ebert se levantó de su mesa y los acompañó personalmente hasta la salida del palacio.

—Sin duda, nos volveremos a ver, jovencito —se despidió el presidente, chocándole la mano.

Después de abrazar a su tío, se quedaron solos, caminando por los jardines que daban acceso a la enorme verja y al control de seguridad, donde se ubicaban las garitas. Anduvieron todo ese tramo en completo silencio. Se despidieron de los guardias y se subieron al coche de su tío. Aunque no hablaran, la tensión se respiraba en el ambiente.

Hugo no quería ser el primero en hablar. Creía que las explicaciones le correspondían a su tío, pero no lo pudo evitar.

—Supongo que, en algún momento, me pensarás explicar de qué he sido testigo.

—Tú lo has dicho, en algún momento. Espera a que lleguemos a casa y allí, con total seguridad, te responderé a todas las preguntas que me quieras formular.

«¿Con total seguridad?», recordaba que pensó Hugo. «¿Qué tiene que ver la seguridad con todo este asunto?».

Aparcaron el coche en el sótano y subieron hasta el salón. Se sentaron uno enfrente del otro.

—Bueno, ha llegado el momento. Me puedes hacer todas las preguntas que desees —le dijo su tío.

—Antes de comenzar, discúlpame, yo soy más directo que tú con las explicaciones y también con las preguntas.

—Adelante, para eso estamos aquí sentados.

—¿De qué he sido testigo hace un momento? ¿Qué favor le has pedido al presidente?

—Esa respuesta es muy sencilla. Le he pedido que corrija un error que se produjo hace muchos años.

—¿Qué error?

—Le he solicitado que se reconozca tu nacionalidad alemana.

Hugo no se esperaba esa respuesta jamás. Le pilló por sorpresa.

—¡Pero si yo soy español! ¿Qué tontería es esa?

—Ya sé que eres español, por eso he empleado la expresión «que se reconozca tu nacionalidad alemana», que no es lo mismo.

—¡Pero eso no es posible! —exclamó Hugo, atónito—. No sé en Alemania, pero en España hace falta que un ascendiente directo tuyo sea español y, aun así, que no es el caso, es un trámite muy lento y complicado, que requiere de muchos documentos.

—En cuanto a la lentitud del trámite, ¿por qué te crees que acabamos de salir de hablar con el mismísimo presidente de Alemania? En cuanto a lo otro, anda, piensa un poco. ¿Estás seguro de que no es el caso?

Hugo recordaba que su cabeza era un remolino de ideas desordenadas. De repente, las piezas encajaron, pero aquello era una idea descabellada, aunque era la única que lo explicaba todo.

—Tu siempre has sido Georg Bernhard, ¿verdad? Eres alemán de origen, no huiste a otro país ni te cambiaste el nombre.

Su tío hizo el gesto de aplaudir con las manos.

—¡Bravo! Veo que lo has comprendido. Así es. Nací aquí, en Berlín, hace 44 años. Mi madre se llamaba Helena, igual que tu abuela.

—Entonces, ¿no te fuiste de casa?

—Sí lo hice, al mismo tiempo que el resto de mi familia decidió mudarse a otro país, por pura vergüenza. Yo permanecí en Alemania, y continué con mi vida.

Hugo, aunque ya lo había deducido, se quedó sin reaccionar.

—Además, tienes que saber que me casé con Fritze Mûhsam y tengo dos hijas, Stephanie Ruth, que tiene veinte años, y Eva Marie, que acaba de cumplir los siete. Me separé de mi mujer, por los motivos que ya conoces y que no voy a repetir. Mis hijas viven con su madre y yo, como habrás podido comprobar, hasta ayer lo hacía solo. A pesar de todo, mantengo una relación cordial con ellas.

—¿Te casaste? —Hugo no daba crédito.

—Bueno, era lo que entonces se esperaba de un caballero de buena familia.

—Entonces, ¿mi abuela era alemana?

—Eso es lo que demostraban los documentos que le he entregado a Fiedrich Ebert. Certificados de matrimonio y de nacimiento y algún otro adicional, por si había alguna duda acerca de tu abuela, cuyo verdadero nombre era Helena Bernhard.

—Perdona mi aturdimiento. Ya sabes que no la llegué a conocer y apenas tengo recuerdos de mi madre, pero mi padre siempre hacía referencia a ella como Elena, en español. Jamás se le escapó que tuviera ascendencia alemana.

—Sí lo hizo, además en dos ocasiones. La primera, cuando os visité en España, pero entonces, con ocho años, no le creíste. La segunda, poco antes de morir, y entonces, con diez años más, sí lo hiciste, por eso estás aquí. Piensa un poco, ¿por qué iba tu padre a confiar la educación de su hijo a un perfecto desconocido alemán? La respuesta la tienes delante de tus ojos, porque no lo soy.

—Esa reflexión ya la había hecho, pero no tenía ni idea de sus implicaciones.

—Además, hay otra cosa que debes conocer —continuó Georg.

—¿Más sorpresas?

—Al fin y al cabo, son tus raíces, que las que nadie te ha hablado.

—No sé a qué te refieres.

—Desde hace muchos años, soy miembro del consejo directivo de la *Zentral-Verein.*

Hugo levantó los hombros, en señal de incomprensión.

—¿Se supone que esas palabras alemanas tienen que significar algo para mí?

—Te he dicho cómo se conoce coloquialmente. En realidad, su nombre completo es *Centralverein deutscher Staatsbürger jüdischen Glaubens.*

Hugo tan solo le había parecido entender una palabra de toda aquella parrafada en alemán.

—¿Me lo explicas de una vez, sin tantos rodeos? —le preguntó a su tío, que ya lo iba conociendo.

—Es una asociación fundada por intelectuales, a finales del siglo pasado, en concreto, en 1893.

—Estupendo, ¿y qué?

—Por intelectuales judíos.

Ahora, por fin, Hugo comprendió lo que su tío le quería decir.

—¿Acaso eres judío? —le preguntó, sorprendido.

—Eres no, lo somos.

12 VALENCIA, 28 DE MARZO DE 1939

De repente, Felicia y su hija Gisela escucharon como alguien aporreaba la puerta de su casa con insistencia. Se quedaron mirándose entre ellas, sin reaccionar.

El rostro de Felicia denotaba miedo, después de todo lo que le había contado su hija acerca del final de la guerra y la derrota del bando republicano. Ya se imaginaba que se podría haber producido la toma de Valencia. Por ello, no hizo ademán de moverse.

Gisela también estaba paralizada por el miedo, aunque, en su caso, la causa era diferente. Temía que pudiera ser Toni, su novio, con alguna novedad inminente. Si había intentado contactar con ella, a través de la ventana de su habitación, no lo habría logrado, ya que no estaba allí. En ese caso, si la noticia era importante, quizá se arriesgara a entrar en su casa. «Al fin y al cabo, somos compañeros de la Facultad», se dijo, intentando espantar los fantasmas que la rodeaban.

En cualquier caso, por diferentes motivos, allí estaban las dos, sin reaccionar.

—Tendremos que ver quién es el que llama a estas horas tan extrañas, ¿no? —rompió Felicia el hielo.

—Desde luego. Quienquiera que sea, parece que no se cansa y cada vez golpea la puerta con más fuerza —respondió Gisela—. La acabará echando abajo.

—Además, con el ruido puede despertar a tu padre y no quiero que eso ocurra.

A pesar de esa breve conversación, seguían sentadas en las sillas de la cocina, sin moverse.

—Bueno, voy yo a ver —se lanzó Felicia—. Si insiste tanto, debe ser algo importante.

Eso es lo que más temía Gisela. No sabía qué hacer ni qué decir. «No somos novios, somos compañeros de estudios», no paraba de repetirse en su interior, como un mantra. No sabía cómo iba a reaccionar cuando lo viera entrar en su casa, junto a su madre. Su mente no paraba de darle vueltas. «Si le digo a mi madre que es un amigo, ¿cómo le explico, cuando se despierte mi padre, que, en realidad, es mi novio?». Se dio cuenta de inmediato de que aquello no iba a funcionar.

En cualquier caso, estaba bien fastidiada, eso era lo único que tenía claro. «¿Y si aprovecho para presentárselo a mi madre como mi novio?». Ese simple pensamiento consiguió que ya no estuviera nerviosa. Ahora estaba histérica.

Escucho como su madre se dirigía a la puerta y el sonido de su apertura. La oyó hablando con un hombre, pero, desde la cocina, no podía reconocer la voz. «Bueno, he pasado por situaciones mucho más angustiosas en los hospitales de campaña. Esto es una tontería comparado con aquello», se dijo, resuelta. «Se supone que es una buena noticia, no voy a hacer un drama de todo esto».

Ahora los oyó acercarse por el pasillo, en dirección a la cocina. Curiosamente, se había tranquilizado.

Entraron en la cocina. Gisela se levantó y, con educación, le dio dos besos muy cariñosos.

—¡Mira que sorpresa! ¡Y nosotras asustadas porque llamaran a la puerta! —dijo Felicia, cuyo rostro reflejaba un evidente alivio.

—Sí, desde luego —respondió Gisela.

—¿Qué te trae por aquí a estas horas?

—¿No lo sabéis? —contesto el visitante.

—¿Qué es lo que tenemos que saber? —le respondió Felicia, con curiosidad.

—Ya veo que no tenéis ni idea. ¿Dónde está Hugo? —dijo Vicente Fe Castell, que era el nombre del visitante.

—Durmiendo en el sillón del salón y. créeme, es mejor no despertarle. Lleva casi una hora, así que no creo que tarde en hacerlo.

Vicente Fe Castell era el director de *El Mercantil Valenciano.* A pesar de ser el jefe de Hugo, eran amigos personales fuera del trabajo. Se conocían desde hace más de veinte años y se llevaban muy bien. No era infrecuente que quedaran en casa para tomar algo y hablar entre ellos. Se encerraban en el despacho de Hugo, con una botella de cazalla *Anís Tenis,* que conseguía el propio Vicente, ya que era muy amigo de uno de los fundadores de la empresa, Francisco Limiñana, de Monforte del Cid. Es una bebida de alto contenido alcohólico y apuraban la botella hasta el final, «como buenos valencianos», le gustaba decir a Vicente, que, además, era fallero. Cuando eso ocurría, las consecuencias eran evidentes. No era infrecuente escucharlos cantar *El Himno de Riego,* que el gobierno de la Segunda República había adoptado como himno de España, a pleno pulmón, para sonrojo de Felicia. En muchas ocasiones tenía que interrumpirlos, para evitar despertar a la pequeña Gisela, quien siempre lo había llamado tío Vicente, aunque no lo fuera carnalmente, por su estrecha relación con su familia.

Vicente era una buena persona y siempre los había ayudado todo lo posible. Era una persona bienvenida en su casa, aún sin avisar.

—Disculpa Vicente, no quiero parecer descortés —empezó a decir Felicia—, ya sabes que tienes las puertas abiertas de esta casa siempre que quieras, pero ¿a qué se debe tu visita? ¿Qué es lo que debíamos de saber que no conocemos?

Vicente sonrió. Por un momento pareció relajarse.

—Supongo que el hecho de que Hugo esté dormido lo explica todo —respondió.

—¿Qué tiene eso que ver?

—Que me había invitado a cenar con vosotros. He venido un poco más pronto, junto con mi habitual botella de cazalla. Hoy creo que la vamos a necesitar más que nunca. Supongo que se habrá tumbado en el sillón y se habrá olvidado de deciros nada.

—Desde luego —dijo, un tanto avergonzada Felicia. No había preparado nada para cenar.

Vicente interpretó perfectamente la reacción de Felicia, ya que se había puesto colorada.

—Por la cena no te preocupes. Creo que cuando os cuente lo que tengo que deciros, se nos quitará el hambre. Es una hecatombe.

Felicia y Gisela supusieron que se había enterado de la inminente entrada de las tropas franquistas en Valencia. Las consecuencias para los periódicos de la ciudad que habían apoyado la república, como el suyo, *El Mercantil Valenciano,* pero también para otros, como el fundado por Vicente Blasco Ibáñez, *El Pueblo*, eran inciertas, pero, desde luego, nada halagüeñas.

—Me has dicho que Hugo se había echado en el sillón a descansar, ¿no? —preguntó Vicente.

—Sí, así es. Ha llegado a casa bastante alterado —le respondió Felicia.

—Supongo que todos estamos un poco así. La situación en la ciudad es complicada, y más para nosotros.

—Nosotras también la vivimos y la vemos. Antes lo estábamos comentando, la tristeza y la apatía reinan en el ambiente.

—No sabía que Hugo fuera aficionado a hacer la siesta. De todas maneras, ¿no es muy tarde para eso?

—Tienes razón, casi nunca hace la siesta. Pero ya sabrás lo que ha ocurrido hoy, ha llegado apenas hace un rato a casa.

—¿A qué te refieres? —preguntó Vicente, extrañado.

—A la visita que os ha hecho José María.

—¿Qué José María?

—¡Quién va a ser! El hermano de mi marido, José María Font. Le ha visitado en tu periódico y luego se han ido a comer juntos. Por eso ha llegado más tarde.

—¡*Queee*! —exclamó Vicente, levantándose de la silla de la cocina—. ¿José María Font en la ciudad y, además visitando mi periódico? ¡Ese falangista no ha pisado la redacción!

Felicia se quedó desconcertada por la reacción de Vicente e intentó explicarse.

—Ha podido entrar en la ciudad porque llevaba un salvoconducto del coronel Casado. Aprovechando su estancia en la ciudad, le ha hecho una visita a mi marido y han comido juntos.

Vicente Fe todavía estaba de pie en la cocina.

—Puede que, en ese caso, haya estado en la ciudad, pero, desde luego, no ha estado en *El Mercantil Valenciano*. ¿Te imaginas a un falangista entrando en la redacción? Se hubiera formado un buen revuelo, ya que todos conocen al hermano de tu marido. De inmediato me hubieran dado la noticia. Eso no ha podido ocurrir. No voy a ser tan pedante como para decir que me entero de cada detalle que ocurre en mi periódico, pero casi. Un hecho como el que me acabas de decir jamás me hubiera pasado inadvertido.

—Pues es lo que me ha contado —respondió Felicia, algo abrumada.

Ya no sabía qué pensar. Por una parte, la explicación de Vicente era congruente, pero, por otra parte, no dudaba de la palabra de su marido. Que ella supiera, nunca le había mentido. Además, en este caso, ¿para qué? Resolvió defenderlo.

—Escucha, Vicente. Te aseguro que ha comido con mi marido. Él no me mentiría. Además, hemos mantenido una conversación acerca de ello. Me ha dado algunos detalles de la conversación. El motivo de que Casado le diera un salvoconducto de entrada a mi cuñado era entrevistarse con él. Por lo visto, portaba algún tipo de instrucciones o condiciones, eso no me ha quedado claro, del general Aranda, o sea, del general Franco. Después de permitirle entrar en el edificio de la Capitanía General, ni siquiera ha querido escucharles y los ha despachado.

Vicente escuchaba las explicaciones, con cara de asombrado. Se volvió a sentar en la silla.

—Felicia, eso ha ocurrido de verdad. Esa noticia ha corrido como la pólvora por toda la ciudad. Nos hemos enterado todos. Un falangista ha visitado al coronel Casado esta mañana, pero no era tu cuñado. Se trataba de José Antonio Sáenz de Santamaría, además, vestido con el uniforme de la Falange. Parece que mucha gente lo ha visto andando por la calle, pero iba solo. El hermano de tu marido no le acompañaba.

Gisela se quedó muda.

¿Era posible que su marido le estuviera ocultando algo?, pensó con preocupación.

Ahora, estaba asustada de verdad.

13 HUGO DESCANSANDO. RECUERDOS DE BERLÍN, EL 11 DE ABRIL DE 1919

Hugo recordaría ese día el resto de su vida. Llevaba apenas tres días estudiando alemán con un profesor particular que su tío le había buscado, y que acudía al despacho de su casa. Para sorpresa de ambos, Georg entró como un torbellino y los interrumpió.

—¡Ya la tengo! —exclamó, visiblemente excitado.

—Ya tienes, ¿qué? —le respondió su sobrino, sin comprender la situación.

—Lo que esperábamos. La verdad es que Fiedrich y Philipp se han portado mejor de lo que yo mismo esperaba.

Hugo supuso de qué se trataba.

—*Haben Sie nichts dagegen? Wir unterhalten uns privat. Heute werden wir Ihre Dienste nicht mehr benötigen* —dijo Georg, dirigiéndose al profesor.

—*Natürlich, Herr Bernhard* —le respondió, mientras recogía de la mesa los libros y las libretas.

Hugo volvió a suponer que le había pedido al profesor que los dejara solos.

En cuanto abandonó la casa, Georg lanzó una serie de papeles encima de la mesa del despacho.

—Ya eres ciudadano alemán de pleno derecho. Hasta te han reconocido el apellido de tu abuela materna. Es para mí un orgullo darte la bienvenido a Berlín, Hugo Bernhard —dijo su tío, haciendo una reverencia teatral.

Georg parecía muy contento y Hugo apreciaba el esfuerzo que había hecho, pero él no se sentía diferente a ayer.

—Ya sé lo que piensas, que eres la misma persona que hace diez minutos, pero, en realidad, no es así. La ciudadanía alemana te va a abrir muchas puertas. Para empezar, a partir de mañana por la tarde, te incorporarás a la plantilla del *Vossische Zeitung*. Quiero que empieces haciendo lo que ya sabes, ayudando a los tipógrafos del periódico. Pero tengo planes más ambiciosos para ti.

Hugo se alegró mucho. Eso sí que era un cambio importante y no un simple apellido. Le entusiasmaba ese mundo. Tener la oportunidad de trabajar para un periódico tan grande le hacía mucha ilusión.

—¿No será un problema el idioma? —preguntó, cauto.

—Por las mañanas seguirás con las clases intensivas de alemán y, a primera hora de la tarde, cuando haya que maquetar el periódico del día siguiente y poner las rotativas en marcha, te quiero allí. La gente te acogerá bien. Saben quién eres, y en lugar de un puesto directivo, te mando a los talleres, a ensuciarte las manos. Que sepas que no tendrás ningún privilegio diferente a los que tus compañeros disfrutan. Serás uno más.

—Eso es precisamente lo que me gusta.

—Además, te ayudarán con el idioma también, aunque te parecerá algo diferente al que estás estudiando. No sé por qué, el personal de los talleres es muy mal hablado.

Hugo se rio.

—Por eso no te preocupes, en España ocurre lo mismo y estoy más que acostumbrado.

Georg no había dejado de observar todas las reacciones de Hugo.

—Te veo más emocionado con la idea de trabajar de tipógrafo que con tu recién estrenada nacionalidad alemana.

—Ya sabes lo que me gusta el mundo periodístico, por eso me ves tan contento, pero te agradezco en el alma todos los esfuerzos que estás haciendo por mí. Créeme, no los olvidaré jamás.

Sobrino y tío se fundieron en un prolongado abrazo.

—Anda, suéltame, que aún verteré alguna lágrima —dijo Georg.

—Hoy me has hecho feliz, por primera vez desde la muerte de mi padre —le respondió Hugo, emocionado.

—¡Pues no nos pongamos tristes! Te invito a tomar algo en uno de mis locales preferidos de Berlín, el *Romanisches Café*, que, no solo es un templo gastronómico, sino también es muy frecuentado por intelectuales y artistas. Buen ambiente, con un toque bohemio, y mejor comida. Creo que te gustará.

—Seguro que sí.

Durante estos últimos tres días, Georg se había llevado de compras a su sobrino y le había renovado todo el vestuario. Hugo aún no había podido vestirse con ninguna de las prendas berlinesas adquiridas, ya que no había salido de casa. Ahora, era la ocasión perfecta para estrenar traje y, de paso, también nacionalidad. Todo un acontecimiento.

—Anda, vístete, que hoy comienza tu nueva vida en Alemania —dijo Georg—. Y ni se te ocurra volver a proponer el ir caminando. Además de que está lloviznando, nuestro destino no está cerca. Se encuentra al este de la *Kaiser-Wilhelm-Gedächtniskirche*, o sea, la Iglesia Memorial en honor del Kaiser Guillermo, al final de la calle Kurfürstendamm, que está en el distrito de Charlottensburg. Andando nos costaría bastante más de media hora.

Aunque hubiera lucido el sol en todo lo alto del cielo, cosa extraña en Berlín en esas fechas, Hugo, hoy, no pensaba decir nada. Era un día para disfrutar y, porque no, lucirse.

Volvieron a descender al garaje subterráneo y se subieron al coche. Es cierto que hacía un día un tanto desapacible, pero a Hugo no le importaba en absoluto. Iba a trabajar, desde mañana mismo, en el *Vossische Zeitung.* Aquello ocupaba todos sus pensamientos. Un rayo de esperanza se había cruzado en su vida. Hace poco más de dos semanas, ni se lo hubiera imaginado.

En apenas quince minutos llegaron a su destino. De inmediato, Hugo supo que le iba a gustar.

—Bonito, ¿verdad? —le preguntó Georg.

—Es precioso.

—El interior es acogedor, además, a estas horas no creo que esté muy concurrido.

—¿Se suele llenar?

—Siempre. Hace dieciocho años comenzó siendo una pastelería llamada *Kaiserhof*, que era una especie de sucursal del hotel del mismo nombre. Hasta hace unos cuatro años, el café de moda para los intelectuales era el *Café des Westens*, pero, por causas que se me escapan, entró en declive y ahora todos venimos al *Romanisches Café.*

—¿Todos?

—Aquí se junta la gente más interesante de Berlín, desde escritores, periodistas, actores, directores, críticos literarios y hasta ajedrecistas de renombre. Uno de mis contertulios favoritos es un joven llamado Berthold Brecht. Me encanta esa rebeldía que veo en sus ojos, teniendo en cuenta que proviene de una familia burguesa muy acomodada de la ciudad de Múnich, aunque frecuenta mucho Berlín. Juega al ajedrez como un maestro, además, el año pasado se atrevió, con tan solo veinte años, a escribir una obra de teatro llamada *Baal.* Tengo el honor de poder decir que fui el primero en leerla, y me sorprendió. Imagínate, el protagonista es un joven poeta aficionado al alcohol y poco dado a trabajar, que se ve envuelto en turbios asuntos sexuales, incluso en un asesinato. Es el relato de un antihéroe. Fascinante. Estoy seguro de que ese chico llegará muy lejos. ¡Ah! Y no me quiero olvidar del pintor judío Max Liebermann ni de mi apreciado colega y maestro, Rudolf Mosse. Me interesa especialmente que conozcas a Rudolf —dijo Georg, con una extraña sonrisa en sus labios, que Hugo no supo interpretar.

Entraron en el local.

Efectivamente, tal y como le había dicho su tío, la sala en la que entraron estaba casi vacía.

—Perfecto —dijo Georg, mientras se acomodaban en una de las mesas.

Hugo notaba algo extraño a su tío. Estaba claro que hoy tenían cosas que celebrar, pero le dio la impresión que había algo más que no acababa de ver.

Enseguida se acercó un camarero. Se puso a hablar en alemán con su tío. Era evidente que se conocían. Hugo no entendió nada de la conversación, pero supuso que había encargado la comida, cuando el camarero abandonó la mesa.

—Johann es un buen amigo. Me he permitido pedirte la comida por ti.

—Casi mejor, porque no iba a entender nada.

Mantuvieron una entretenida charla hasta que, en apenas diez minutos, les trajeron el almuerzo.

—Espero que te guste el cerdo. Se llama *Eisbein*, es decir, codillo. Es una de las especialidades de la casa.

—Solo por su excelente aroma ya sé que me va a gustar —le respondió Hugo, que no lo había probado jamás.

Dieron buena cuenta de la comida y de la cerveza berlinesa. Estaba siendo un magnífico día, pero Hugo no sabía guardarse para sí mismo las cosas. No lo pudo evitar.

—Perdona, tío. Ya sé que quizá no sea el momento adecuado, pero te encuentro un tanto extraño, contento pero al mismo tiempo preocupado. ¿Te ocurre algo? Si es personal, por supuesto no te veas obligado a contarme nada.

Georg levantó la vista del plato y se quedó mirando a su sobrino a los ojos.

—¿Cómo has llegado a esa deducción? —le preguntó.

—Nos conocemos muy pocos días, pero los suficientes para atar ciertos cabos. Además, está claro que estás contento, pero tu alegría esconde algo.

—Muy interesante. ¿Y a dónde te conducen esos cabos que has atado? —continuó preguntando Georg, con evidente curiosidad.

—A un misterio.

—¡Caramba! Menuda respuesta, la cosa parece que se pone interesante.

—¿Por qué mi padre suponía que iba a morir? Lo sé porque guardaba en un bolsillo de su gabardina un sobre muy arrugado, que demostraba que lo llevaba con él bastante tiempo. Luego llegamos a su contenido, un pequeño papel con una extraña frase, que me ha conducido hasta ti. ¿Por qué a ti? Además, parece que debía existir cierta conexión mental entre vosotros, porque él sabía que partiría de España y tú has reconocido que me estabas esperando en Alemania. ¿Cómo es posible? Tiene que haber algún punto de unión entre todos estos extraños sucesos. Aisladamente, no tienen ningún sentido, pero debe existir algún tipo de conexión, pero no la termino de ver. Por otra parte, no he podido evitar que me llame la atención tu comportamiento hacia mí. Está claro que soy tu sobrino-nieto, pero apenas nos conocíamos. De hecho, yo no te recordaba antes de llegar a Berlín. Se nota que eres muy buena persona, amigo de tus amigos, pero me has dispensado un trato completamente fuera de lo común. Hace apenas unos días, yo tan solo era un tipógrafo de segunda, en un periódico de provincias, en España. O sea, no era nadie.

Georg no hizo ademán de interrumpir el análisis que le estaba exponiendo su sobrino.

—¿No piensas decir nada? —le preguntó Hugo.

—La verdad es que no. Has analizado la situación de maravilla. Tienes razón en la mayoría de las cuestiones que has expuesto, pero te equivocas en una muy básica.

—¿En cuál?

—En minusvalorarte. Siempre has sido muy importante y aún lo serás más. Tiempo al tiempo.

—Es lo último que me esperaba escuchar —reconoció Hugo—. ¡Pero si ya te he dicho que no soy nadie!

—Bueno, llegará un momento en que no te lo parezca. Eres muy joven todavía y tienes un brillante futuro en la sociedad berlinesa de la posguerra. Apenas hace unos pocos meses que terminó y ya se nota un cambio muy significativo en la ciudad y en su ambiente. Las flores quieren germinar. Me parece que vas a vivir una explosión cultural y social, y tú vas a ser testigo de ella, sentado en primera fila. ¿Te crees que envidio tu juventud? Con tu edad, te vas a codear con personas de una gran talla intelectual y, sobre todo, entrañables en lo personal. Ni te lo imaginas ahora mismo.

—¿Tiene algo que ver con que seamos judíos? —Hugo esperaba incomodar con esa pregunta a su tío, que, sin embargo, ni se inmutó. Se limitó a sonreír tímidamente.

—Quizá, quién sabe. Gran parte de mis amigos lo son y vas a conocer a unos cuantos, al primero a Rudolf Mosse —respondió, con un toque enigmático—. En cualquier caso, ahora, eso no te debe importar. Céntrate en disfrutar de la vida. Tengo el presentimiento que pronto tendrás grandes responsabilidades.

A Hugo le llamó la atención que fuera la segunda vez, en un espacio muy breve de tiempo, que nombrara al tal Rudolf *nosequé*. Le resultó curioso. Poco antes de entrar al *Romanisches Café* se había referido a él como su maestro. «¿En qué exactamente?», se preguntaba. Georg había omitido ese importante detalle.

Por otra parte, no había entendido el presentimiento de su tío. «¿Por qué tengo que asumir grandes responsabilidades a mi edad? Por una parte me dice que disfrute de la vida, pero por otra me pone una losa encima».

Definitivamente le ocultaba algo, pero estaba claro que no se lo iba a desvelar hasta que él lo considerara, así que resolvió no pensar más en ello.

Quizá, en cierta manera, su tío tuviera razón. Recordaba que, en ese momento, decidió que iba a intentar disfrutar la vida a tope. «O en las responsabilidades», recuerda que se rio para sus adentros.

Estaba de buen humor. Tal vez, si hubiera sabido lo que tramaba su tío, ahora no estaría tan sonriente.

El destino le esperaba a la vuelta de la esquina, nunca mejor dicho.

El futuro siempre viene detrás de nosotros, achuchándonos.

14 VALENCIA, 28 DE MARZO DE 1939

—Lo siento, Vicente, no te lo tomes como una descortesía, pero no puedo creer lo que me estás contando. Como ya te he dicho, si José María Font no ha asistido a la reunión con el coronel Casado, ¿cómo podía conocer sus detalles? Además, ¿para qué me iba a mentir en una cosa como esta? No tiene ningún sentido —razonó Felicia.

—Como comprenderás, no tengo respuestas para tus interrogantes, pero te puedo afirmar con rotundidad que no ha pisado *El Mercantil Valenciano* —respondió con firmeza Vicente Fe, su director.

—Bueno, esperaremos a que se despierte Hugo y saldremos de dudas.

Gisela estaba asistiendo a toda la conversación en silencio. Había creído entender que su tío José María había comido con su padre este mediodía, poco más. A pesar de ser falangista, siempre habían mantenido una buena relación familiar y personal con él, estos últimos tres años, desde la distancia. Se alegraba de que estuviera bien. Decidió romper la tensión creada y hacer de anfitriona. Su madre parecía turbada.

—Tío Vicente, llevamos un rato hablando contigo y no te hemos ofrecido nada. ¿Te apetece algo?

—No os preocupéis por mí, pero sí que os agradecería un vaso de esa limonada que prepara tu madre. Está verdaderamente deliciosa.

—Sí, deliciosa para acompañarla con la cazalla que os tomáis en el despacho de Hugo, hasta acabar cantando como simples cabareteras —intervino Felicia, que parecía que, por un momento, había recuperado su buen humor.

—Nosotros lo llamamos *burret de llima*, es muy refrescante —respondió Vicente, sonriendo.

—¿Refrescante? Yo diría que, con la cantidad de alcohol que lleva, debe ser más bien desinfectante —intervino Gisela, intentando también relajar el ambiente—. Estoy segura de que si me llevara ese *burret de llima* a los hospitales de campaña, triunfaría.

—No te quepa ninguna duda —recogió el guante Vicente—. Entre el siglo XVIII y XIX, los buques de la Armada Inglesa se hacían a la mar con un cargamento de pólvora y otro, de igual tamaño, de ginebra. Era la llamada *Navy Strenght*, que tenía 57 grados de alcohol, incluso más que nuestra cazalla. Algunos historiadores relacionan esta ginebra con la primera victoria del almirante Nelson, en la batalla de Copenhague, aunque era más utilizada por los soldados del ejército de tierra británico. Te costará creo, pero les facilitaban una ración diaria reglamentaria de esta bebida. En principio, lo hacían para mitigar las difíciles condiciones que debían de soportar en el frente de guerra, pero, posteriormente, descubrieron que, en pequeñas dosis, era medicinal. Ello era debido a las propiedades de la especie botánica con la que era destilada la ginebra, el enebro.

—¡Venga ya! No es que me cueste creerlo, es que no lo hago —le contestó Gisela.

—Es cierto, y para que te convenzas, te voy a poner otro ejemplo más gracioso, pero absolutamente real. ¿Sabes cuál es la bebida oficial de la *Royal Navy* inglesa?

—No pretenderás que me crea que es la ginebra esa —Gisela continuaba escéptica.

—No, no lo es. En el año 1740, el almirante de la *Royal Navy*, Edward Vernon, anterior a Nelson, ordenó que se repartiera una ración de ron rebajado con agua azucarada y limonada. Esa bebida, como nosotros bautizamos a nuestra cazalla con limón con el nombre de *burret de llima*, ellos la denominaron *Grog*. Lo gracioso es el motivo del nombre. El almirante Vernon solía vestir una capa impermeable que estaba confeccionada con un tejido llamado «*grogram*». Se dice que tenía muy mal carácter y, mezcla de ello, fue apodado por sus subordinados como «*Old Grog*», el Viejo Grog. De ese mote se derivó el nombre a la bebida que inventó.

—Me tomas el pelo —dijo Gisela.

—En absoluto. En todos los buques de la *Royal Navy* se sirven dos raciones diarias de *Grog*, al mediodía y al ocaso. ¿Nunca te has preguntado de dónde se derivó la expresión *groggy*, que se emplea en el boxeo? Los que se pasaban bebiendo *Grog* acababan *groggys*, es decir, sonados como borrachos.

Gisela seguía impávida.

—Te voy a contar, para terminar de convencerte, otra historia, también un tanto cómica y macabra a la vez, en torno al *Grog*. Cuando el almirante Nelson perdió la vida en la batalla de Trafalgar, para conservar su cadáver y evitar su descomposición, fue introducido en un barril de ron, preparado como *Grog*. Trasladaron dicho barril al buque *HMS Victory*, que se dirigía a Londres. Al parecer, algunos marinos practicaron un agujero en dicho barril y se bebieron su contenido. Cuando Nelson llegó a puerto, se encontraron con que dicho barril estaba vacío. Desde entonces, el ron de la *Royal Navy* recibe el apelativo de «*Nelson's Blood*», o sea, la sangre de Nelson. Si no me crees, lo puedes consultar en cualquier biblioteca.

Ahora, Gisela lo observaba incrédula, aunque, con tantos datos, ya empezaba a dudar. Vicente continuó con su explicación.

—Curiosamente, como ocurrió con la ginebra, el médico James Lind se percató de los efectos benéficos para la salud del *Grog*. Los marinos que lo consumían eran menos propensos a contraer una enfermedad típica del mar, el escorbuto. Llegó a la lógica conclusión que, al añadir limón al ron, también estaba añadiendo vitamina C, que mitigaba los efectos de esta temida enfermedad.

—O sea, lo que me ha quedado claro de todo tu rollo histórico es que, ni mi padre ni tú, jamás padeceréis de escorbuto, aunque acabéis como una pareja de *burrets* cantores.

Vicente se rio, hasta Felicia lo hizo. Gisela había conseguido lo que se había propuesto, rebajar un tanto la tensión.

Se sirvieron los tres un vaso de limonada alrededor de la mesa. Después de las divertidas anécdotas que les había contado Vicente, volvían las caras serias.

—Os preguntaréis el motivo por el que habíamos quedado a cenar Hugo y yo.

—Bueno, habitualmente no necesitáis un motivo diferente al *burret de llima*.

—Ahora hablo en serio, Gisela —dijo Vicente, con un rostro un tanto taciturno—. La situación para la república es desesperada. Se espera una inminente entrada de las tropas franquistas en la ciudad. Se rumorea que puede ocurrir, incluso, en los próximos días.

—Vaya noticia nos das, eso ya lo sabíamos —intervino Felicia.

Gisela se lanzó.

—En concreto, se producirá pasado mañana —le respondió, con el gesto serio.

—¿Cómo puedes saber eso? —le preguntó Vicente, sorprendido por la precisión en la afirmación.

—Lo conozco por un compañero de la Facultad, que me ha contado detalles reales del estado de la guerra, no la típica propaganda republicana que publicáis en los periódicos de la ciudad.

—¿Qué te ha contado exactamente ese compañero?

Gisela le relató todo, sin omitir ningún detalle. Mañana los *quintacolumnistas* saldrían a la calle y pasado mañana entrarían las tropas franquistas, sin esperar ninguna oposición, ya que las trincheras defensivas de la ciudad, habían sido abandonadas por los soldados republicanos, siguiendo órdenes del general en jefe del Ejército de Levante, Leopoldo Menéndez López

Vicente se quedó muy serio.

—Que los combatientes republicanos están abandonando sus posiciones y volviendo a sus casas es un hecho conocido desde hace muchos días. Los vemos en las calles de Valencia, pero la noticia de la orden no. Además, esa información tan detallada no la sabe nadie en la ciudad, salvo, supongo, el coronel Casado y el general Menéndez. Os lo aseguro. Ningún director de cualquiera de los periódicos que se publican en la ciudad está informado, y puedo confirmar que tenemos multitud de contactos y fuentes de absoluta confianza. De hecho, tiene la apariencia de información reservada o clasificada.

—Te aseguro que no me la ha contado el coronel —le respondió Gisela—. No tengo el placer de conocerle, como al otro general, que no sé ni quién es.

De repente, Vicente se volvió a levantar de su silla. Se quedó mirando a Gisela. En su rostro se reflejaba una mueca de miedo muy evidente. Empezó a dar vueltas a la cocina de una manera irracional durante un largo minuto. Parecía que estaba pensando profundamente. Se detuvo enfrente de la mesa.

—En realidad, hay otras personas que también pueden conocer esa información —dijo, al fin, mirando directamente a Gisela.

—¿Quiénes? —preguntó, con curiosidad.

—¿Quién es ese compañero de la Facultad que te ha facilitado esa información?

La cara de Gisela se trasmutó. Pensaba que ya había salvado ese escollo con su madre, pero ahora era su tío Vicente el que se interesaba por su novio, Toni. Además, esta vez, intuía que no se iba a poder zafar con tanta facilidad como lo había hecho con su madre, aunque por intentarlo no perdía nada.

—Se comentó en un corrillo de la Facultad de Medicina. Tendría que pensar quién fue exactamente la persona que inició la conversación.

—Pues piénsalo y rápido —le urgió Vicente. Su tono de voz se asemejaba mucho a una orden. Gisela supo entonces que ya no le quedaba otro remedio que sincerarse.

—Creo que fue Toni.

—Toni, ¿qué más?

—¿Te refieres al apellido? Todos nos llamamos por nuestro nombre propio —Gisela aún intentaba zafarse— y a esas reuniones viene mucha gente, además, no siempre los mismos. Ya sabes, son asamblearias y muchas ni las convocan, son espontáneas.

—Por favor, si no fuera muy importante, no te lo rogaría. Esa persona tendrá un apellido, ¿no? Si es tan amigo tuyo, supongo que lo podrás recordar.

Gisela se hizo la pensativa. Por supuesto que conocía su apellido y quién era su familia, pero tenía que disimular un poco, para, antes de dar una respuesta, hacer como si estuviera reflexionando.

—Creo que su apellido es Cano.

Vicente se sobresaltó de forma evidente, ya que volvió a dar una vuelta andando a la cocina. Parecía un león encerrado en un zoológico. Más que sobresaltado, parecía desesperado.

—¿No será hijo de Antonio Cano?

Gisela ya estaba desarmada. Se rindió.

—Sí, creo que ese es el nombre de su padre, pero yo no lo conozco —se puso un poco a la defensiva. Tampoco era cuestión de confesar a la primera.

—Aunque no lo conozcas, ¿sabes quién es Antonio Cano?

—Creo recordar que Toni, en alguna otra reunión, comentó que era uno de los nuestros, un antiguo policía republicano, pero no me hagas demasiado caso, ya que no hablamos de nuestras familias, como comprenderás.

A Vicente le cambió la cara. Antes estaba colorado, pero ahora estaba pálido. Sin mediar palabra, salió a toda prisa de la cocina. Gisela se quedó inmóvil, sin saber cómo reaccionar, pero Felicia, que no comprendía nada, se asomó a la puerta para ver adónde iba.

Vio que entró en el despacho de su marido Hugo. Felicia se sorprendió, pero no se atrevió a decir nada. Volvió a la cocina y se sentó con su hija.

—¿Tú entiendes algo de lo que está pasando?

—No tengo ni la más remota idea —ahora Gisela estaba siendo sincera. Parecía que el foco de la atención de Vicente no era su novio Toni, sino su padre, por motivos que se le escapaban.

A los dos minutos escasos, Vicente entró en la cocina y se sentó en una de las sillas.

Por la expresión de su rostro, ambas se dieron cuenta de que algo no marchaba como debía. También vieron que portaba en sus manos una especie de documento amarillento.

—Estamos perdidos —acertó a decir Vicente, que parecía totalmente abatido.

—Perdona, pero nos tienes algo asustadas —se atrevió a decir Felicia—. ¿A qué se debe esa actitud tuya tan extraña? Estamos preocupadas.

—Y tenéis motivos para estarlo.

—Por favor, dinos qué pasa.

Vicente, en lugar de contestar, dejó encima de la mesa el documento que portaba encima de la mano.

—¿Qué es esto? —preguntó Felicia.

—Es bastante largo de explicar desde el principio, por eso iré al final. Hugo conocía la verdadera naturaleza de Antonio

Cano. Sé que estaba a punto de publicar un artículo acerca de él.

—¿Por qué? —preguntó ahora Gisela. Aquello le había pillado por sorpresa.

Vicente ignoró la pregunta de Gisela y continuó con su explicación

—Recordaba haber visto este papel en el despacho de Hugo, en una de las veces que nos juntábamos, por eso he ido a buscarlo.

—No has respondido a mi pregunta —insistió Gisela.

—No tengo que hacerlo. Por favor, leedlo y juzgad por vosotras mismas.

Felicia y Gisela lo hicieron.

Ahora fue Gisela quién se levantó de la mesa.

—Esto no puede ser.

—Créeme, lo es —afirmó Vicente—. Si ya estábamos en una situación límite, ahora ya no sé cómo definirla.

Gisela estaba llorando y lo peor, no sabía exactamente por qué.

Desde luego tenía varios motivos para elegir.

15 HUGO DESCANSANDO. RECUERDOS DE BERLÍN, EL 28 DE SEPTIEMBRE DE 1919

Hugo llevaba casi seis meses viviendo en Berlín. «Bueno, lo de viviendo es un decir», recuerda que pensó, en aquel momento.

Mantenía una estricta rutina diaria. Todas las mañanas las pasaba con el profesor Schwartzman estudiando alemán. Para su sorpresa, había descubierto que se le daban muy bien los idiomas. Ya era capaz de mantener conversaciones básicas y comprendía la gran mayoría de cosas que le decían. Aunque no supiera responderles de una forma gramaticalmente correcta, además de su falta de un vocabulario amplio, y tuviera un marcado acento español, notaba que progresaba con celeridad, incluso con su pronunciación, cada vez más alemana. Su «bestia parda», que era la expresión que empleaba para referirse a las declinaciones, era lo que le traía de cabeza. Como su vida había sido el trabajo y no el estudio, no había conocido el latín y le resultó muy extraño el mundo de las declinaciones alemanas. El *Nominativ, Ackusativ, Dativ y el Genitiv* le estaban suponiendo un esfuerzo notable.

Nunca se lo había planteado, pero era posible que el hecho de que hablara dos idiomas como propios, el español y el valenciano, podría haberle ayudado a aprender un tercero. Estaba claro que tenía «oído» y capacidad de aprendizaje. Eso era bueno.

Una vez terminaba con el profesor Schwartzman, comía lo más rápido que podía y se marchaba al *Vossische Zeitung.*. Debía de reconocer que la práctica del lenguaje, con sus compañeros del periódico, estaba acelerando la curva de su aprendizaje, sobre todo en materia de pronunciación. El vocabulario era otra cosa, ya que, con demasiada frecuencia, empleaban expresiones vulgares y soeces, pero hasta eso lo consideraba interesante.

Sabían que era el sobrino del director. Apreciaban que estuviera allí abajo, en la parte técnica, manchándose las manos de grasa y haciendo más horas de trabajo que muchos de ellos, en lugar de metido en un despacho de la parte superior, en cualquier puesto de oficinista y vestido con traje, en vez de con el mono grasiento de los talleres. El trabajo en la rotativa era duro, pero Hugo lo disfrutaba y eso lo notaban también sus compañeros.

Su entusiasmo les contagió y también su modestia les cautivó. No mencionaba jamás a su tío y aceptaba todas las órdenes sin rechistar, por engorrosas o desagradables que fueran. Se había hartado de limpiar las rotativas por dentro, trabajo que nadie quería hacer, sin embargo, no le habían oído pronunciar nunca la palabra «*nein*», no. En consecuencia, se había ganado el respeto de sus camaradas en el trabajo, que le habían acogido como uno más del equipo.

A pesar de que era feliz con su vida, no estaba conociendo ese Berlín que su tío le había prometido, esa explosión cultural y social que se avecinaba y de la que se suponía que iba a ser testigo en primera fila.

«Igual Berlín no ha explotado todavía, casi mejor», recuerda que pensaba, tumbado en su cama por las noches, mirando el techo y sonriendo.

Apenas coincidía con su tío para cenar, y no todas las noches, ya que algunas ni siquiera las pasaba en casa. No le comentaba nada ni él le preguntaba nada, ya que su vida privada no le importaba en absoluto, pero tenía que reconocer que le empezaba a importar la suya propia.

Estaba viviendo de auténtico lujo, no se podía quejar, pero era cierto que, ahora que ya se defendía un poco con el idioma, cada vez pensaba con más frecuencia en salir de su rutina diaria y hacer algo de vida social. Es cierto que era frecuente que quedara, algunos días, después del trabajo, con sus compañeros del periódico para beber cerveza, pero él no estaba acostumbrado al alcohol y, en más de una ocasión, se había emborrachado. No es que eso le importara demasiado, salvo por el dolor de cabeza del día siguiente, por supuesto, pero se lo pasaba bien, aunque echaba de menos ampliar su círculo social. En Valencia tenía a su padre, sus antiguos amigos del colegio y sus compañeros en *El Mercantil Valenciano*. En cambio, en Berlín estaba muy limitado.

No quería parecer un desagradecido ante su tío, que le había proporcionado una vida nueva y feliz, pero creía que debía plantearle este tema, aunque dudaba como hacerlo. Su tío, como buen alemán, daba la impresión de que lo tenía todo programado. Quería suponer que, si no lo había «presentado en sociedad» todavía, era porque él consideraba que no había llegado el momento apropiado. Pero había una cosa que jugaba a su favor. Su tío, a su manera, era un tanto bohemio y con un punto de rebeldía en su carácter. Hugo pensó que quizá podría explotar estas características, por lo menos para iniciar la temida conversación. Sabía que no tenía ninguna garantía del resultado, pero, en cualquier caso, resolvió intentarlo. Pensaba que no perdía nada, si se conseguía explicar bien. Ello requería elegir las palabras adecuadas. En ello estaba en estos momentos. Más o menos, ya tenía un esquema del temido inicio. Pensó que una vez echada la bola a rodar, ya vería como la manejaba. Tendría que adaptarse a las reacciones de su tío.

Ahora, el problema era encontrar el momento y las circunstancias adecuadas. Precisamente eso era lo que le asustaba, porque hoy era domingo. Era el único día de la semana que solía pasarlo con su tío. Anoche había dormido en casa, por lo que, al menos, estaría descansado. A no ser que tuviera algún plan para el día de hoy, se suponía que estarían juntos.

Tumbado en su cama, era un manojo de nervios, pero la decisión estaba tomada.

Se levantó y salió a la cocina. Su tío no estaba. Aquello no era extraño, los días entre semana se levantaba pronto para acudir al periódico, pero los fines de semana ocurría lo contrario. En ocasiones, se levantaba pasadas las once de la mañana.

Miró el reloj. Aún eran las nueve y media. «Espero que hoy se levante más pronto y no me tenga en vilo hora y media», recuerda que pensó, inquieto.

Casi por arte de magia, sus deseos se hicieron realidad. Esta mañana, su tío apareció por la cocina, apenas diez minutos después de él.

—Caramba, ¡qué madrugador! —exclamó Hugo, con una mezcla de alegría y nerviosismo.

—Bueno, anoche me porté bien y me acosté pronto, como ya sabrás. Me había invitado Franz Rosenzweig a una de sus clásicas tertulias en su residencia, que suelen ser memorables, pero, esta vez, rechacé su amable invitación.

—¿Quién es ese tal Franz?

—No te voy a abrumar con detalles, pero es uno de mis mejores amigos en Berlín, a pesar de que es once años más joven que yo. Siempre me encuentro más a gusto con el pensamiento moderno de la juventud que con los carcamales, que aún creen en el retorno de la época del glorioso Imperio Prusiano. Bueno, voy al grano, que me enrollo. Franz Rosenzweig es un filósofo con una historia muy curiosa. Como adelanto, te diré que combatió en la Gran Guerra y esa experiencia le cambió por completo su manera de ver el mundo. Las atrocidades que vivió en primera persona le hicieron abandonar las ideas de Hegel, del que, hasta ese entonces, era firme seguidor. Hegel, que, por si no lo sabes, era otro filósofo alemán ya fallecido en el siglo pasado, se atrevía a justificar la muerte de los individuos en nombre de causas superiores, lo que se conoce como el *idealismo*. Un auténtico horror. Como te decía, las crueldades de la terrible guerra le abrieron los ojos, abrazó el judaísmo en 1913 y se convirtió en el alumno más destacado del recientemente fallecido Hermann Cohen, del que no te voy a hablar porque podría estar horas. En resumen, y para terminar mi discurso, Franz es un gran erudito y sus tertulias suelen ser muy amenas y enriquecedoras.

—Entonces, ¿por qué no acudiste ayer?

—Porque las reuniones en su casa, además de enriquecedoras, también suelen concluir a altas horas de la madrugada.

—¡Cómo si eso te importara algo! —rio Hugo, sin poder evitarlo.

Georg también sonrió.

—Es cierto que, a veces, vuelvo tarde a casa e incluso en otras ocasiones ni siquiera lo hago, pero hoy debía estar despejado y con buen aspecto.

—¿Hoy domingo? —preguntó extrañado Hugo—. ¿Para qué?

—¡Qué manera de hacer preguntas! —siguió sonriendo Georg—. La respuesta es muy sencilla. Porque me apetece más el plan de hoy que el de ayer.

Hugo vio esfumarse la posibilidad de pasar el domingo con su tío y trasladarle sus inquietudes acerca de su vida social. Su decepción debió de reflejarse en su rostro, porque su tío continuó la conversación.

—¿He dicho algo inapropiado? —preguntó Georg, observando la expresión de su sobrino.

—No, claro que no, tío. Tan solo que hace tiempo que no hablamos, y pensaba que hoy íbamos a pasar el día juntos.

—¿Y quién te ha dicho que eso no va a ocurrir?

—Tú, ahora mismo. Acabas de decir que tenías un plan para hoy.

—No tengo un plan para hoy. Tenemos, en plural, un plan para hoy. Tú formas parte de él y te vienes conmigo.

Ahora, la expresión de Hugo mutó de la decepción a la sorpresa. No pudo aguantarse.

—¿Qué clase de plan? ¿Conocer a uno de tus jóvenes amigos?

Georg no pudo evitar reírse.

—No lo podrías haber definido peor. Es verdad que es un gran amigo mío, pero lo de jovencito díselo a él, que le hará mucha ilusión. Hemos sido invitados a comer a la residencia de Rudolf Mosse. Creo que, en una ocasión, te hablé de él. Si mi memoria no me falla, fue el día que probaste el codillo, por primera vez, en el *Romanisches Café*.

—Lo recuerdo perfectamente —le respondió Hugo, que apenas podía contener su excitación. También se acordaba que su tío le había dicho que le interesaba especialmente que le conociera, aunque no le había dado más detalles.

Aquello prometía.

Su alegría era más que evidente. Ya no iba a hacer falta que mantuviera esa conversación tan delicada con su tío. Le daba la sensación hasta que poseyera algún tipo de poder mental y le hubiera leído el pensamiento.

—Parece que te alegras. Más lo harás cuando lleguemos a su casa, te lo aseguro —le dijo su tío, con una mueca burlona reflejada en su rostro.

Hugo no lo entendió, pero le dio igual. Su tío lo iba a presentar en sociedad, que era justo lo que él quería pedirle. No iba a ponerle reparos ahora.

—El único aspecto exasperante de Rudolf es que su vida y su carácter son extremadamente formales. A la mayoría de reuniones que suelo acudir en casas de amigos, cada uno acude vestido como considera más apropiado, no hay un código de vestimenta definido, como ocurre en los actos protocolarios.

—¿Qué quieres decir con eso?

—Que nos tenemos que vestir como si fuéramos a una recepción oficial, un domingo por la mañana.

Hugo sonrió. Quizá para su tío fuera un engorro, porque seguro que le tocaba asistir a muchas de ellas, pero para Hugo era toda una novedad.

—Me llevas comprando ropa elegante durante estos meses, que ni siquiera he estrenado, así que me parece que eso no será un problema para mí.

—Vamos a darnos un buen baño y a asearnos. Es importante que causemos una buena impresión a nuestros anfitriones —dijo Georg.

A Hugo le extrañó la última frase de su tío. «¿Buena impresión?, se preguntó. «Si es uno de sus mejores amigos, ¿para qué quiere eso?». Nada más acabar de preguntárselo, acudió la respuesta a su cabeza. Evidentemente, no se estaba refiriendo a él. «El que tengo que causar buena impresión soy yo», dedujo, algo abrumado, aunque ni siquiera eso pudo con la fuerza de su ilusión.

Cuando terminaron todos los preparativos, ya eran las once de la mañana. Georg estaba vestido casi como de costumbre, ya que solía ir al periódico bastante arreglado, por si le surgía, de improviso, algún acto social. Sin embargo, Hugo estaba casi irreconocible. Jamás se había puesto semejante ropa ni peinado de esa manera tan al gusto de Berlín, con la raya muy definida y el pelo casi pegado a la cabeza.

—¡Caramba con patito feo! Se acaba de trasformar en cisne —dijo Georg, en clara referencia al cuento del danés Hans Christian Andersen.

—Eso lo dirás tú —le respondió Hugo—. Más que vestido, parezco envuelto en un paquete de regalo. Tan solo me falta el lacito.

—Entonces has alcanzado la perfección —le respondió su tío Georg—. Ese es el aspecto ideal para la comida de hoy.

Hugo ya se había cansado de las frases tan extrañas de su tío. Era hora de preguntar.

—¿Por qué tienes tanto interés en que conozca a Rudolf Mosse? ¿Por qué le tengo que causar buena impresión?

—Son las once, una hora perfecta si salimos ya. Llegaremos a su residencia dentro de media hora, ya que está en la campiña, a unos quince kilómetros de aquí. Además, Rudolf es una persona de costumbres y no se las quiero alterar.

—¡No me has respondido!

—Porque no quiero llegar tarde. Te contaré todo lo que quieras saber acerca de Rudolf, pero en el coche, mientras vamos camino de su residencia.

Bajaron al sótano para tomar el vehículo a motor de Georg y salieron a las calles de Berlín, que, para ser domingo, estaban abarrotadas. Se notaba que había salido un día magnífico, soleado, y la gente lo quería aprovechar.

Georg no se hizo esperar.

—Rudolf Mosse, como ya te conté, es uno de mis mejores amigos en Berlín. Nació en Graz, Polonia, aunque se estableció aquí. Es una personalidad fascinante. Desde bien joven tuvo mucho éxito y es una persona muy comprometida con la sociedad. Casi te diría que, hoy en día, es más conocido por su labor filantrópica que por sus negocios, tanto él como su esposa. No pretendo aburrirte, pero fundó un hospital en su ciudad natal, un colegio para más de cien niños cerca de Berlín, subvenciona otro hospital en esta ciudad y ayuda a artistas y escritores con generosas donaciones. Además, todos los trabajadores de sus empresas, tienen un fondo de varios millones de marcos, para una jubilación tranquila. Lo considero un adelantado a su tiempo. Además, es el líder de los judíos de Berlín desde hace nueve años y publica un periódico con esa temática, llamado *Allgemeine Zeitung des Judenthums*, con el que perderá dinero seguro, pero no le importa. ¿Te acuerdas que te comenté que yo pertenecía a la Junta de la *Zentral-Verein*, la asociación judía más potente de Alemania? Bueno, pues él la preside.

«Los judíos otra vez», pensó Hugo. Supuso que era el ambiente en el que se movía su tío, pero no dejaba de extrañarle las continuas referencias a ese pueblo.

—¿Te relaciones tan solo con miembros de esa comunidad? —se atrevió a preguntarle.

—Para empezar, no la llames «esa comunidad». No olvides que también es la tuya. Tus raíces son tan judías como las mías, aunque no seas practicante de la religión ni la conozcas. Por otra parte, el pueblo judío tiene un profundo arraigo en Alemania. ¿Sabes que más de cien mil soldados judíos han luchado en la Gran Guerra? Muchos de ellos han entregado su vida por este país. La comunidad judía siempre ha sido muy activa en lo económico, pero también en lo social y cultural, que es lo que a mí me interesa. ¿Quién no conoce en lo político y económico, por ejemplo, al berlinés Walter Rathenau, que fue el encargado logístico de la Gran Guerra y a su padre, Emil, que fundo la conocida empresa AEG? ¿O en lo científico a Albert Einstein? Y si nos pasamos a la cultura, ¿quién no ha oído hablar del compositor y director de orquesta Félix Mendelssohn, por ejemplo?

«Yo», pensó Hugo. El único nombre que le sonaba de algo era Albert Einstein, pero no sabía nada de él.

—Podría seguir dándote nombres durante horas, pero no nos desviemos del tema, que hoy vas a conocer a Rudolf Mosse.

—Me voy a sentir abrumado al lado de semejante personalidad —le respondió Hugo—. Podías haber elegido a alguien más apropiado para mi primera salida en sociedad.

—Confía en mí, aunque no lo creas, de todos mis amigos, Rudolf es el más apropiado —respondió, volviendo a sonreír de esa manera tan peculiar que Hugo no entendía. Estaba claro que algo tramaba a sus espaldas.

—¿Me lo vas a contar ya? —no se pudo aguantar.

Georg no pudo evitar reírse, para la exasperación de Hugo.

—Veo que eres perspicaz, pero prefiero que lo descubras por ti mismo, creo que te impresionará. Además, ya casi hemos llegado al *Castillo de Schenkendorf*.

—¿Viven en un castillo de verdad? —preguntó Hugo, de forma automática, ya que su mente estaba pensando en las enigmáticas frases de su tío. No pudo evitar ponerse algo nervioso.

—Por supuesto. Hace unos años residían en el centro de Berlín, pero mandaron construir este castillo, que ya no se encuentra dentro de los términos de la ciudad. Pertenece a una población llamada Mittenwalde.

Bajaron del vehículo y se dirigieron a la entrada. Una persona del servicio les abrió la puerta y les hizo pasar al interior.

A continuación, les condujo a una gran sala. Hugo estaba admirando todo aquello. Era espectacular. Tenía infinidad de cuadros y tapices colgados de las paredes y los techos estaban pintados con frescos, con motivos alegóricos que no comprendió. Llamar «castillo» a aquello era una broma. Aquello era un palacio.

No había terminado de observar la estancia cuando apareció una persona por una pequeña puerta, casi oculta, en un rincón. Se dirigió hacia ellos, con una abierta sonrisa en su rostro.

Viéndolo venir, comprendió la primera cuestión que le había causado hilaridad a su tío. Aquella persona era un anciano que aparentaba más de setenta años. Estaba claro que la juventud la había dejado atrás hace mucho tiempo. Hoy, la reunión social de su tío no era con jovencitos.

—Mi querido Georg, ¿cómo estás? Ya veo que vienes muy bien acompañado.

Georg y Rudolf se saludaron. Intercambiaron un par de frases protocolarias y cuando concluyeron, Georg se giró hacia Hugo.

—Como ya te había comentado, te presento a mi sobrino Hugo, llegado desde España hace casi seis meses —dijo.

—Es un verdadero placer, hijo. Los amigos y familiares de Georg también son los míos.

Había llegado el momento de la verdad. Ahora tenía que poner en práctica su alemán.

—El placer es mío, *Herr* Mosse. Disculpe si me expreso de una forma inadecuada. Cuando llegué a su país no conocía su idioma —le contestó Hugo. Esa frase se la había preparado, ya que suponía que la conversación se iniciaría de esa manera. A partir de ahora ya debería improvisar. A pesar de ello, no estaba nervioso.

—No te voy a disculpar.

Hugo se quedó pálido. No se esperaba esa respuesta y no era capaz de articular una contestación coherente.

—Decía que no te voy a disculpar si me llamas de esa manera tan ridícula, *Herr* Mosse. Dentro de mi casa, para mis amigos, soy Rudolf.

Hugo recuerda que respiró de alivio.

—Así lo haré, Rudolf.

—Mucho mejor —respondió—. Ahora, vamos a salir al jardín. Hay que aprovechar este día tan magnífico que nos ha regalado la naturaleza, que no es demasiado generosa con Berlín. Estaremos más a gusto debajo de la pérgola central del jardín. He dispuesto todo para que comamos en el exterior, si no os importa.

Sin esperar a la respuesta de Georg ni de Hugo, se giró y se encaminó hacia la pequeña puerta por la que había entrado. Hugo supuso que no esperaba una respuesta negativa, hubiera sido descortés. También supuso que debían seguirlo, como así hizo su tío, sin mediar palabra.

Entraron en otra estancia más pequeña y menos ostentosa. De hecho, se asemejaba a una cocina, pero sin los utensilios habituales. Rudolf abrió una puerta y salieron al exterior de la casa.

Los jardines eran majestuosos y muy bien cuidados. Rivalizaban en belleza y extensión con los que cualquier residencia real, con profusión de fuentes, flores y plantas que jamás había visto en España. La palabra espectacular se quedaba corta. Rudolf fue caminando entre aquella maravilla, en dirección a la pérgola central. Georg y Hugo le seguían, este último maravillado por lo que estaba viendo.

Cuando llegó al centro del jardín, Hugo se quedó con la boca abierta, todavía más asombrado.

Ahora comprendió el motivo por el que su tío estaba empeñado en que conociera a Rudolf Mosse, y tenía poco que ver con la botánica.

16 VALENCIA, 28 DE MARZO DE 1939

Gisela estaba absolutamente devastada. No había consuelo posible. No podía parar de llorar. Vicente Fe parecía en otro mundo, sin embargo, a Felicia no se le pasó por alto la reacción, a sus ojos, desproporcionada, de su hija.

—¿Qué te ocurre, Gisela? Si, es verdad que ese amigo tuyo no es lo que parecía, pero tampoco hay para tanto. Tendrás multitud de compañeros y no tienes por qué conocer a qué se dedican en su tiempo libre, y todavía menos responder por las actividades de su familia.

Gisela era perfectamente consciente que estaba llamando la atención en el peor momento, pero no podía evitar sentirse traicionada por la persona que menos se lo esperaba en esta vida.

—Tú no lo comprendes —acertó a decir. Inmediatamente, Gisela se dio cuenta de que era la frase más inoportuna en el momento más inadecuado.

Su madre se percató enseguida. Ya conocía aquella mirada. Ella también había tenido dieciocho años.

—Pues explícamelo —dijo, pasándole una mano por encima del hombro, para tratar de darle confianza.

Gisela no podía evitar llorar, y eso que ponía todo lo posible de su parte para no hacerlo.

—¿Sabes? —continuó Felicia—. Sé muy bien lo que es tener dieciocho años. También sé que es una edad crítica y vulnerable para una chica, que ya es toda una mujer. Te lo digo por experiencia propia. Mis dieciocho años también fueron muy importantes en mi vida. Créeme, quizá si me lo cuentas, te comprenda mejor de lo que crees.

Gisela seguía sin reaccionar. Sabía que su madre se lo imaginaba, pero no le salían las palabras.

—No sois solo amigos, ¿verdad? —le dijo, mientras la abrazaba.

Esta pregunta de su madre terminó con las pocas defensas que le podían quedar. Desarboló por completo a Gisela, que le devolvió con fuerza el abrazo.

—No —se escuchó responder. Volvió a mirar al papel amarillento y empezó otra vez a llorar. Había comprendido perfectamente sus implicaciones.

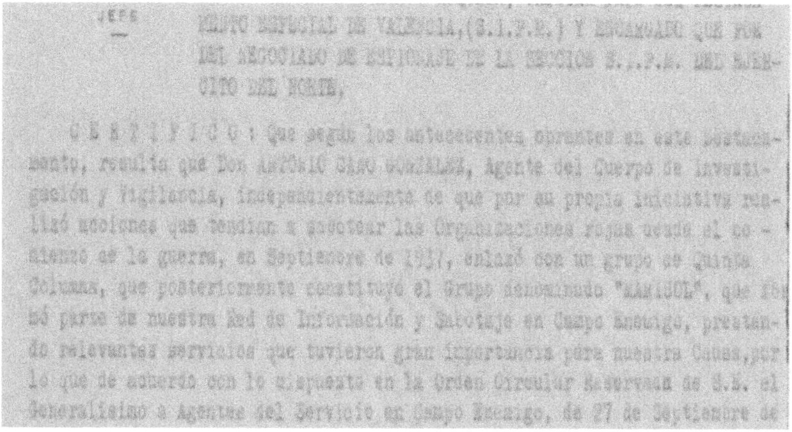

El papel que Vicente había dejado encima de la mesa era una prueba contundente de que Antonio Cano era un agente franquista encubierto. Aunque fuera tan solo una copia de un fragmento de un salvoconducto, que se suponía más amplio, era lo suficientemente claro.

Textualmente certificaba que:

«Que según los antecedentes obrantes en este Destacamento, resulta que Don ANTONIO CANO GONZÁLEZ, Agente dcl Cuerpo de Investigación y Vigilancia, independientemente de que por su propia iniciativa realizó acciones que tendían a sabotear las Organizaciones rojas desde el comienzo de la guerra, en septiembre de 1937, enlazó con un grupo de Quinta Columna, que posteriormente constituyó el Grupo denominado "MARISOL", que formó parte de nuestra Red de Información y Sabotaje en Campo Enemigo, prestando relevantes servicios que tuvieron gran importancia para nuestra causa, por lo que de acuerdo con lo dispuesto en la Orden Circular Reservada de S.E. el Generalísimo a Agentes del Servicio en Campo Enemigo, de 27 de septiembre de (...)».

Allí se cortaba, pero no hacía falta más. No había ninguna duda de su naturaleza.

Vicente pareció volver en sí.

—Su familia procede de Requena. Es cierto que Antonio Cano formó parte del cuerpo policial durante la república, en eso su hijo Toni no te mintió, Gisela. En 1931 pertenecía a la Brigada de Investigación Criminal de Barcelona. Luego lo trasladaron a Madrid. Participó de forma activa en la Represión de Octubre de 1934, en Asturias, contra anarquistas, que era su objetivo casi compulsivo. Estos hechos despertaron los recelos de sus superiores, que lo expulsaron del Cuerpo de Policía. Desde entonces, los servicios de información de la República Española lo tienen vigilado, a él y a su hijo. Forman parte de diversas estructuras de la Quinta Columna, cuyo objeto es sabotear la república y sus órganos de gobierno, desde el interior.

—¡Maldito bastardo traidor! —exclamó Gisela, con un grado de indignación que sorprendió a Vicente, no así a Felicia, que ya suponía que tal resentimiento no provenía por la parte política, sino por la sentimental.

Vicente intentó tranquilizar a Gisela, ya que no comprendía de dónde procedía su repentino furor.

—Bueno, sí, pero los tenemos controlados desde hace casi cinco años. Sin ellos saberlo, nos han facilitado el acceso a muchas células franquistas en la ciudad.

—No me consuela. Ha jugado conmigo, el muy bastardo. No retiro ni media palabra de las que acabo de decir —continuó Gisela, enfadada y abatida a partes iguales.

—¿Hay algo que deba saber? —preguntó Vicente, que seguía sin comprender a Gisela.

—Bueno, parece que nuestra pequeña se había echado novio y, por lo visto, no eligió a la persona que ella creía que era —explicó Felicia, ya que Gisela no parecía que lo fuera a reconocer, ni siquiera en las actuales circunstancias.

—¡No fastidies, Gisela! —exclamó Vicente, sorprendido, aunque ahora se explicaba su furibunda reacción.

—Vas a creer que es una mentira piadosa, porque seguramente yo pensaría lo mismo en tu situación, pero te prometo que esta misma noche os lo iba a contar —contestó, dirigiéndose a su madre—. A eso me dirigía al salón, cuando me has detenido.

—No te preocupes por esa tontería ahora —le dijo su madre, que aún tenía a su hija abrazada por el hombro.

—Llevamos juntos unos seis meses, pero no de forma diaria ni mucho menos. La relación no ha sido tan intensa. Hay semanas que ni nos hemos visto, sobre todo cuando nos destinan a los hospitales de campaña.

—Te repito, no tienes nada que justificar.

—Sí que lo tengo que hacer. ¿Sabéis que mañana estoy invitada a cenar a su casa, para conocer personalmente a sus padres?

—¿No pensarás ir? —preguntó Vicente, que, hasta ahora, se había mantenido al margen de la conversación entre madre e hija.

—¡Por supuesto que no! —exclamó Gisela.

—Perdona que te haga ciertas preguntas que te puedan resultar incómodas, pero creo que lo debemos saber. ¿Le has hablado a Toni de las ideas republicanas de tus padres?

—Claro, por eso lo he llamado bastardo. Los dos pertenecemos a la Federación Universitaria Escolar, ya sabéis, la FUE. Le he hablado abiertamente de mi ideología, ya que creía que él pensaba lo mismo que yo. También es cierto que sabe que no estaba muy implicada en sus actividades y que iba a la universidad a estudiar, no a hacer política. Sabe que no soy una activista de nada, pero conoce perfectamente las ideas de mi familia —ahora se giró a su madre—. Os he puesto en peligro, ¡qué idiota he sido!

—Me lo imaginaba —dijo Vicente—, por eso decía que la situación es más que desesperada. Me temo que no tenéis cobertura.

—Por curiosidad, tío, ¿por qué te has tomado tanto interés en saber la fuente de mi detallada información de los planes militares franquistas? Ahora, a toro pasado, me lo explico, pero ¿al principio?

—Muy sencillo. Si el bando republicano no dispone de la información que me has contado, con ese nivel de detalle, tan solo podía haber venido del otro bando. Estaba claro que, quienquiera que te hubiera pasado esa informado, debía de ser un *quintacolumnista*, como así se ha confirmado. Por eso he insistido tanto en conocer el origen de la fuente y su apellido. Te debo pedir disculpas, no me podía imaginar que fuera tu novio. Lamento haberte causado este disgusto.

—Las disculpas se las debo pedir yo a mi familia. Como una idiota, caí en sus brazos. Si existía alguna posibilidad de que el bando franquista no conociera nuestra implicación con la república, me parece que la he fastidiado.

Su madre la abrazó más fuerte.

—No te preocupes ahora por eso. No eras consciente y no hacías nada diferente a la gran mayoría de alumnos de la universidad. Además, nunca te has metido en ningún lío político, ¿no?

Aquello era una pregunta más que una afirmación.

—Jamás, porque no he participado en casi nada. Cuando convocaban las aburridas huelgas y manifestaciones, me limitaba a no acudir a clase. Por ahí no nos pueden pillar. Desde luego conoce nuestras ideas, pero también sabe que no somos activistas.

Vicente se puso de pie. Su cara estaba aún más desencajada que en momentos anteriores, lo que era ya muy difícil. «¿Nos va a soltar un discurso?», pensó Gisela. Era lo último que le apetecía. No estaba para sermones. Para su completa sorpresa, no fue eso, sino una extraña afirmación.

—En realidad, todo lo que estamos hablando, desde que he llegado a vuestra casa, no importa en absoluto.

Felicia y Gisela, que se acababan de separar de su prolongado abrazo, se quedaron mirando a Vicente, sin comprender qué es lo que había dicho.

—¿Perdona? —preguntó Felicia, confundida.

—Hay una pregunta que no me habéis formulado, y eso que llevo más de diez minutos en vuestra casa.

—¿Acaso pretendes que la adivinemos?

—Es que es muy básica.

—Lo será para ti —dijo Felicia, un poco enfadada. Después de todo lo se acababa de enterar, lo último que pretendía era jugar a las adivinanzas.

Vicente se dio cuenta del enojo de Felicia y decidió no dar más rodeos.

—¿Qué hago aquí, esta noche, en vuestra casa? ¿No os parece la pregunta más obvia?

—Creía que era porque habías quedado con Hugo para cenar. ¿No es así?

—No me respondas una tontería, Felicia. Seré más específico con la pregunta. En el contexto de lo que estamos hablando, y dada la inoportunidad de la fecha elegida, por todos los acontecimientos inminentes que desgraciadamente conocemos, ¿para qué creéis que había quedado con vosotras y vuestro padre a cenar? ¿Por simple cortesía, como en ocasiones anteriores? Me parece que esa posibilidad resulta poco creíble.

Madre e hija se volvieron a mirar.

—¿Nos lo piensas decir o no? —preguntó Felicia, que seguía sin gustarle ese juego. Se levantó a por otra jarra de limonada al frigorífico.

Vicente lanzó la bomba.

—Estoy en la lista.

Felicia resbaló con la jarra en las manos y se cayó al suelo, con el consiguiente estropicio y cristales rotos por todas partes. No hizo ademán ni de levantarse. Gisela se incorporó para ayudarla, aunque su madre le hizo un gesto de rechazo.

A Vicente se le escapó una lágrima.

«¿Qué está pasando aquí?», se preguntó Gisela, sin comprender nada.

17 HUGO DESCANSANDO. RECUERDOS DE BERLÍN, EL 28 DE SEPTIEMBRE DE 1919

—Cierra esa boca, que se van a dar cuenta —le dijo Georg a su sobrino Hugo, cuando alcanzaron la pérgola del centro del jardín.

—Lo siento —le respondió, avergonzado por su reacción.

—No lo hagas, yo también sé apreciar la belleza.

—¿Qué murmuráis? Anda, acercaros. Georg ya conoce a mi mujer y a mi hija, pero tú no —dijo Rudolf, dirigiéndose a Hugo.

Los tres entraron en la pérgola.

—Os presento a Hugo Bernhard —dijo—. Ellas son mi mujer y mi hija.

Hugo, no sabía por qué, se imaginaba que Rudolf no tenía familia. Su tío nunca se lo había comentado. Eso se salía del guion que llevaba preparado.

—Es un placer —acertó a decir.

—El placer es nuestro —le respondió Emilie Mosse, la esposa de Rudolf.

Su hija hizo un gesto educado de saludo, pero no pronunció palabra alguna. «Ni falta que le hace», recuerda que pensó Hugo. Era pura belleza destilada. Se había quedado prendado de ella nada más verla.

«Igual es que no he visto muchas mujeres estos últimos seis meses», se dijo, para intentar tranquilizarse.

No lo logró.

Aquella muchacha, que tendría una edad muy parecida a la suya, era un auténtico ángel, recién caído del cielo. Era verdad que no estaba acostumbrado a los cánones de belleza nórdicos. En España, era inconcebible encontrar una joven así, con una cara que parecía de auténtica porcelana, con la piel muy clara y un cutis perfecto, unos ojos azules y profundos como su añorado mar Mediterráneo y un cabello liso y rubio que le cubría media espalda. Además, vestía un traje blanco con una larga falda, que estilizaba su figura. «Solo le falta subirse a un caballo», recuerda que pensó, intentando de nuevo quitarse esa incómoda presión que sentía, sin ningún éxito. Ahora ya le parecía ver hasta el caballo.

—Anda, sentémonos —dijo Rudolf.

Los cinco lo hicieron alrededor de una mesa, que ya estaba preparada con un pequeño aperitivo a base de frutas.

—Son de nuestro huerto —dijo Emilie—. Nuestra hija es la responsable de estas maravillas.

«Ella es la maravilla, no la fruta», pensaba un obsesionado Hugo.

Intentó que no se le notara demasiado, así que decidió tomar una de aquellas tartaletas llenas de pequeñas frutas de ángel. Le sorprendió su sabor y eso que, en su tierra natal, entendían bastante de frutas.

—Mi más sincera enhorabuena —dijo su tío, dirigiéndose a la hija de los Mosse—. Hacía tiempo que no probaba un *Rote Grütze* tan bueno y tan bien presentado. Además, me parece muy original servir un postre típico berlinés como aperitivo, antes de la comida. Se nota la mano femenina en esta casa, querido Rudolf —ahora se giró hacia su amigo—. Me parece que has perdido el control de tu propio castillo.

—La mano femenina es la que manda en esta casa desde hace un par de años —le respondió, riéndose—. ¿Te imaginas que yo recibiera a unos invitados para comer, y les sirviera primero el postre? Pues eso es lo que pasa en esta casa, desde que mi hija se ha hecho toda una mujer.

«Ni que lo digas», pensó Hugo, que seguía atontado.

—¿Qué es un *Rote Grütze*? —se atrevió a preguntar—. No lo conocía, y eso que ya llevo en Berlín seis meses.

Lo que temía, ocurrió. Ni la madre ni el padre, le tuvo que contestar aquella criatura.

—Básicamente es una compota de frutas rojas. Lleva frambuesa, grosella, fresas y moras. En la ciudad se suele servir con una salsa, pero yo prefiero no hacerlo. Así se aprecia mejor su sabor.

Hugo tenía que responderle. No podía quedarse con esa cara de pasmado.

—Con el clima de Berlín, ¿cómo consigues cultivarlas? Yo intenté plantar una maceta con una flor, para dar un poco de color a mi habitación, y me duró dos días.

—Eso es porque no elegirías la especie adecuada. No todas sirven para cualquier temporada del año, y menos en Berlín.

No se lo podía creer. Estaba manteniendo una conversación en alemán con un ángel. No sabía por qué, quizá recuerdos de su temprana educación católica, pero se imaginaba que los ángeles hablaban en latín.

No podía dejar de observarla. Si su físico ya le había cautivado, tenía una voz acorde con él, además se le notaba que era de buena cuna. Su educación era más que evidente. «Es decir, todo lo contrario a lo que soy yo», recordaba que pensó, en esa primera conversación.

—Bueno, después de las extravagancias de mi hija, pasemos a la comida de verdad —dijo Rudolf, mientras se levantaba de la mesa, junto con su mujer y su hija—. Vamos a comunicar al servicio que ya estamos listos y ordenar que nos sirvan la comida.

Hugo hizo ademán de levantarse, por simple educación, pero su tío le agarró discretamente por un camal de su pantalón.

—Por tu sonrojo y bochorno, creo que ya has descubierto por qué Rudolf era el candidato perfecto para tu primera salida en sociedad. Lo único que te puedo recomendar es que, de vez en cuando, cierres la boca cuando la miras. Vas a babear toda la comida —susurró, fuera del alcance auditivo de la familia Mosse.

—¿Me has traído por ella?

—¿Tú qué crees? ¿Qué lo he hecho por el viejo Rudolf? Ella tiene tu misma edad y tus mismas inquietudes.

—Eso es imposible. A pesar de su juventud, es toda una mujer guapísima y muy refinada, y yo soy un mozo del taller de tu periódico. Ya me contarás qué inquietudes podemos compartir.

—El afán por conocer. La curiosidad es el motor del mundo. Aunque no lo creas, ella tiene tú mismo problema. Quiere salir a conocer Berlín, como tú llevas deseándolo desde hace algún tiempo, aunque no te atrevieras a decírmelo. Eso denota educación por tu parte.

—¿Cómo sabes que...?

Georg le interrumpió.

—No soy imbécil y me doy cuenta de las cosas. Pero tenía que llegar el momento apropiado. Ahora lo tienes delante de ti. No la fastidies.

—¿Pero de qué hablamos? Aunque digas que es muy curiosa, ella cultiva flores y frutas y huele como ellas. Yo, en cambio, limpio rotativas y huelo a grasa.

—No pienses así. Para empezar, no es su hija biológica. Los Mosse no podían tener descendencia y la adoptaron ya siendo mayores. En consecuencia, siempre la han sobreprotegido. Ha vivido rodeada de lujos, pero atrapada en una jaula de cristal. No se han dado cuenta de que su pequeña se ha convertido en un precioso cisne, al que no pueden mantener permanentemente encerrado en este jardín, por muy bonito que sea. Tú quieres salir y conocer Berlín y ella lo desea con toda su alma. Además, como tú, desde pequeña, ha vivido el mundo de la prensa y lo ama. Tenéis alguna afición en común.

—Sí, pero no creo que jamás haya limpiado una rotativa. Quizá sienta pasión por el mundo de los periódicos, como tú dices, pero, desde luego, no desde la misma perspectiva que yo.

—No te dejes engañar por su aspecto físico tan refinado. La educación de los Mosse le ha impreso mucho carácter. Yo la he visto enfadada, y no te podría recomendar estar cerca de ella, cuando eso ocurre.

—Sigo pensando que es todo muy artificial. Una chica así no puede estar a mi alcance.

—No me seas mojigato. Llevo preparando este encuentro un par de meses. No la fastidies con remilgos sociales o de educación, te aseguro que a ella eso no le va a importar.

—Pero si es guapísima. Podría tener el novio alemán que le diera la gana, incluso sin novio, triunfaría allá donde fuera. ¿Por qué se va a fijar en un español medio *germanizado* sin formación alguna?

—Porque, aunque no lo sepáis, estáis hechos el uno para el otro. Ahora solo falta que os deis cuenta por vosotros mismos. Créeme, aunque no entienda demasiado de mujeres, sí que sé cuándo puede surgir la química entre dos personas y, ahora, se palpa en el ambiente.

—No quiero seguir esta conversación —dijo Hugo, que se sentía todavía más incómodo que al principio.

—Hay trenes que tan solo pasan una vez en la vida. Si no te subes a él en el momento adecuado, luego te pasas toda tu existencia añorando esa ocasión perdida. Te estoy hablando desde lo más profundo de mi corazón. Al menos, dale una oportunidad.

Hugo estaba aturdido. No se imaginaba que su presentación en sociedad iba a empezar de esta manera, pero decidió hacerle caso a su tío. Al fin y al cabo, le hablaba desde la experiencia, cosa de la que él carecía.

No sabía que le esperaba, pero la simple posibilidad de pasear con ella por Berlín le terminó de decidir.

Quizá algo muy bonito estaba a punto de iniciarse. O no.

18 VALENCIA, 28 DE MARZO DE 1939

Gisela no entendía nada. La situación era desconcertante. Por una parte, su madre se había sobresaltado de tal manera que se había caído al suelo, y Vicente Fe se estaba cubriendo la cara con las manos. Le daba la impresión que lo hacía para evitar que vieran que estaba llorando. Y allí estaba Gisela, sin saber muy bien de qué forma actuar.

Resolvió hacer primero lo prioritario, ayudar a su madre a levantarse del suelo, a pesar de su negativa a ser ayudada. Estaba claro que se había llevado una fuerte impresión por la enigmática frase de Vicente, pero ello no justificaba que estuviera rodeada de cristales, sentada en el piso de la cocina.

Se acercó con la intención de tomarla por los hombros. Era la manera más rápida de levantarla. Gisela era grande y tenía fuerza. Cuando se aproximó, se dio cuenta de que su madre también parecía estar llorando.

—Mamá, te voy a levantar, quieras o no quieras —dijo, resuelta.

No obtuvo ninguna respuesta, así que procedió como tenía previsto. Su madre era un peso muerto. No hizo nada para facilitar la labor de Gisela, pero tampoco para evitarla. La dejó sentada en la silla de la cocina, junto con Vicente, que seguía sin reaccionar.

Se esperó prudentemente cinco minutos a que se tranquilizaran. Ambos parecían traumatizados por algo que ella no entendía. Después del carrusel de noticias nefastas que habían conocido en los últimos minutos, Gisela no se explicaba que más podía pasar. Para ella sí que era un auténtico terremoto en su vida, pero ¿qué ocurría con Vicente y su madre?

Empleó esos cinco minutos en recoger toda la limonada vertida en el suelo y los restos de los cristales de la jarra rota.

Una vez dejó la cocina impecable, pensó que ya era hora de que se explicaran.

—Bueno, creo que ya está bien. Os he dejado que asimiléis eso de «estar en la lista», aunque yo no lo comprenda. ¿Alguien me lo puede aclarar?

Vicente se había quitado las manos de la cara. Efectivamente, tal y como había sospechado Gisela, había llorado. Su madre también, pero parecía que le dirigía la mirada. Gisela se sentó en la mesa.

—Bueno, adelante. Después de todas las noticias de esta noche, ya nada podrá ser peor. Hemos perdido la guerra, las tropas franquistas entrarán en Valencia en poco más de veinticuatro horas, mi novio y su familia son unos traidores que nos han estado boicoteando cuando nos hacían creer que nos ayudaban, ya no voy a cenar con ellos mañana ni volver a ver a Toni, si lo puedo evitar. ¿Qué más puede ocurrir? ¿También se acaba el mundo? Por lo menos, en este caso, España no sería para los traidores franquistas.

—No te lo tomes a broma —le respondió de una forma serena su madre, que se había recuperado—. La situación es desesperada, y me quedo corta.

—¿Me lo vas a contar a mí? ¡Menuda noche llevo! —le respondió Gisela.

—No lo entiendes.

—No sé, quizá lo pudiera hacer si me lo explicáis.

—Vicente está en la lista —le repitió su madre.

Gisela iba a pedirle explicaciones, cuando el propio Vicente la cogió por la mano.

—De estas cosas no deberías enterarte. Eres muy joven para conocer los horrores de la guerra y de la posguerra. Sé que estarás muy dolida sentimentalmente por el tema de tu novio, pero esto es otra cosa. Estar en la lista significa que, cuando las tropas sublevadas entren en la ciudad, yo seré ejecutado en menos de veinticuatro horas. Estoy viviendo mis últimos días, quizá incluso mis últimas horas.

Ahora Gisela comprendió toda la consternación y el revuelo que se había formado.

—¿Por qué? ¿Es que han condenado a muerte a todos los directores de periódicos de la ciudad, sin juicio?

—Prácticamente sí, por lo menos a los de los medios republicanos y los de los panfletos anarquistas, comunistas y socialistas.

—¿Tan solo por ser periodistas?

—Bueno, no tan solo por eso. Soy el sobrino de Francisco Castell, fundador de *El Mercantil Valenciano*, y su actual director. Ya conoces nuestra línea editorial, muy beligerante contra el golpe de estado de Franco. Tampoco olvides mi vertiente política. En 1936 fui elegido diputado en las Cortes por Izquierda Republicana. Seguramente, tendré el honor de estar en un lugar destacado de esa lista. Seré de los primeros en recibir una ráfaga de disparos.

—¡Qué infamia! —no se pudo aguantar Gisela—. Es una paradoja, los horrores de la guerra no se terminan con la propia guerra. Idiota de mí, deseaba, en mi fuero interno, que se acabara cuanto antes esta estúpida guerra civil, ganara quién la ganase, pensando en la paz. Lo que he visto en los hospitales de campaña no tiene nombre. Pero ya veo que no habrá paz ni para los vencidos ni para los muertos.

—No te olvides que yo también soy médico y farmacéutico, y he asistido, cuando me ha sido posible, a esos mismos hospitales en el frente. Pero eres muy joven para comprender ciertas cosas —le respondió Vicente—. Ya conoces mis ideas políticas, pero si hubiéramos ganado la guerra y aplastado la rebelión, me temo que nuestras acciones en la posguerra hubieran sido parecidas, no te engañes. Si algo nos ha enseñado la Historia es que, en un conflicto armado, nunca hay ganadores, pero sí perdedores. Y los que más sufren, siempre son las personas del pueblo llano, las más humildes, sean cuales sean sus ideales o su bando. Precisamente las que menos culpa tienen y las que más indefensas y desprotegidas están. No lo olvides jamás.

—Parece que aún quieras justificar a los que te quieren asesinar.

—No es eso. Lo único que pretendía decirte es que, si quitas la ideología de la ecuación, en una guerra, y más todavía si es civil, entre hermanos, todos nos comportamos como animales, no como seres humanos. Eso no quiere decir que esté de acuerdo con lo que está pasando ni que me vaya a dejar asesinar. Venderé cara mi derrota.

—¿Qué piensas hacer? —preguntó Gisela.

—En el plano personal, aún no lo tengo claro. En el plano profesional, *El Mercantil Valenciano* ya ha dejado de publicarse. Toda la labor de mi tío, Francisco Castell, su fundador, hoy mismo acaba de saltar por los aires. Eso era lo que venía a contarle a tu padre, entre otras cosas, que ya no tenemos periódico y él no tiene trabajo. Quería que lo supiera el primero. Los acontecimientos se han precipitado y aún no he podido hablar con nadie de la redacción.

—¿Lo sabe tu familia?

—No, tampoco he tenido el valor de decírselo.

Ahora, intervino Felicia.

—¿Te preocupas por el trabajo tuyo y de mi marido cuando te quieren matar en dos días? ¡Lo del trabajo da igual! —exclamó, con un tono de indignación—. Permíteme el atrevimiento, incluso el periódico da igual, ya resurgiréis, pero, para ello, tienes que mantenerte con vida, junto con los tuyos. Debes de marcharte de la ciudad con tu familia. No puedes dejar que te atrapen.

—Ya me gustaría, pero quizá sea algo tarde para eso. Los que quisieron huir, ya hace tiempo que no están en España. Tan solo quedamos los idiotas, que sabíamos que esta guerra estaba perdida desde hace tiempo, y aquí permanecemos, fieles a unos ideales que nos conducirán a la muerte.

—Hablas igual que Hugo —se quejó Felicia.

—El general Franco promulgó, el 8 de febrero, la llamada Ley de Responsabilidades Políticas, que condenaba, de antemano y de aplicación retroactiva, desde 1934, a todas las personas que hubieran colaborado activamente con la Segunda República, ya fueran civiles o militares. Era un hecho que todos conocíamos. Ahora, hay que asumir las consecuencias de nuestros actos. De nada sirve meter la cabeza debajo de la tierra, como los avestruces. La realidad es muy tozuda. Está claro que ya es muy tarde para huir.

—Nunca es demasiado tarde para nada —le respondió Felicia, que, de repente, había recobrado su vitalidad—. No permitiré que te maten.

—¿Y qué piensas hacer? ¿Plantarte, pasado mañana, delante del ejército del general Aranda, cuando entre en la ciudad?

—¡Pues claro que no! Pero, en tu caso, no tienes que quedarte esperando a que te fusilen. Insisto, tienes que marcharte de la ciudad. Debe de existir algún medio.

—¿Te crees que las huestes de Franco lo van a permitir? Tienen prácticamente sitiada la ciudad. Dominan los cielos con la ayuda de la aviación de Mussolini, y también controlan el mar. No olvides que toda la flota republicana se encuentra retenida en el puerto Bizerta, en el protectorado francés de Tánger. Como Francia ha reconocido como legítimo al gobierno de Franco, ya te puedes hacer una idea de quién controla los restos de la armada republicana. Además, Franco contó con la ayuda naval de Italia y Alemania, y nosotros tan solo recibimos cuatro lanchas torpederas rusas. La única base naval leal a la república era Cartagena, y ahora, ni siquiera eso. Ese es el panorama real actual.

—Ya supongo que las cosas no serán sencillas, pero siempre hay una salida excepto para la muerte. Y no vamos a permitir que eso te suceda —siguió Felicia dando ánimos.

—Ojalá existiera esa salida que dices, pero no la veo por ningún sitio —Vicente, más que pesimista, era realista.

—Sí que existe una salida —se lanzó Felicia.

—¿Cómo puedes saber eso tú? —le preguntó Vicente, mirándola a los ojos. Por un momento, le dio la impresión de que hablaba en serio.

—Antes de que Hugo se echara a dormir en el sillón del salón, tuvimos una breve conversación. Me contó la visita de los falangistas al coronel Casado, portándole una especie de pacto de última hora. Ya sabes que Casado ni se dignó a escucharles, cuando lleva un mes intentándolo. ¿Cuál crees que es el único sentido lógico de la actuación del coronel?

—Pues supongo que se ha dado por vencido. Solo ha venido a Valencia porque Madrid ha caído hoy. Está acorralado y creo que habrá tirado la toalla. Ya ha jugado todas sus cartas y ha perdido la partida.

—Entonces, si realmente se ha rendido, ¿por qué no ha permanecido en Madrid? ¿No te extraña su repentino e inesperado viaje a Valencia?

—Pues no. Es la única zona de España que permanece bajo control de la República. No tenía otro sitio adónde ir.

—Mi marido y yo tenemos otra teoría.

Vicente se quedó mirando a Felicia. No cabía duda de que era una gran mujer, pero añadido su intelecto al de Hugo, formaban una pareja formidable. No debía desdeñar sus opiniones.

—¿Puedo saber cuál es esa teoría?

—Es muy sencilla. Si Casado se quería entregar, lo podía haber hecho ayer en Madrid. Si está en Valencia es porque no se quiere entregar, así de simple.

—No lo veo.

—¿Para qué va a perder el tiempo trasladándose a Valencia? ¿Qué ganaba si se pensaba rendir? ¿Dos días, a lo sumo? Eso no tiene ningún sentido. Por otra parte, suma este detalle al hecho de que rechazó a los falangistas, sin ni siquiera escuchar la oferta que traían del mismísimo Franco. ¿Por qué haría eso? En apariencia, no tiene ningún sentido.

—No lo sé. Supongo que me vas a contar tu teoría ahora.

—Si lo piensas bien, tan solo tiene una posible explicación. Casado ya ha llegado a un acuerdo para salir del país, o bien tiene acordado un plan de fuga, lo que prefieras. En cualquier caso, si Casado tiene una vía de escape, es que no es imposible abandonar la ciudad, como tú dices.

—¿Y qué propones? ¿Qué vayamos al edificio de Capitanía General y se lo hagamos confesar bajo tortura?

—No, algo mucho más sencillo.

—¿Qué es? No me mantengas en vilo.

—Esperar a que Hugo se despierte. Me parece mucha casualidad que haya comido con su hermano precisamente en un día como hoy. No me parece la fecha más adecuada para una visita de cortesía, dada la situación en la ciudad. Supongo que nos esperan sorpresas.

Vicente asintió con la cabeza. No lo tenía nada claro, pero era cierto que no parecía casual el encuentro entre ambos hermanos, si es que se había producido, cuestión de la que no tenía ninguna constancia. A pesar de ello, en el interior de su corazón, tendía a creer a Felicia.

Lo que desconocían era la clase de sorpresas que les esperaban. Desde luego no las que se imaginaban.

19 HUGO DESCANSANDO. RECUERDOS DE BERLÍN, EL 30 DE SEPTIEMBRE DE 1919

Aún recordaba el final de la comida en la residencia de los Mosse. Poco antes de despedirse, su tío le propinó una patada por debajo de la mesa y se quedó mirándolo fijamente. Su expresión era fácil de interpretar, «¿Qué estás esperando?». Suponía que su tío había organizado aquella comida con ese único objetivo, que le pidiera una cita a la hija de los Mosse, y el tiempo se acababa y no lo había hecho.

Recordaba que no sabía si dirigirse al padre, Rudolf, para solicitarle su permiso, o pedírselo directamente a su hija. Tampoco conocía las normas de etiqueta en la sociedad alemana. Esa era la parte que recordaba bien. Lo que vino a continuación lo tenía algo difuso en su mente. Se vio a él mismo pidiéndole si le apetecía dar un paseo por Berlín. No sabía ni las palabras exactas que había pronunciado, pero para su absoluta sorpresa, aceptó con un «me encantaría», que lo dejó descolocado, porque, aunque lo deseaba, no se lo esperaba. Además, al ser el sobrino de Georg Bernhard, sus padres, tanto Rudolf como Emilie Mosse lo vieron con buenos ojos.

Habían quedado hoy martes en la Alexanderplatz, cerca del domicilio de Hugo.

Hugo había insistido, aparentando ser el caballero que no era, en pasar a recogerla por su residencia, pero ella se negó, alegando que se encontraba alejada del centro de la ciudad. En realidad, Hugo pensó que, teniendo su propio chófer particular que la podía llevar donde quisiera, tampoco le iba a suponer un gran sacrificio.

Hugo llegó con quince minutos de antelación a la cita. Se acordaba que su tío le había comentado que los Mosse eran muy formales. No quería causarle una mala impresión el primer día. «Y quizá también el último», recuerda que pensó. Aún no se explicaba como una joven tan guapa, de tan buena familia y elevada posición social, había aceptado salir a pasear con él. El plan urdido por su tío, por lo menos, había comenzado bien. «Quizá Georg sea más listo de lo que aparenta, y eso que ya lo parece mucho».

Apenas habían pasado cinco minutos. Estaba distraído observando a la gente, con ese paso tan rápido al que ya se había acostumbrado, cuando escuchó una voz a sus espaldas.

—Buenos días.

Se giró bruscamente. Era la hija de los Mosse. Estaba esperando a que descendiera de un carruaje o un vehículo a motor como el de su tío, por ello no la vio venir.

—Hola. Perdona, me has asustado.

—Hola, perdona y susto en la misma frase —se rio—. Me parece que empezamos bien nuestro paseo.

Hugo intentó reírse, pero lo único que logró fue ponerse colorado.

—Te esperaba mirando hacia la plaza, no hacía la acera. No he visto llegar tu trasporte y me has sorprendido —intentó excusarse Hugo, de forma algo torpe.

—¿Trasporte? ¿Para qué? Me encanta caminar, además, ha salido un día soleado, no tan agradable como el domingo pasado, pero casi.

Hugo se quedó mirándola durante un segundo, sin decir ni una palabra. Le gustaba andar, como a él. Ya tenían una segunda afición en común, después de su pasión por el mundo de los periódicos. Advirtió que iba vestida muy informal, no como él, que se había arreglado un poco más de lo habitual.

—¿Y ese silencio? ¿Es por mi aspecto? No te creas que todos los días voy vestida como el domingo. Para pasear utilizo ropa más cómoda.

—No, no, estás muy guapa. Creo que hasta con un saco de patatas lo estarías —se escuchó decir Hugo, para su vergüenza y sorpresa. Le había salido de forma espontánea.

—Gracias, eres muy amable —le respondió, regalándole una gran sonrisa que aún recordaba.

Hugo, sin embargo, estaba incómodo. Aunque no conocía las costumbres alemanas durante una cita, lanzarle un piropo en el primer minuto de su conversación no le pareció la mejor manera de empezar, y todavía menos que pensara que iba vestida con un saco de patatas.

—Disculpa, no quería decir que vas vestida de manera inapropiada. Ya sabes que no domino tu idioma y puedo decir palabras inadecuadas. Tan solo quería decir que eres muy guapa y que estoy seguro de que cualquier tipo de vestuario te sentaría bien —se volvió a escuchar.

«¡Por favor!», pensó, azorado. Aquel no era él. Alguien había tomado el control de su mente y no paraba de decir tonterías, además, el pretexto del idioma ya no colaba.

—Gracias de nuevo, pero como me pidas perdón otra vez, ya no te lo paso —no había perdido esa gran sonrisa en su rostro. Todo lo iluminaba.

Hugo estuvo a punto de disculparse otra vez, pero se contuvo en el último instante. Aquella joven le causaba un profundo trastorno. Dominaba su mente. Debía de cambiar el curso de la conversación.

—Yo no soy berlinés —dijo—, así que me parece que te toca guiarme por la ciudad.

—Yo lo soy, y no te creas que la conozco demasiado. ¿Te apetece que andemos hasta el Lustgarten?

El Lustgarten era un jardín cercano a la Alexanderplatz. Hugo nunca había estado en él, tan solo lo conocía por el nombre, gracias al *Vossische Zeitung.* Era un lugar común de manifestaciones de socialistas y comunistas, que, a veces, terminaban a palos, y el periódico publicaba las noticias.

Anduvieron durante unos veinte minutos, manteniendo una conversación intrascendente, hasta llegar al parque. No era ni muy grande ni muy bonito, pero al estar situado justo enfrente de la *Berliner Dom,* es decir, de la imponente Catedral Evangélica de Berlín, le otorgaba cierto estilo que otros no poseían.

—¿Te importa que nos sentemos en la hierba?

—Claro que no —le respondió Hugo—. Con estas vistas, no me importa nada.

—¿Te refieres a mí o a la catedral?

De un plumazo, consiguió volver a desmontar a Hugo, que llevaba todo el camino concentrado en no meter la pata ni decir nada inapropiado. Además, era una pregunta trampa. Contestara lo que contestara, iba, o a quedar mal, o a parecer como un atrevido, al menos desde su mentalidad española. Intentó zafarse de aquella encerrona.

—Te contestaré si tú lo haces antes a una pregunta muy sencilla —le respondió.

—Adelante —parecía divertida con la situación.

—Comimos el domingo juntos, hemos dado un pequeño paseo por Berlín, y ahora estamos sentados en el Lustgarten. ¿Te crees que no sé cómo te llamas? El domingo, tus padres no te presentaron por tu nombre, siempre se dirigían a ti como «nuestra hija». Tu tampoco lo has hecho. ¿Crees que merezco saberlo?

—Claro que sí —dijo, sonriendo de nuevo—. Ahora, la que debe de pedir disculpas soy yo, no había caído en ese detalle. Daba por supuesto que tu tío ya te lo había dicho. Me llamo Fe.

—¿Fe? —se sorprendió Hugo—. Ese es un nombre español, no me suena muy alemán.

—Bueno, puede que sea española de origen, en realidad no lo sé. Mis padres biológicos no son Rudolf ni Emilie, aunque siempre serán mis padres, con mayúsculas. Me adoptaron recién nacida. Me lo contaron cuando cumplí los catorce años, pero no me dieron ningún detalle más acerca de mi procedencia, ni me importa. Ellos son mi única familia.

Hugo seguía sorprendido. Ya conocía esa información, porque su tío se la había contado. Por supuesto que en España también existían las adopciones, pero su extrañeza provenía por el hecho de que no era nada habitual que los padres se lo contaran a sus hijos. La inmensa mayoría de las veces, jamás se enteraban. Se consideraba algo a ocultar, un tema tabú. Parecía que, en Alemania, tenían otro concepto. Si lo pensaba bien, le gustaba más la mentalidad alemana, en este caso concreto. Ahora que estaba reflexionando, en el caso de que él hubiese sido adoptado, también le hubiera gustado saberlo.

—Te aseguro que no eres española. Y esto engancha con tu pregunta —Hugo ya se había envalentonado—. Te puedo confirmar que, en mi país, no existe ninguna mujer tan guapa como tú, con esos rasgos tan exóticos para los cánones del sur de Europa. Supongo que aquí será algo más habitual, pero también es cierto que llevo seis meses en Alemania y no he conocido a nadie como tú.

—¡Caramba! —exclamó Fe, riéndose—. Me has llamado guapa y no te has disculpado. Vamos avanzando.

Hugo también sonrió, pero le daba la impresión de que Fe estaba jugando con él. En España, no concebía mantener, en una primera cita, una conversación de estas características. Estaba claro que aún le faltaba mucho por comprender acerca de las costumbres berlinesas y, por extensión, de las alemanas. Parecían más liberales y abiertos en estos temas.

—¿Por qué me has traído a este parque? —intentó cambiar de conversación. A pesar de que se esforzaba, no terminaba de estar cómodo.

—Es una buena pregunta, Hugo, y me alegro de que me la hayas hecho. Ya sé que no es uno de los más bonitos de Berlín, aunque la catedral le otorgue algo de encanto. Supongo que te habrás dado cuenta de que mis padres no me dejan salir demasiado por la ciudad. Tienen auténtico terror de que me pueda ocurrir cualquier suceso desagradable. Dicen que llamo la atención demasiado. Por otra parte, tampoco tengo muchas amigas, y no me gusta acudir a sus fiestas, porque siempre están hablando de las mismas cuestiones intrascendentes. Me aburren.

Hugo escuchaba atento las explicaciones. Ahora comprendía a su tío, cuando le decía que tenía su propio carácter.

—¿Sabes? —continuó Fe—. En ocasiones, me escapo de casa, con la ayuda de Harald, uno de los criados. Me preguntabas el motivo por el que te había traído a este parque. Aquí fue el primer lugar que acudí, en mi primera escapada.

—¿Aquí? —preguntó extrañado Hugo—. Bueno, supongo que sería con algún chico.

—Supones muy mal. Se había organizado una gran manifestación en defensa de los derechos de los trabajadores, una vez concluida la Gran Guerra. A eso vine a esta plaza. Pude ver, en primera persona, la realidad de Berlín, que no eran ni mis jardines ni los palacios de mi familia. La plaza estaba abarrotada de gente, y no parecían alborotadores ni malas personas, como nos inducen a creer. Me uní a ellos y pude acompañar a familias al completo. Lo que reclamaban me pareció de una justicia absoluta. No pude evitar simpatizar con toda aquella gente. Ese era el verdadero Berlín y sus verdaderas personas. A pesar de que sabes que, por mi padre, me apasiona la prensa y estoy perfectamente informada de todos los sucesos que ocurren en la ciudad, me causó una profunda impresión vivirlos en primera persona. No te lo puedes ni imaginar. Rememorándolo, se me pone la piel de gallina.

—¿Eres comunista? —le preguntó Hugo, que no daba crédito a lo que escuchaba.

—No sé si lo soy, lo que tengo claro es que no me gustan las etiquetas ni que me encasillen como uno de ellos, por el simple hecho de compartir muchas de sus reivindicaciones. La política me da igual. Estamos hablando de justicia social. Tú y yo tenemos la suerte de pertenecer a familias acomodadas, pero la inmensa mayoría del pueblo alemán sufrirá, durante muchísimos años, las consecuencias de esa estúpida guerra. Mis padres, a su manera, aunque jamás lo reconocerán en público, también simpatizan con algunas de estas reivindicaciones. Una parte significativa de su fortuna la emplean en ayudar a los necesitados y a los trabajadores de sus propias empresas.

—Lo sé, me lo contó mi tío. Han construido hospitales y escuelas.

—Mucho más que eso. Han creado un fondo, dotado con millones de marcos, para la ayuda de los más necesitados. Lo gestiona directamente mi madre Emilie, y se llama *Emilie- und Rudolf Mosse-Stiftung.* Y la cosa no acaba aquí, también ayudan a la cultura, comprando obras de autores noveles con proyección. Una especie de mecenazgo. Mis padres poseen un palacio en el centro de Berlín, en concreto en la Postdamer Platz, a una media hora andando de donde estamos ahora. Allí exponen, de forma permanente, la conocida internacionalmente *Mosse Art Collection*, de gran prestigio. Pero ellos no lo hacen por vanidad, sino tan solo por ayudar y apoyar a muchas personas que están detrás.

—No sabía que tus padres fueran tan ricos.

—Pero el dinero no les importa. Está claro que llevamos una vida de lujo, pero estoy convencida de que, al menos, la mitad de sus fondos, los destinan a la ayuda de otros. Como comprenderás, estoy muy orgullosa de ellos, pero eso no es suficiente.

—¿Qué más quieres que hagan? ¿Qué donen toda su fortuna?

—No, ellos son un ejemplo para todos. No me refería a eso. Me gustaría que acudieras conmigo a la próxima concentración que se convoque en estos mismos jardines y pudieras mirar a la cara a las personas. Son como tú y como yo, salvo por el hecho de no haber nacido ricos.

Hugo, escuchándola, no podía evitar sentir una profunda atracción hacia aquella muchacha. No solo era muy guapa, sino que tenía un gran corazón y empatizaba con los más necesitados. Hugo pensaba que esos eran sus verdaderos orígenes. Al margen de su vida actual en Berlín, que era de lujo, no podía olvidar que provenía de ese estrato social. No es que a su padre y a él les hubiese faltado una casa para vivir ni hubieran pasado hambre en Valencia, bueno, un poco quizá sí, ya que iban muy justos de dinero y, en ocasiones, la sopa era el plato principal de la comida, porque no les llegaba para más. Y también recordaba que muchas noches ni siquiera cenaban, pero se apañaban y eran felices.

Cada vez que pensaba en todo lo que estaba ocurriendo aquella mañana, comprendía mejor a su tío. Él conocía a Fe y sabía que iban a congeniar. No le extrañaría nada que estuviera al tanto de sus escapadas furtivas. Al fin y al cabo, a su propio tío le gustaba cubrir esos eventos para el periódico. Llevaba el periodismo en la sangre y hacía de reportero ocasional. No le extrañaría nada que la hubiera visto en alguna de esas manifestaciones.

—¿Te ocurre algo? —le preguntó Fe, al verlo pensativo y algo taciturno.

—No, nada, no te preocupes. Llevo aquí apenas seis meses, y, en ocasiones, ya me parece que soy un rico alemán más, pero no es cierto. Escuchándote, has conseguido que evoque mi vida anterior a llegar a Berlín y que recuerde a mi padre. Éramos trabajadores humildes de un periódico local, hasta que lo asesinaron en una de esas manifestaciones a las que tú acudes. El también reivindicaba mejoras laborales para sus compañeros de profesión. Lo acribillaron a balazos unos sicarios y murió entre mis brazos, defendiendo a los demás. Con posterioridad, he llegado a pensar que sabía que iba a morir en una de esas concentraciones, porque siempre iba al frente de todas ellas, portando una pancarta. Ante la vida, prefirió morir de pie que hacerlo de rodillas. Al principio me sentí muy solo, pero mi padre lo tenía todo previsto. Me dejó a cargo de mi tío Georg, que se desvive por mi felicidad, pero hay heridas que tardarán mucho tiempo en cicatrizar.

A Fe le cambió el semblante.

—No sabía nada, tuvo que ser una experiencia traumática. Siento mucho haber sacado este tema —le dijo, al mismo tiempo que tomaba su mano derecha entre las suyas.

Hugo no lo pudo evitar y se abrazó a Fe. Le sorprendió su reacción espontánea, pero todavía más el hecho de que Fe no solo no lo rechazara, sino que le devolviera el abrazo. Estuvieron así un largo minuto, sin pronunciar ni una sola palabra.

—Lo siento mucho, no pretendía... —empezó a decir Hugo, mientras intentaba retirar una de las manos de la espalda de Fe.

—¡Cállate! —le interrumpió, mientras le daba un beso en la boca, con una delicadeza que jamás había experimentado.

Hugo no era nada *cursi*, la vida no se lo había permitido, pero recordaba perfectamente haber pensado, en ese mismo instante, «esta chica debe ser para mí».

20 VALENCIA, 28 DE MARZO DE 1939

—¿Crees que ha sido prudente despachar a esos dos falangistas, sin ni siquiera escuchar lo que querían decirte? —le dijo el general Menéndez López—. Venían de parte del general Aranda, que es tanto como decir que venían de parte del general Franco.

—Fuera lo que fuese, ahora mismo, ya es tarde —le replicó el coronel Segismundo Casado, actual presidente de la República Española, con un gesto de evidente desdén.

Ambos estaban en el despacho principal de la Capitanía General de Valencia, apurando un vaso de *whisky*. Quizá fuera el último que se tomaran juntos.

—Tarde para ganar la guerra, desde luego, eso nadie lo pone en duda, pero quizá no para lograr algún tipo de acuerdo de última hora.

—¿En serio me dices eso? Llevo negociando durante todo el mes de marzo con representantes del general Franco. Me he humillado ante él, reconociendo nuestra derrota y solicitándole, tan solo, evitar un último baño de sangre y una salida honrosa. ¿Sabes qué he conseguido? Tan solo un profundo desprecio por su parte. Y no me hables de falangistas y *quintacolumnistas*, que ya estaba harto de ellos en Madrid y, por lo poco que he visto aquí, Valencia no es diferente.

—Tienes que comprender que a Franco nunca le ha interesado una salida honrosa a la guerra. Quiere vencer, sin ningún tipo de condiciones o concesiones hacia nosotros. Desea mostrar al mundo su poder, pero quizá tampoco le interese ajusticiar al presidente de la República y a su Estado Mayor, bueno, a lo que queda de él. No le daría buena imagen internacional. Supongo que no querrá quedarse aislado de

Europa, cuando todo el conflicto termine. O de los Estados Unidos, su aliado natural. Allí no creo que fuera bien visto una pública ejecución del presidente de un país, sin juicio y sin ningunas garantías procesales.

—Tú lo acabas de explicar mejor que yo. Reconozcámoslo, he fracasado en mi intento. Y, desde luego, no será porque no se lo he puesto fácil. Pero dos bandos no se entienden si uno no quiere. Esa es la cruda realidad. Pero había otras probabilidades que merecían la pena ser exploradas, por eso me atreví a ordenar ayer a la prensa de Valencia que publicarán un artículo, en nombre del Consejo Nacional de Defensa republicano, afirmando que había llegado a un acuerdo para la evacuación de quién lo deseara de la ciudad, vía marítima.

—Lo leí y no lo comprendí. ¿De qué posibilidades hablas si Franco no quiere saber nada de ti? ¿Distes falsas esperanzas a la población civil y militar a sabiendas de que la información era falsa? Eso no está bien. Toda la ciudad te creyó. Ahora tienes a miles de combatientes del Ejército del Centro reclamándote que cumplas lo anunciado, por no hablar de la población civil. Muchos de ellos ya han emprendido el camino hacia los puertos, ¿qué se van a encontrar allí?

—No, te falta información y no me comprendes. Creía que lo conseguiría, aunque reconozco que me precipité con ese anuncio. Creo que Franco me dio falsas esperanzas. Estos últimos días han sido frenéticos. He estado en permanente contacto con los gobiernos de Francia, Gran Bretaña y hasta con el mexicano, casi cada hora. La situación parecía cambiar por momentos.

—¿Para qué hiciste eso? Los dos primeros ya han reconocido la legitimidad de Franco.

—Lo sé, pero son los actuales guardianes de las aguas internaciones. Si buques mercantes consiguen alcanzarlas, en teoría, estarían fuera del alcance de la marina franquista. Ellos lo hacen para proteger sus propios barcos de cualquier incidente, pero también podrían hacerlo con los nuestros. Ese es el motivo principal que le ha dado sentido a lo que he estado haciendo estos últimos días.

—¿Les pedías protección? ¿A gobiernos enemigos? ¿Ese era tu plan? —el general Menéndez no daba crédito.

—Era mi plan y sabía que eso no iba a ocurrir. En realidad, no les pedía protección, tan solo les rogaba que, si conseguíamos burlar el bloqueo naval en aguas españolas, no fueran beligerantes contra nosotros y nos permitieran el tránsito en aguas internacionales, que no es lo mismo. No creo que la marina franquista se atreviera a atacar barcos mercantes en esas aguas ¿Para qué te crees que coordiné, junto con el general Matallana, una retirada de sus tropas del Ejército del Centro hacia el Mediterráneo?

—No lo sé y reconozco que me sorprendió ese movimiento militar tan insólito. Dejábamos muy desprotegida la ciudad de Madrid, que ha terminado cayendo. Desde un punto de vista militar fue un error, y tú lo sabes. Provocaste el desconcierto y la desmoralización de nuestros combatientes. El Estado Mayor calcula que 30.000 soldados se rindieron, arrojando sus fusiles. Y no solo conseguiste eso, sino que en la retaguardia, nuestro Ejército Popular Republicano se ha autodisuelto en todo el frente. Se han marchado a sus casas o están tratando de exiliarse.

—Todo tiene una explicación lógica. Ya sabíamos que la guerra estaba perdida, pero no nuestras vidas. Replegué todas nuestras unidades activas hacia los puertos que aún conservamos del Mediterráneo, para conseguir retrasar al máximo su caída en manos franquistas. Si existía alguna posibilidad de escapatoria, debía ser a través de ellos. Soy perfectamente consciente que no vamos a poder resistir mucho, pero uno o dos días más puede ser la diferencia entre vivir y morir. Tengo, encima de mi mesa, miles de peticiones para abandonar España, y estoy intentando salvar a nuestra gente. No pedía milagros, que ya sabes que no creo en ellos, tan solo ganar un poco más de tiempo, aunque fuera ínfimo. No quedaba otra posibilidad, dada la negativa de Franco a cualquier tipo de rendición pactada. Por eso, lo primero que hice nada más llegar a Valencia, fue constituir una Junta de Evacuación y poner al frente a Antonio Pérez.

—¿Al de la UGT?

—Sí, el ministro de Trabajo. Contactó con los puertos que aún controlábamos para tratar de coordinar la evacuación. Acabo de recibir una nota del gobierno británico, a través de su cónsul Goodden.

—¿Y qué has conseguido?

—Parece que Goodden ha manifestado la incomodidad del gobierno británico con todas estas gestiones. Lo he intentado todo, pero tengo que reconocer que no se han avenido, de una forma oficial, a ayudarnos, y eso que estaba todo dispuesto desde los puertos de Águilas y Torrevieja. Hasta teníamos los buques mercantes preparados, por si acaso. Sin embargo, Goodden lo desmiente. Ya no sé en quién confiar. ¿Te crees que me siento más proclive a creer en el británico que en nuestro ministro? Estoy seguro de que maneja mejor información, aunque ello suponga que Antonio Pérez me ha estado mintiendo. Por otra parte, no me extrañaría. Goodden, aunque británico, siempre me ha despertado más confianza. Tengo motivos para ello.

—No culpes a Antonio Pérez de todo. Piensa que la labor que le confiaste era casi imposible. Supongo que sabes que el 8 de marzo, después de que tres días antes desertara toda nuestra fuerza naval de la base de Cartagena, en dirección a Túnez, Franco decretó el cierre de toda la costa entre Sagunto y Adra. Todo un bloqueo marítimo,

—Claro que lo sé, pero es una orden de difícil cumplimiento. Sus destructores tienen poca autonomía y siempre podríamos haber encontrado algún agujero en su bloqueo. Pero ello pasaba porque Francia o el Reino Unido se hubieran implicado un poco. A nada que hubieran mandado una escolta militar, fuera de las aguas territoriales españolas, los antiguos destructores franquistas comandados por el almirante Moreno, no hubieran podido hacer nada. Tienen potestad para atacar a cualquier barco que consideren sospechoso, pero siempre dentro de los puertos o en las aguas españolas, nunca en las internaciones. Tan solo les pedía a franceses y británicos que estuvieran allí, no un enfrentamiento militar contra Franco. Además, Moreno jamás se hubiera arriesgado a enfrentarse a ellos, sería una derrota segura. Tan solo les pedía su presencia y que permitieran nuestro tránsito, como hacen con sus propios buques mercantes. Me parece que nos les estaba pidiendo nada fuera de lo normal, además por causas humanitarias.

—¿Y tenías alguna esperanza que te fueran a prestar alguna ayuda, aunque pasivamente? Por ejemplo, Francia apoya navalmente a nuestros enemigos con sus buques de guerra.

—Había un precedente a nuestro favor, no por parte francesa, sino británica. Ya lo habían hecho anteriormente, además, en pleno bloqueo naval.

—¿Qué? —preguntó el general Menéndez, que no tenía conocimiento de esa operación.

Casado advirtió la turbación de su general. No quería darle la impresión de que le ocultaba operaciones, aunque fueran navales, a su Estado Mayor del Ejército de Tierra.

—Tranquilo, es normal que no lo supieras. Yo mismo me enteré por casualidad, en mi condición de político, no de militar. No fue una operación en la que interviniera nuestra armada. La Federación Socialista de Alicante, contrató, el día 11 de marzo, un buque mercante inglés llamado *Ronwyn*, que zarpó sin problemas de esa ciudad, con casi 700 miembros de su partido y otros refugiados a bordo. Nosotros no tuvimos nada que ver con ello. Por ello albergué esperanzas. Pensé que, si lo habían hecho una vez, podían hacerlo en otras ocasiones.

—¿Y por qué crees que no lo han querido repetir?

—Esa es otra cuestión, pero quiero que entiendas que no me volví loco, había alguna posibilidad real de una solución, aunque fuera mínima. Me aferré a ella. Al final, tengo que reconocer que ha conseguido más la Federación Socialista de Alicante, por su cuenta y riesgo, que todo un presidente de la República Española. Es paradójico y desesperante. Aunque sigo intentándolo, a estas alturas debo de reconocer la derrota en todo lo que he pretendido hacer de buena fe. Me temo que no voy a poder salvar a tanta gente que ha confiado en mí.

—Entonces, después de todo lo que me estás contando, aún te entiendo menos. Si tan clara parece que tienes la derrota definitiva, ¿por qué les has permitido entrar en la ciudad a esos dos malnacidos? La gente los habrá visto dirigirse hacia Capitanía General y supondrá que todo ha acabado.

—Es que todo ha acabado. Ahora lo puedo decir de forma oficial. No vamos a recibir una ayuda coordinada de ninguno de los países vecinos, para una evacuación ordenada. Te repito, he fracasado de forma definitiva.

El general Menéndez se quedó mirando al coronel Casado, cuyo rostro intentaba parecer relajado.

—Escucha, Segismundo. Nos conocemos desde hace muchísimos años. Sabes que siempre he estado de tu parte, por eso me molesta esta situación. Algo de lo que estás contando no encaja. Sé que hay algo que me ocultas. No me puedo creer que dejes entrar en esta Capitanía a esos dos payasos, uno de ellos incluso uniformado de bufón, para luego no hacerles ni caso. Además, cuando no te quedan opciones, como me estás informando. ¿Me quieres contar qué es lo que estás tramando? Creo que me he ganado el derecho a conocerlo.

Casado levantó la vista de la mesa.

—No les he dejado hablar conmigo porque ya sabía lo que me venían a ofrecer. ¿Para qué los iba a recibir? ¿Te vale esa respuesta?

—Me podría valer si me lo cuentas todo, sin ocultarme nada —insistió el general, que no parecía satisfecho.

—Me iban a solicitar que diera un discurso de apaciguamiento al pueblo, que facilitara la entrada de las tropas franquistas en la ciudad, sin poner oposición alguna. A cambio, permitirían que todo el personal republicano que quedamos en este edificio, abandonara España con total seguridad.

Menéndez se quedó mirando al coronel, incrédulo.

—¿Y eso te parece inasumible? —insistió el general, que no comprendía a Casado.

—No, ni mucho menos. El discurso lo pienso dar mañana por la mañana a través de la radio. Por otra parte, sabes que no podemos oponernos militarmente a su entrada en la ciudad. Ya hemos dado la orden de retirada de las trincheras. Apenas nos quedan combatientes para proteger este edificio, y su moral está por los suelos. En cuanto vean la llegada de las tropas franquistas, estoy seguro de que echarán a correr como verdaderos diablos o a aplaudir con las orejas al Generalísimo, y no les culpo por ello.

—Cada vez que te explicas más, te entiendo menos. Entonces, ¿por qué no has aceptado ese supuesto acuerdo que te venían a ofrecer? Si no tienes nada más, ¿por qué, al menos, no los has escuchado?

—Como te he dicho al principio de la conversación, porque ya es tarde. Y, por favor, no entremos en bucle.

El general se mordió la lengua, porque eso era exactamente lo que iba a hacer, entrar en bucle y preguntarle por qué era demasiado tarde. Aunque por escasas horas, aún controlaban algún puerto. Casado podría ser un pésimo militar, que lo era, pero no un idiota.

«Aquí hay algo que se me escapa», pensó el general. Lo intuía.

No sabía si continuar con la conversación o dejarlo aquí. «¡Qué demonios!», se dijo. «¿Qué puedo perder a estas alturas?». «Aunque sea el presidente de la República Española, yo soy el general en jefe del Ejército de Levante, y él, un simple coronel». Se estaba dando ánimos para hacerle la pregunta clave.

Se lanzó.

—¿Qué ha pasado desde que ayer aceptaste la visita de esos falangistas y esta mañana? —le preguntó el general—. Porque me parece evidente que algo ha ocurrido. Y ahora no entres en bucle tú, contestándome que ya sabías lo que iban a proponer. Lo siento, ya no cuela.

Ahora, Casado pareció azorado. Se dio cuenta de que Menéndez no iba a soltar su presa, que era él. La situación era desesperada, y ya de poco le valía ser el presidente.

El general se dio perfecta cuenta de la turbación de Casado. La impresión que tenía es que el coronel estaba buscando las palabras adecuadas para responderle.

Después de un largo minuto, Casado le explicó al general lo que quería saber.

Ahora, el azorado era Menéndez.

Se quedó sin palabras.

21 HUGO DESCANSANDO. RECUERDOS DE BERLÍN, EL 1 DE MAYO DE 1920

—Ich frage Sie, Georg Bernhard, ist es ihr freier Wille, mit der hier anwesenden Frau Mosse die Ehe einzugehen, so beantworten Sie diese Frage mit einem «Ja».

—*Ja.*

—Nun frage ich Sie, Erna Felicia Mosse ist es auch ihr freier Wille, mit der hier onwesenden Herrn Bernhard die Ehe einzugehen, so beantworten Sie diese Frage mit einem «Ja»

—*Ja.*

— *Nachdem Sie nun beide meine Fragen übereinstimmen mit einem «Ja» beantwortet haben, erkläre ich Sie Kraft Gesetzes zu rechmäßig verbundenen Eheleuten. Sie können jetzt die Braut küssen.*

En ese momento, Hugo y Fe se abrazaron y se dieron un prolongado beso. Todos los asistentes a la ceremonia se pusieron en pie y prorrumpieron en un sonoro aplauso.

Se acababan de casar, pronunciando los habituales «sí» a las típicas preguntas del oficiante, y este los había declarado unidos en matrimonio, con la consabida frase de que «puede besar a la novia».

A Hugo se le escaparon unas lágrimas, recordando aquel primer beso en el Lustgarten, hacía apenas siete meses. Fe, en cambio, mantuvo la compostura, aunque se le notaba radiante de felicidad.

—Nos acabamos de casar y ya me he enterado de tu primera mentira —le dijo Hugo, con media sonrisa en el rostro.

Fe ya suponía lo que le iba a decir, así que sonrió también y, sin dejarle continuar, le plantó otro beso en los labios.

—Aunque sea con un beso, no me confundas. Fe no es tu verdadero nombre —acertó a decir, cuando se dejaron de besar—. Te llamas Erna Felicia.

Fe se quedó mirándolo, de un modo muy cariñoso.

—Bueno, si tu nombre propio fuera así de raro, ¿no preferirías acortarlo y utilizar un diminutivo?

—No de esa manera. En cuanto a lo de Erna, yo también lo hubiera suprimido, pero ¿qué le pasa a Felicia? Es un nombre precioso y me gusta bastante más que Fe.

—Bueno, pues a partir de ahora me llamaré Felicia Bernhard, si esa tontería te hace feliz, a pesar de que, en mi familia, siempre me han conocido por «la pequeña Fe» o «Fe» a secas. Ellos seguirán llamándome así.

—Ellos me dan igual. Yo te llamaré mi pequeña Felicia, aunque, con más 1,75 metros de altura, lo de pequeña...

Felicia le volvió a interrumpir con otro beso.

Los invitados, debido a la distancia con la pareja recién casada, no podían escuchar su conversación. Lo único que veían es que no paraban de besarse. Cada vez que sucedía, aplaudían con más fuerza.

—Me parece que estamos haciendo el ridículo —dijo Felicia—. Mi madrina y tu padrino nos miran con cara rara. Vayamos a abrazarnos con ellos.

En Alemania, la lista de padrinos podía ser muy larga, pero ellos prefirieron elegir tan solo una persona por cada uno. Se dirigieron al rincón donde se encontraban Georg Bernhard y Martha Mosse, que era la hija mayor de su tío Albert Mosse. Su padre tenía cinco hermanas y siete hermanos. Eran una gran familia, pero ella no optó por ninguno de ellos, sino por Martha. Aún la llamaba «la pequeña Fe» hoy en día. Era dieciséis años mayor que Felicia y había hecho de niñera suya en numerosas ocasiones, cuando era pequeña. Ahora, era una prominente jurista y había sido la primera mujer en alcanzar el grado de oficial en la Policía prusiana. Les unía una relación muy especial desde la infancia y la juventud. Para un acontecimiento especial, requería de una persona especial, sin pensar en la familia más allegada, con doce tíos y tías carnales. Y esa persona era Martha. A su madre le parecía bien, pero le había costado convencer a su padre, que deseaba aumentar la lista de padrinos, aunque acabó cediendo. Dos contra uno. También intentó que Hugo adoptara el apellido

Mosse, de gran prestigio en toda Alemania, pero la pareja de novios se negó. Felicia adoptaría el apellido de Hugo, Bernhard, como era costumbre.

En cuanto a Hugo, no tuvo alternativa en la elección del padrino, ya que su hermano José María no se pudo trasladar desde Madrid. Además, le debía muchas cosas a Georg, entre otras, haber actuado de *celestino* entre Felicia y él. Había sido el verdadero muñidor de la boda, en la sombra.

Los cuatro se abrazaron, primero por separado y luego todos juntos. Ahora Felicia ya no lo pudo evitar. Hasta ahora no había llorado, pero al ver a Georg, Martha y Hugo haciéndolo, le fue imposible contenerse. Se había prometido a sí misma un autocontrol imposible de cumplir. No se decían nada entre ellos, tan solo se miraban y lloraban.

De repente, Georg, se puso a dar vueltas, sin soltarse del abrazo conjunto. Casi se terminan cayendo por las pequeñas escaleras que daban acceso al altar improvisado, que no podía estar en otro lugar que en la pérgola de los jardines del *Castillo de Schenkendorf,* la residencia oficial de la familia Mosse.

Los invitados se unieron a la juerga que se estaba celebrando en la pérgola, y aquello acabó convirtiéndose en una explosión espontánea de alegría y felicidad. El cielo en la tierra.

Cuando por fin se separaron, después de innumerables vueltas y bailes absurdos, Hugo pensó que una boda así era impensable en España. Por supuesto, además de por el excesivo lujo que imperaba por todo el jardín, por el número de invitados. En Alemania era costumbre invitar tan solo a los parientes más próximos y amigos muy allegados. Hugo, por curiosidad, contó el número de asistentes. No sobrepasaban los setenta, y eso teniendo en cuenta los doce hermanos de Rudolf, cada uno de ellos con sus correspondientes hijos. En España, una boda de una hija de dos personas tan reconocidas socialmente, como lo eran Rudolf y Emilie Mosse, fácilmente podía haber alcanzado los quinientos invitados. Francamente, Hugo prefería el modelo alemán.

Después de la emoción del abrazo con los padrinos, los recién casados bajaron de aquel altar para recibir las felicitaciones de los invitados y conversar con ellos. A pesar del escaso número de asistentes a la boda, les llevó más de una hora. Todo el mundo quería hablar con ellos y, por deferencia y protocolo, debían dedicarle el tiempo que fuera necesario, como así hicieron.

Una vez finalizada la ceremonia oficial, había un *buffet* preparado. Esa era otra de las diferencias que Hugo había observado con España. En su país de origen, el convite de las bodas de personas ricas se celebraba con los invitados sentados en mesas decoradas de forma lujosa con flores, y las comidas eran pantagruélicas. Parecía que no tenían fin, incluso podían durar dos días, y en algunas etnias, hasta tres. En cambio, en Alemania era todo más frugal. No había mesas redondas para sentarse, tan solo taburetes y pequeñas mesitas para que los invitados pudieran dejar la bebida y la comida que les era servida en el *buffet*, eso sí, cuya variedad y composición era de auténtico lujo. Hugo no había visto en su vida tantas viandas selectas reunidas en un mismo lugar, además, en un entorno privilegiado.

Otra curiosidad es que el anillo de bodas se colocaba en el dedo anular derecho, y no en el izquierdo, como en España. En lo que sí se parecían algo es en la fiesta previa a la celebración del matrimonio, aunque era ligeramente diferente. Los padrinos tenían un papel mucho más activo en la organización de la boda y, por ejemplo, eran los encargados de prepararla. La familia Mosse ofreció el salón principal de su castillo para que Hugo pudiera celebrarla, pero ambos ya habían decidido con anterioridad que se saltarían ese evento, que era exclusivo para hombres.

En cuanto tuvo ocasión y los invitados se lo permitieron, Hugo se apartó, por un momento, de toda la algarabía, y se dirigió a la zona del jardín donde su esposa cultivaba los frutos rojos. Para él, era un lugar mágico, además, desde allí, se podía observar, con la perspectiva adecuada, a todos los invitados. Era una curiosa mezcla de clasicismo y modernidad, sobre un fondo pan de oro.

La vestimenta de los hombres era elegante y muy tradicional. Sin importar la edad, su indumentaria era muy similar, sin embargo, en las mujeres, la cuestión difería de manera notable. Las más mayores portaban trajes de corte clásico, pero, por ejemplo, las primas de Felicia iban vestidas de una manera muy variada en estilos, con trajes más alegres y algunos, por qué no decirlo, despampanantes. Hugo no pudo evitar sonreír. Parecían un ejército de Felicias, recuerda que pensó en aquel momento, muy divertido. Era cierto que ninguna se acercaba a la belleza de su esposa, pero debía de reconocer que alguna se le aproximaba bastante. Para un español de origen, le resultaba muy curioso ver a esa colección de rubias, algunas incluso más altas que él mismo, todas con ojos azules y cabellos largos. Las observó por un momento, pero su vista, sin poder evitarlo, se dirigió a ella. A Felicia.

Su noviazgo había sido corto, tan solo siete meses, pero muy intenso. A pesar de la ocupada vida de Hugo, estudiando alemán por las mañanas y trabajando hasta muy tarde en el periódico de su tío, siempre buscaban un hueco para verse a diario, aunque tan solo fuera media hora.

Jamás, en todos esos días, la había visto tan radiante como hoy, ni siquiera el día que la vio por primera vez, el 28 de septiembre del año pasado. En aquella ocasión aún no la conocía, y quedó prendado de su extraordinaria belleza y armonía. Ahora estaba enamorado de la Felicia interior. Lo tenía todo en la vida, pero no le importaba en absoluto. Era más feliz en una manifestación, reivindicando derechos sociales, que en una fiesta de lujo en las residencias de cualquiera de sus amigas.

Estaba seguro de que, si la fortuna de su familia estuviera en sus manos, no donaría la mitad de ella, como generosamente hacían sus padres, sino que sería capaz de desprenderse por completo de todos sus lujos, para ayudar a los demás. Se conformaba con ser feliz en la vida, siendo útil a la sociedad real, aquella más necesitada.

Prueba evidente de ello es que había convencido a su padre para que, una vez desposada, le donara diez millones de marcos, que era una auténtica fortuna que ni siquiera su tío Georg podía imaginar. Por supuesto el dinero no era para ella, sino para construir viviendas sociales para familias necesitadas. La Gran Guerra había castigado sobre todo a las clases más humildes, que, en una parte importante, ni siquiera disponían de un hogar en condiciones, para poder cobijarse en los meses del frío invierno berlinés. Ese sería su trabajo a partir de la semana que viene.

A pesar de la obstinación, tanto de la familia Mosse como de tu tío Georg, no iban a disfrutar de ningún día libre después de la boda. Su tío había sido especialmente insistente en ese tema, pero Hugo seguiría trabajando y Felicia iniciaría los trámites legales para la constitución del nuevo fondo. Estaba entusiasmada con su proyecto. Hugo la veía tan ilusionada que no quiso que unos días libres la apartaran de su labor.

En cuanto a su residencia marital, su tío disponía de una vivienda desocupada muy próxima a la suya, bastante más humilde, pero que a Felicia le encantó, porque, aunque de modestas dimensiones, era un último piso y disponía de una terraza con unas vistas espectaculares sobre Berlín. Por supuesto, rechazó que su futuro hogar conyugal fuera su antigua residencia-palacio en el centro de Berlín, el conocido como *Mosse-Palais*, situado en Leipziger Platz, que su familia abandonó como vivienda cuando se trasladaron al *Castillo de Schenkendorf.*

Lo que tenía muy claro Felicia es que iniciaba una nueva vida y no quería hacerlo con sus viejas costumbres, palacios y lujos incluidos. Su conciencia social había cambiado su forma de ver el mundo, hasta su propia vida.

Hugo, en ese tema, no tenía ningún problema, ya que jamás había vivido como Felicia. Se encontraba más cómodo fuera de este ambiente, que consideraba cargante, a pesar de que debía reconocer la extraordinaria belleza del *Castillo de Schenkendorf* y del *Mosse-Palais*. Pero aquello no era para ellos.

A pesar de lo anterior, Felicia no rehusó el regalo de su padre, el *Mosse-Palais*. Lo aceptó encantada, pero tenía otras ideas diferentes para él. Lo pensaba convertir en la sede de sus nuevas oficinas, para gestionar el fondo social, es decir, su futuro trabajo.

—Es preciosa, ¿verdad?

Hugo se sobresaltó. Estaba ensimismado entre sus pensamientos y no había visto acercarse a su tío. Le pilló por sorpresa.

—Claro que lo es. ¿Quién no lo puede ver?

—Y has descubierto que, su corazón, sus ideales y su forma de ser, aún consiguen superar su extraordinaria belleza exterior, ¿no es cierto?

—Desde luego —respondió Hugo, que no sabía a qué venían aquellos comentarios, pero proviniendo de su tío, seguro que encerraban alguna intención.

—No te creas, que nuestro trabajo nos ha costado —continuó Georg.

Hugo, hasta ahora, seguía mirando al frente, a los invitados y a Felicia, que destacaba sobre todos ellos. Al escuchar esa frase de su tío, no pudo evitar girarse hacia él y mirarle a los ojos.

—¿Qué acabas de decir?

—Exactamente lo que has oído.

—¿Y qué se supone que he oído?

—A Rudolf, a Emilie y a mí nos costó mucho encontrar el momento adecuado. No nos poníamos de acuerdo. Ellos lo querían retrasar, ya que no te veían lo suficientemente *germanizado* todavía. Ya sabes que son muy tradicionales, pero conseguí doblegar su resistencia. Al final, los hechos me han terminado dando la razón, incluso podría decir que todo ha salido mejor de lo esperado.

Hugo no sabía de qué le estaba hablando.

—¿Estás insinuando que, aquel domingo de septiembre del año pasado, el único objeto de la comida, en este mismo lugar, fue que Felicia y yo nos conociéramos?

—Eso formaba parte del plan, sí.

—Tío, me estás empezando a preocupar. ¿De qué plan me estás hablando?

—¿Tú crees que, dos días después de conocerte, Rudolf y Emilie Mosse, que ya sabes que están chapados a la antigua, iban a permitir que su única hija, con tan solo dieciocho años de edad, se citara con un desconocido a solas, aunque fuera en el centro de Berlín? ¿Sabes cuántos pretendientes han rechazado, tanto los propios padres como Fe? Te aseguro que muchísimos más de los que te puedes imaginar. El elegido debías ser tú.

—¿Insinúas que lo teníais todo preparado?

—Todo no. No somos Dioses. La chispa entre vosotros debía surgir de forma natural y espontánea. Nosotros podíamos poner los medios para que eso quizá llegara a suceder, pero, al final, todo dependía de vosotros. Por otra parte, jugábamos con cierta ventaja.

—¿Qué es lo que quieres decir con eso?

—¿Te crees que unas personas tan poderosas y protectoras de su hija, como son los Mosse, no sabían nada de sus escapadas furtivas? ¿Por qué te crees que iba yo, en persona, a cubrir esas manifestaciones, y no el reportero habitual de mi periódico?

—¿La vigilabas? —Hugo estaba asombrado.

—La protegía. Me aseguraba que no se metiera en ningún lío. Sabes, por tu desgraciada experiencia personal que, a veces, esas manifestaciones no acaban bien. La verdad es que me sorprendió que jamás necesitara de mi protección. Se manejaba de maravilla y jamás necesité intervenir.

—Bueno, llámalo como quieras, vigilancia o protección. A mí me suena a lo mismo.

—Conocíamos perfectamente los sentimientos de Fe hacía los más necesitados. No me atrevería a calificarla de comunista, porque no creo que lo sea, pero siempre ha estado del lado de los más débiles. Sus padres, al principio, no lo comprendían, pero les hice entender que no podían enjaular a un alma libre entre barrotes de oro. Una personalidad como la de Fe debía desarrollarse en libertad, aunque fuera protegida, desde la distancia, por mí. Se iba a convertir en lo que ahora ves. Una persona que es aún más preciosa por dentro que por fuera, lo que ya es mucho decir...

—O sea, que como tú conocías esa faceta social mía, que se llevó por delante la vida de mi padre, crees que jugabas con ventaja. Pero ¿qué tiene que ver eso con ese plan del que me has hablado antes?

—Siempre has sido muy perspicaz. Evidentemente, el plan no solo consiste en que os hayáis casado. Va mucho más allá de eso. Pero todo a su debido tiempo.

—¿Y cuál será ese debido tiempo?

—Espero que falten todavía muchos años y que podáis disfrutar del matrimonio y tener descendencia. Eso es, ahora mismo, lo más importante.

—¿Quieres decir que ese supuesto plan que habéis urdido a nuestras espaldas, se va a volver contra nosotros? —Hugo no sabía cómo interpretar las palabras de su tío.

—Para empezar, el plan no lo hemos urdido nosotros, como tú afirmas. Es algo mucho más grande. Simplemente somos peones dentro de un gran tablero de ajedrez. En cuanto a lo segundo, me temo que, en un futuro, las cosas cambiarán. Aún es pronto para saber el alcance y la profundidad de esos cambios, así que te puedes ahorrar la pregunta, pero no serán buenos, eso nos parece bastante claro.

—O sea, que el día de mi boda, me entero que Felicia y yo somos unas simples marionetas de un supuesto plan urdido por desconocidos que, además, no acabará bien —resumió Hugo—. ¡Fantástico final del día más feliz de mi vida!

—No pretendía estropearte nada, y creo que no lo he hecho. A la vista está que irradias felicidad por los poros de tu piel. El motivo de contártelo precisamente hoy es porque, a partir de mañana, nos veremos con mucha menos frecuencia. Tendréis vuestra propia casa, viviréis felices, y ya no te acordarás de tu tío Georg.

Hugo, a pesar de la extraña situación que se había creado, se abrazó a su tío.

—Eso no ocurrirá jamás. Mi padre español murió, pero tú has sido mi padre alemán, no mi tío —se notaba que las palabras le salían del corazón.

Georg, a pesar de que intentó disimular, no pudo evitar emocionarse un tanto.

—Sé que son palabras que las dices desde el sentimiento, pero ahora tienes una esposa que cuidar, y formarás tu propia familia. Es ley de vida. Respecto a lo del plan, quería ser sincero contigo. Hay ciertas cuestiones que no te las puedo contar ahora, pero lo haré en el momento apropiado. Confía en mí. La primera vez no me fue nada mal, eligiendo el momento adecuado, cuando os conocisteis Fe y tú. Debería haber ganado algo de crédito a tus ojos. Me considero bueno juzgando a las personas y marcando los tiempos de los acontecimientos. Son cualidades de un periodista de raza.

Hugo no pudo evitar reírse. Su tío era muy peculiar, pero tenía razón. Desde el principio, supo que las cosas sucedían al ritmo que él las marcaba, como los pasos de un baile. Ese pensamiento le acompañaba casi desde el día que llegó a Berlín.

—Sed felices y disfrutad estos años. El futuro nos dirá y ya llegará el momento de preocuparnos por las demás cuestiones, que, desde luego, no es hoy. Estoy seguro de que tendréis descendencia y que será una niña preciosa y especial, al menos eso espero —dijo, sonriendo.

Hugo se quedó preocupado. Su tío no hacía ni decía nada sin un sentido concreto, y menos el día de su boda.

Algo malo se avecinaba, aunque fuera muy lejano.

22 BURGOS, 28 DE MARZO DE 1939

—A sus órdenes, Generalísimo —se cuadró el almirante Francisco Moreno, jefe de las Fuerzas y Operaciones de Bloqueo del Mediterráneo. Había recibido un telegrama urgente para que se desplazara desde su cuartel general, con sede en Mallorca, hasta la sede del Estado Mayor del Ejército, en Burgos. Le habían enviado un avión a recogerle.

—Preséntame novedades, almirante.

—Siguiendo sus instrucciones, envié al destructor *Ciscar*, al mando de mi segundo en el Estado Mayor de la Marina, el comandante Salvador Moreno, junto al representante diplomático que me ordenó, al puerto de Bizerta. Según me acaban de comunicar, parece que no va a haber problemas. Los representantes del gobierno francés cumplirán su palabra y, en los próximos días, todos los buques de la armada republicana estarán en nuestro poder.

—Excelente noticia —comentó escuetamente el general Franco, que era hombre de pocas palabras—. ¿Algo que destacar?

—Sí, Generalísimo. Como era de prever, los republicanos siguen intentando que lleguen a los puertos de la costa levantina buques mercantes con bandera extranjera. Les hacemos detener máquinas, los abordamos y los inspeccionamos, pero no llevan republicanos a bordo, tan solo cargamentos de comida y telas en su gran mayoría. Estamos convencidos de que es una tapadera, que pretenden atracar en el puerto de Alicante y su objetivo no es comercial, usted ya me entiende...

—No debe permitirlo. Ya fui demasiado tolerante dejándoles que abandonaran España esas ratas rojas republicanas, a través de los Pirineos, pero ni uno más debe salir de España.

—No quiero mentirle ni ocultarle información, Generalísimo. Tenemos problemas logísticos. La zona de bloqueo es muy amplia. Además, justo ayer, el destructor *Velasco-Ceuta* tuvo que abandonar su zona de vigilancia, debido a un problema con sus motores. El crucero auxiliar *Mar Negro* continuó con sus labores, pero no es un buque adecuado para esas tareas, ya sabe que es un mercante reconvertido. Son muchos los barcos que controlar. Tenemos concentrada la práctica totalidad de la flota en nuestras aguas territoriales y me atrevería a afirmar que las tenemos controladas, a pesar de las dificultades que le acabo de contar.

El general Franco hizo un gesto con la mano. No le gustaba recibir información ineficiente o que ya conociera. El almirante se dio cuenta y continuó con las novedades.

—También hemos entrado en conflicto con algunos barcos de la Armada Francesa. Hoy mismo, he tenido conocimiento de que nuestro buque minador Júpiter ha tenido un incidente con un destructor francés, que parecía que estaba escoltando al mercante *Ploubazlanec*, que pretendía entrar en el puerto de Alicante. Afortunadamente, la presión de nuestro minador hizo que el destructor francés desistiera de su intento, y dejó al *Ploubazlanec* en aguas internacionales. Por su deriva, parece que arrumbó hacia Orán.

—Por lo que me está contando, me da la impresión de que los republicanos intentan huir de España a través del puerto de Alicante.

—Así es. Nuestro servicio de espionaje y los *quintacolumnistas* lo confirman. Ayer mismo, fueron avistadas columnas muy numerosas de combatientes de los ejércitos republicanos, dirigiéndose hacia ese puerto, muchos de ellos desarmados. Su única finalidad debe ser, como usted bien indica, buscar barcos mercantes que les acojan e intentar burlar nuestro bloqueo para abandonar España.

—Sabemos que el coronel Casado está haciendo gestiones con el cónsul Goodden, con el objeto de conseguir su protección mediante la creación de un pasillo marítimo seguro desde el puerto de Alicante. Eso es lo que les ha dicho a sus hombres —dijo Franco.

—Sí, yo también tenía conocimiento de ello.

—Pues quiero que lo fomente.

—¿Cómo dice, mi Generalísimo? —preguntó extrañado el almirante Moreno.

—Utilice todos sus recursos para que todos los republicanos que intentan huir, crean que lo van a poder conseguir desde el puerto de Alicante. Es mejor concentrarlos a todos en un mismo lugar, que no tenerlos dispersos en varios puertos. Facilitará nuestra labor, así los podremos capturar juntos. He intentado trasmitir estas mismas instrucciones al coronel Casado, a través de los *quintacolumnistas*, pero se ha negado a recibir a José Antonio Sáenz de Santamaría, esta misma mañana. Ahora quiero que ese mismo rumor se trasmita por medios militares también. ¿Me ha comprendido?

—¿Qué quiere que haga, concretamente?

—Para empezar, quiero que sepa que, con efectos inmediatos, he ordenado la disolución de las Fuerzas y Operaciones de Bloqueo del Mediterráneo, que usted comandaba.

—¿Qué? —se le escapó al almirante Moreno.

—Lo que acaba de escuchar, no me haga repetir las órdenes.

—Pero mi Generalísimo, si interrumpimos nuestras labores de vigilancia naval, no podremos evitar que Alicante se convierta en el puerto de escape de los republicanos.

Franco se le quedó mirando de forma inexpresiva o inescrutable, como se prefiera. Siempre era difícil saber qué estaba pensando exactamente.

El almirante abrió su pequeño maletín y extrajo una carta. Se la mostró al Generalísimo.

—Ayer mismo recibí de su excelencia esta carta, ordenándome que pusiera especial atención a mi labor —continuó el almirante—. ¿Quiere que ahora interrumpa mi trabajo?

—No vamos a suspender esas labores de vigilancia, tal y como le indicaba en esa nota. Todo lo contrario, quiero que ponga especial celo en su cometido.

—Disculpe, señor, pero no le comprendo.

—Lo que quiero decirle es que hemos desmantelado, tan solo en apariencia, la operación de bloqueo, y lo hemos hecho público. La orden fue cursada ayer por la noche por los conductos oficiales, y ya ha causado los efectos que pretendía. El Estado Mayor republicano la ha conocido y la ha interpretado como pretendíamos que lo hiciera, es decir, que les dábamos carta blanca para huir. Incluso el coronel Casado se ha atrevido a publicar una nota en los periódicos de Valencia, anunciando una salida ordenada de todos aquellos que quisieran.

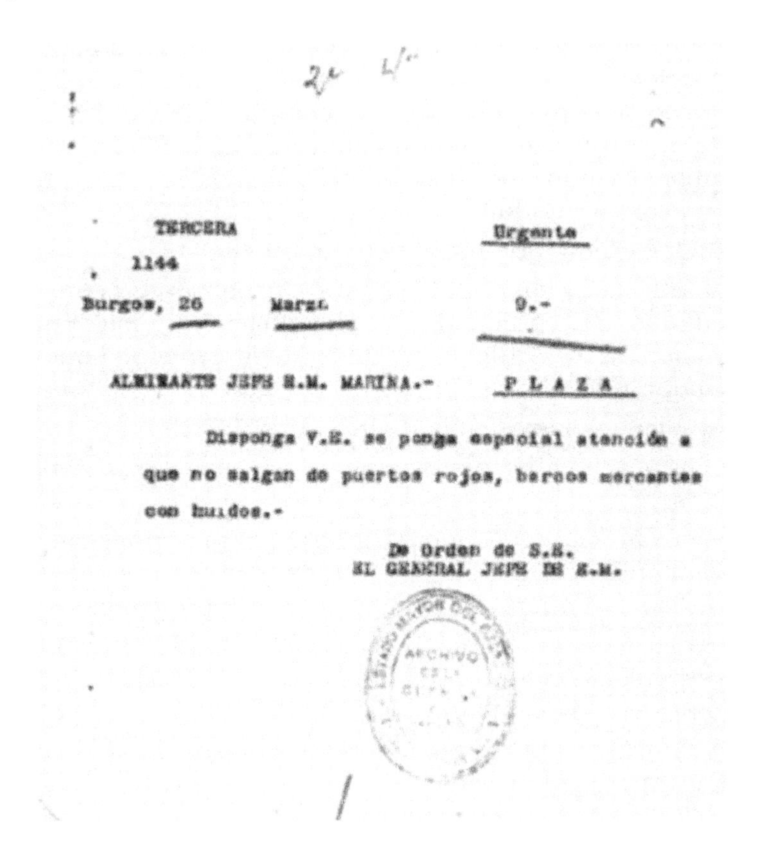

TERCERA Urgente

1144

Burgos, 26 Marzo 9.-

ALMIRANTE JEFE E.M. MARINA.- P L A Z A

Disponga V.E. se ponga especial atención a que no salgan de puertos rojos, barcos mercantes con huidos.-

De Orden de S.E.
EL GENERAL JEFE DE E.M.

Ahora, el almirante Moreno pareció comprender a Franco.

—En resumen, ha organizado una gran trampa para ratas en Alicante —respondió.

El general se permitió una pequeña sonrisa, algo que no era nada habitual cuando trataba con sus mandos.

—Algo así —le respondió.

—Entonces debo continuar con la operación de bloqueo, pero con cierta discreción —intentó resumir Moreno.

—Exacto. Esas son mis instrucciones.

Cuando el almirante se disponía a despedirse y a abandonar el cuartel del Estado Mayor de Burgos, Franco le hizo un ligero gesto con la mano, como indicándole que aún no había terminado la conversación.

—Abandonen la sala. Quiero mantener una conversación privada con el almirante —dijo Franco, dirigiéndose al resto de generales que habían asistido a la entrevista.

Todos salieron con presteza de la habitación, incluso el general de división Julio Muñoz de Aguilar, jefe de la Casa Civil de su excelencia y una de sus personas de máxima confianza. Moreno se quedó en pie, enfrente de Franco, sin saber muy bien a qué obedecía ese extraño comportamiento. Era la primera vez que se lo veía hacer. Habitualmente despachaba junto a su Estado Mayor, ya que los temas militares siempre requerían del conocimiento de todos los ejércitos, para una mayor coordinación. Moreno nunca lo había hecho en solitario, por ello estaba nervioso.

—¿Creía que le había hecho venir desde Mallorca a Burgos en un avión privado para informarle de lo que acaba de escuchar? Para eso, le podía haber enviado un telegrama, ¿no cree? Más sencillo y más rápido.

Moreno supuso que era una pregunta retórica y no contestó. Por otra parte, la situación era un tanto enigmática y extraña. Esperó a que continuara.

—Quiero ser muy breve y directo —dijo Franco, mirando de frente al almirante y señalándole un objeto encima de su mesa—. ¿Ve este sobre?

—Por supuesto, mi Generalísimo.

—Pues es para usted. Tómelo, ábralo y lea su contenido hasta el final. Hágalo las veces que considere hasta que lo haya memorizado. Lo necesitará.

El almirante obedeció a Franco, desconcertado por su actitud. Estaba claro que estaba tomando muchas medidas de precaución. Estaban solos en la habitación y, además, no se iba a pronunciar ni una sola palabra,

Moreno tomó la carta entre sus manos, abrió el sobre y extrajo una nota. Lo primero que le llamó la atención es que era un manuscrito del propio Franco, sin ningún sello, ni emblema, ni siquiera firma. Parecía algo extraoficial. El hecho de haber ordenado abandonar la estancia a los miembros de su Estado Mayor así parecía confirmarlo.

Lo leyó despacio.

No daba crédito a lo que estaba observando. Aquello no parecía tener ningún sentido. Ahora comprendió la expresión de Franco de que lo leyera las veces que le hiciera falta hasta memorizarlo. Así lo hizo, hasta en tres ocasiones. Con cada una de las lecturas, se sorprendía más.

Cuando, por fin, termino, se quedó mirando a Franco, con un gesto evidente de perplejidad en su rostro.

—¿En serio? Pero esto va en contra de lo que…

—¡No continúe hablando! —le interrumpió Franco, con un tono de enfado—. No quiero que se pronuncie ni una sola palabra de esta nota. ¿Le ha quedado claro?

—Sí, su excelencia.

¿La ha memorizado? ¿Todo su contenido, incluso las coordenadas?

—Sí, su excelencia —volvió a repetir Moreno, que estaba completamente desconcertado.

—Bien, pues ahora gírese sobre sí mismo. ¿Ve la chimenea encendida? Pues arroje la nota a ella y asegúrese que no queda ni rastro.

Moreno no comprendía nada, pero eran instrucciones directas del Generalísimo. Él no era nadie para ponerlas en duda o cuestionarlas, aunque le parecieran contradictorias con todo lo que se había comentado hasta ahora en la reunión con el Estado Mayor.

«Si es lo que su excelencia ordena, así se hará», pensó Moreno. «Aunque no lo entienda, debe ser muy importante, cuando no ha querido ni pronunciar palabra, ni dejar ningún rastro, ni siquiera que estuvieran presentes sus generales».

—Confío en usted, almirante. Ya sabe lo que tiene que hacer —ahora sí, Franco le estaba invitando a salir de la estancia.

—¡A sus órdenes! —se despidió el almirante.

23 HUGO DESCANSANDO. RECUERDOS DE BERLÍN, 13 DE FEBRERO DE 1921

—¡Es una niña!

Hugo estaba tan loco de alegría que ni se había dado cuenta de su grito. La tomó en sus brazos y miró sus ojos, de un color azul precioso.

Felicia estaba llorando, y no solo por la alegría del nacimiento. Su padre Rudolf había fallecido el 8 de septiembre del año pasado, de un infarto fulminante, en su propia cama. Su madre avisó de inmediato a los médicos, pero no pudieron hacer nada por salvarle la vida. No llegaron a trasladarlo a un hospital. Felicia tenía, ahora mismo, esa imagen en la cabeza. Le daba mucha pena que ni siquiera llegara a enterarse de que había estado embarazada. Estaba segura de que le hubiera hecho mucha ilusión conocer la noticia. «Otro miembro más en la numerosa familia Mosse», estaba seguro de que hubiera pensado, con orgullo.

En este preciso instante lo echaba de menos. Le venían a la mente las imágenes de su fastuoso entierro en el cementerio de Weißensee. Fue impresionante. A Felicia le dio la impresión de que todos los berlineses estaban allí. Le emocionó especialmente que bastantes trabajadores de sus empresas estuvieran llorando, junto a la familia. No era nada habitual que, en una época de reivindicaciones obreras contra sus patrones, se comportaran como si Rudolf hubiera sido un padre para ellos. Es verdad que siempre había sabido que era muy querido, pero no hasta ese punto. Le hubiera gustado tenerle a su lado, en este momento tan especial. Intentó alejar esas imágenes de su cabeza. Se supone que era uno de los días más felices de su vida.

Felicia quería parir en su casa, pero, tanto Hugo como su madre, le hicieron ver que era más seguro hacerlo en un entorno preparado, por si surgían complicaciones.

Al final, la discusión terminó en tablas. Felicia se mantuvo firme en que no quería pisar un hospital, por lo que su madre y el servicio le prepararon una estancia en el *Castillo de Schenkendorf,* perfectamente equipada. Aquello era más lujoso que el más elegante de los hospitales de Berlín. Si Felicia pretendía parir en la intimidad y sin privilegios, desde luego no lo había conseguido. Además, llevaban residiendo allí desde hacía una semana, ya que el embarazo estaba llegando a término y no querían sorpresas.

Emilie Mosse había contratado al mejor ginecólogo de la ciudad, que era el doctor Ernst Gräfenberg, por supuesto de ascendencia judía. Todos los días visitaba a Felicia, una vez por la mañana y otra por la tarde. Cuando rompió aguas, él y su matrona Hanna, se desplazaron de inmediato a la residencia de los Mosse.

El parto duró unas dos horas, algo más de lo habitual, aunque había trascurrido sin complicaciones, más allá de los lógicos dolores y esfuerzos de la madre. Hugo los recordaba perfectamente. Como padre primerizo, estaba constantemente preguntándole a Hanna si todo iba bien. Su cara serena le ayudaba a tranquilizarse.

Hugo, durante el parto, conversaba también con su mujer, para darle ánimos, aunque, en su fuero interno, también lo hacía para dárselos a él, que también los necesitaba. También mantuvo una agradable conversación con el doctor Gräfenberg. Resulta que había combatido por Alemania durante la Gran Guerra, obteniendo la Cruz de Hierro al valor. Las dos horas de espera se le hicieron más amenas conversando con él.

En la estancia, por expreso deseo de Felicia, aparte del médico y la matrona, tan solo la acompañaba su marido. Su madre quería estar presente, pero Felicia no se lo permitió. Ya estaba bastante enojada porque deseaba un parto menos ostentoso y más íntimo. No quería convertir uno de los momentos más felices de su vida en un espectáculo, aunque fuera su familia.

—¡Pónmela en mi regazo! —dijo Felicia, todavía sudorosa después del esfuerzo del parto. Aún con ese aspecto, Hugo recordaba perfectamente que no había perdido ni un ápice de ese resplandor que siempre le acompañaba.

—De eso nada —dijo Hanna—. Antes debemos lavarla y hacerle las comprobaciones médicas habituales.

Hugo entregó su hija a la matrona. Tanto el médico como ella misma la estuvieron observando durante unos cinco minutos, haciendo cosas que Hugo no comprendía. De repente, ambos se giraron.

—Enhorabuena a los dos. La niña pesa tres kilos y medio y se encuentra en perfecto estado de salud —dijo el doctor Gräfenberg, mientras se la devolvía a Hugo.

—¡Ahora ya! —gritó Felicia, que no se podía aguantar más.

Hugo estaba seguro de que, si no la obedecía de inmediato, era capaz de levantarse de la cama y de arrancársela de sus brazos. Sin dudarlo, la depositó en su regazo.

—¡Mi niña! —exclamó Felicia, mirándola con una cara de amor, que también Hugo recordaba todavía. Estaba observando a las dos personas que más quería en este mundo. Supuso que él también tendría una expresión en el rostro similar a la de Felicia.

—¿Qué nombre le pondremos? —preguntó Hugo. Habían decidido no discutir acerca de ello durante el embarazo y esperarse a conocer el sexo del bebé—. Si se me permite opinar, me parece que la hija de un ángel tan solo se puede llamar Ángela. Además, es un nombre popular en estas tierras.

Felicia se le quedó mirando, con una expresión muy cariñosa. Hugo ya la conocía lo suficiente como para interpretar que tenía otras ideas.

—Se llamará Gisela —dijo, con voz muy firme—. También es un nombre de origen germánico, pero más original, que significa «flecha». Eso es lo que quiero que sea mi hija, una flecha en dirección a las injusticias de este mundo.

—¿Gisela? Nunca había escuchado ese nombre —le respondió Hugo.

—No es popular en el sur de Europa, sin embargo, lo es un poco más en el norte. Es un nombre con mucha personalidad. Por ponerte un ejemplo histórico, así se llamaba una de las hijas del emperador Carlomagno. Es un nombre diferente, quizá no tan tradicional como Ángela, pero que desprende dinamismo, vitalidad, humanismo y, al mismo tiempo, energía. Creo que necesitará todo ello en la vida.

—¡Lo tenías ya decidido! —exclamó Hugo.

—Bueno, un poco sí —reconoció Felicia, sonriendo —, pero como no sabía si iba a ser niña, preferí no decir nada. Te prometo que no tenía pensado ningún nombre, en el caso de que hubiera sido un niño.

—No, si aún tendré que darte las gracias por tu magnanimidad —le respondió Hugo, que, en realidad, también le gustaba el nombre, aunque le resultara extraño hasta de pronunciar.

Se acercó a su mujer y a Gisela y se fundieron en un prolongado abrazo.

—Anda, sal y da la noticia a todos lo que están esperando fuera de la habitación —le dijo Felicia—. Si no lo haces ya, me temo que van a tomar por asalto la estancia.

Hugo ya no se acordaba de ellos. En el exterior estaban la madre de Felicia, Martha Mosse, que había ejercido de madrina en su boda y su tío Georg. Felicia, fiel a su espíritu, había «recomendado» a sus tíos y sobrinos que no acudieran al parto. Ya les informaría del resultado con posterioridad. Para los judíos, el nacimiento era un acto muy importante y lo solían celebrar con toda la familia presente.

Hugo obedeció a su mujer y salió. Casi antes de terminar de darles la feliz noticia, se abalanzaron contra la puerta de la habitación y prorrumpieron en ella.

—¡Hija mía! —Emilie Mosse fue la primera en llegar a la cama. Se dieron un cariñoso abrazo.

—Anda, déjanos que veamos a la niña nosotros también —dijo Georg, sonriendo—, no la acapares.

Los dos la tomaron en brazos. Era preciosa, tanto como su madre.

—¿Cómo pensáis llamarla? —preguntó Emilie.

—Se llamará Gisela —respondió Felicia.

—Me gusta, es un nombre con carácter —dijo Georg.

—¿Gisela? —preguntó extrañada Emilie—. Pensaba que elegirás el nombre de cualquiera de tus cinco tías.

—Madre, no tengo nada contra los nombres de Clara, Therese, Margarete, Anna o Leonore. Son muy bonitos, también, pero mi hija se llamará diferente a ellas.

—Sabes que el nombre de un bebé, según nuestro pueblo, determina su carácter —Emilie conocía la manera de ser de su hija, pero no se pudo contener—. También sabes que es costumbre, ya que no has elegido ningún nombre de tus tías, elegir el de un pariente muerto, preferiblemente uno de sus abuelos. Eso está escrito en el *Talmud*, que, además, dice textualmente que es «una gran bendición» el nacimiento de una niña. También tendremos que preparar las lecturas de los pasajes apropiados de la *Torah* a cargo de su padre, Hugo, que tiene las mismas raíces judías que tú.

—Madre, no quiero enfadarme contigo en este momento tan feliz para mí. Mi hija elegirá su religión, si desea hacerlo, cuando sea adulta. Ya mantuvimos esta misma discusión el día de mi boda. No quería una ceremonia judía, tan solo una boda civil, como así ocurrió. No volvamos a empezar, que ya sabes cómo va a terminar.

—Son tus raíces, Felicia, aunque no te gusten y...—intentó continuar Emilie,

—No tiene nada que ver con eso —le interrumpió Felicia—. Mis raíces son mis raíces y también lo serán de mi hija, pero no mezclemos la religión en esta discusión. La decisión acerca de su nombre es de Hugo y mía, que somos sus padres, de nadie más.

Hugo no pudo evitar sonreír de una manera disimulada. Él no había participado en la elección del nombre, pero no dijo nada.

—Pero...

Felicia quería evitar una discusión a toda costa con su madre, así que la volvió a interrumpir.

—Además, si el significado de un nombre es importante para el pueblo judío, no se me ocurre otro mejor que Gisela.

Emilie comprendió que no tenía nada que hacer. «Al menos lo he intentado», se dijo. Además, debía de reconocer que tenía pocas esperanzas de que su hija recapacitara y cambiara de opinión.

—Escucha, Emilie —le dijo Georg—. No deseo meterme en vuestras cuestiones familiares. Sabes lo implicado que estoy con nuestro pueblo y con nuestra causa, pero, en este caso en concreto, quizá sea mejor dejarlo así. Gisela es un nombre muy original y bonito. Seguro que cuanto tenga uso de razón, sabrá qué hacer.

—Bueno, pues que así sea —dijo Emilie, cambiando su semblante y sacando una botella de vino que llevaba entre su ropaje—. Lo que no me vais a impedir es que brindemos, al estilo judío, por el nacimiento de mi nieta Gisela. Es lo mínimo que podemos hacer, en memoria de Rudolf.

El breve momento de tensión había pasado. Ahora, todos tomaron las copas que, por arte de magia, habían aparecido encima de una mesa de la habitación. «Por arte de magia» significaba que Emilie había ordenado al servicio que las dejara preparadas, en un extremo discreto de la habitación.

—Eso sí que lo acepto —dijo una sonriente Felicia, viendo que todos volvían a estar alegres, a pesar del recuerdo de Rudolf, compartiendo una copa de vino, alrededor de ella.

Desde luego, eso parecía, pero había uno que no lo estaba del todo.

A Hugo no se le habían escapado las palabras de tu tío. Sabía que no daba puntada sin hilo. ¿Qué había querido decir con que «en este caso en concreto, quizá sea mejor dejarlo así. Gisela es un nombre muy original y bonito»?

¿Por qué es mejor dejarlo así, en este momento en concreto? ¿Qué le ocurría de especial a este momento? Pero sobre todo, le preocupaba la parte final de la exposición de Georg, «seguro que cuanto tenga uso de razón, sabrá qué hacer».

«¿Qué tendrá que hacer Gisela?», recordaba que pensó, preocupado.

24 VALENCIA, 28 DE MARZO DE 1939

—En algún momento tendremos que despertar a Hugo, ¿no? —preguntó Vicente Fe—. Lleva descansando una hora.

—Esperaremos quince minutos más, y si no lo hace por él mismo, intentaré despertarlo con suavidad y delicadeza —resolvió Felicia—. Ya te he comentado que me da la impresión que está rememorando algo. Hace un rato, cuando se ha despertado por un breve momento, me ha llegado a zarandear.

—Yo tampoco quiero molestarlo —dijo Vicente—, pero comprended que la situación es desesperada.

—¡Claro que la comprendo! Quince minutos, no más —insistió Felicia.

—Me quedan, a lo sumo, dos días de vida, y eso con suerte que no me fusilen mañana mismo los *quintacolumnistas*. Quizá Hugo disponga de información que desconozcamos —se notaba que Vicente estaba desesperado. Desde luego, no era menos.

—Hugo raramente hace la siesta, aunque madrugue mucho para acudir al periódico. Siempre viene a comer a casa, se tumba en el sillón quince minutos y vuelve al periódico. Esa es su rutina diaria. Es muy extraño que esté descansando a estas horas. Algo ha debido suceder este mediodía que lo ha perturbado gravemente. Ya conocemos la visita de su hermano, alguna noticia tiene que conocer.

En ese momento, oyeron como alguien aporreaba la puerta de casa. Los tres se quedaron mirando, con el pánico reflejado en su rostro.

—¿Qué hacemos? —susurró Felicia.

La persona desconocida, lejos de cejar, insistió con la puerta. Cada vez la golpeaba con más fuerza.

—Tendremos que abrir —se atrevió a decir Gisela.

—Escucha, Vicente. Tenemos un pequeño escondite en casa. Apenas cabemos los tres, acurrucados. Se encuentra en el despacho de mi marido. Si te fijas, hay un mueble lleno de libros, a la altura del suelo, a la izquierda, justo detrás de su mesa. Es una puerta oculta. Verás un candelabro encima de la estantería. Muévelo. El mueble se desplazará. Verás una pequeña oquedad. Métete dentro y vuelve a cerrar. Yo iré a abrir la puerta de casa, es lo que se espera que haga. Gisela permanecerá en la cocina, pero a ti no te pueden ver en el interior de la casa.

—Pero os vais a poner en peligro por mí —intentó decir, con un hilo de voz, Vicente.

—¡Vete ya! Te doy medio minuto y abriré la puerta —le interrumpió Felicia.

Vicente le hizo caso y abandonó la cocina.

—¿Quieres que abra yo la puerta? —preguntó Gisela—. Ahora sí que es posible que sea Toni, con alguna novedad. No sabe que lo hemos descubierto.

—¡Ni hablar!

—Te aseguro que sé disimular muy bien —insistió Gisela en vano, ya que su madre ya iba camino de la puerta.

Felicia era una mujer de carácter y muy decidida. Gisela sabía que, si se lo proponía, con su altura, su fuerza y su determinación, podría derribar a un guardia perfectamente.

Llegó a la puerta. El desconocido volvió a aporrearla. Felicia se sorprendió de sí misma. Ahora mismo, cualquier vestigio de temor había desaparecido. Estaba enfadada porque, a semejantes horas, la importunaran en su casa.

—¡Ya voy! —gritó—. ¡No hace falta que derribe la puerta, idiota!

Gisela la escuchaba desde la cocina. Conocía a su madre, porque se parecían mucho. Lo que le extrañaba es que no hubiera cogido una cazuela, para estampársela al desconocido en la cabeza.

Felicia abrió la puerta. Se encontró con una persona, bien vestido y aseado. Aquello solo podía significar que era la policía. Ni eso la echó para atrás.

—¿Quién es usted y qué hace aquí?

—Soy Julio Just —le respondió el desconocido. No hizo ningún ademán violento, tan solo se presentó.

Se quedaron callados, mirándose.

—¿Se supone que debo de reconocerle por su nombre? —le preguntó Felicia, que dejaba traslucir su enfado—. Pues lo siento, no tengo el gusto.

—Disculpe si le he molestado. No venía preguntando por usted. Busco a Vicente Fe.

Ahora, Felicia se puso en guardia.

—Me temo que se ha confundido. Aquí no vive esa persona —le respondió.

—Ya sé que esta no es su casa. Aquí vive Hugo Font y supongo que usted debe ser su esposa.

—Ha supuesto bien. Entonces, si sabe que no vive aquí, ¿por qué me pregunta por él?

—El desconocido se metió la mano en la gabardina. Ahora, Felicia sí que se asustó. Supuso que aquel desconocido iba a sacar un arma. Tenía que tomar una decisión en apenas un segundo. Pensó en cerrar la puerta, pero lo descartó porque si portaba un arma la abriría con facilidad a tiros. Por otra parte, si se abalanzaba sobre él y le golpeaba primero, tendría una oportunidad. Aquella persona era de menor estatura que ella y creía que podría con él.

Mientras estaba pensando a toda velocidad, decidida a dirigirle un puñetazo en toda la cara, observó que lo que estaba extrayendo de la gabardina no era un arma. Parecía una cartera. Supuso que sería su identificación como policía. Abortó el ataque.

—Sé que Vicente Fe se encuentra aquí. No tiene nada que temer por mi parte. Soy el líder en Valencia de Izquierda Republicana, coaligados ahora en el Frente Popular de Manuel Azaña, y compañero diputado de Vicente. Soy amigo.

Felicia se le quedó mirando con cara de desconfianza. Después de lo ocurrido con la familia del novio de su hija, ya no confiaba en nadie, casi ni en los suyos.

El desconocido se dio cuenta de los recelos de Felicia e Intentó explicarse.

—Ahora mismo vengo de casa de Vicente, y su esposa me ha dicho que no ha acudido a cenar. También me ha comentado que, en ocasiones, cena aquí. ¿Cómo podría saber esa información si no soy quién digo ser? Su mujer no me la habría contado. De verdad que es importante. Debo de hablar con él urgentemente —le dijo aquella persona, mientras le exhibía su documentación que le acreditaba como diputado en Las Cortes.

Felicia se tranquilizó, aunque aún desconfiaba. Tomó la cartera de aquel individuo. No lo conocía y no sabía si le estaba contando la verdad. Continuó pensando a toda velocidad.

—Yo soy una ama de casa que no tengo ni idea de documentaciones oficiales, pero mi hija, que está en la cocina, es estudiante y sí la tiene —mintió Felicia—. No se lo tome como una descortesía, pero le voy a cerrar la puerta y voy a consultar con ella si este carné es auténtico. Compréndalo, son tiempos difíciles en la ciudad. En menos de minuto vuelvo a por usted.

—No se preocupe, la entiendo perfectamente —respondió el desconocido, sin hacer ningún ademán violento.

Felicia cerró la puerta, pero no se fue a la cocina, sino al despacho de Hugo. Lo más rápido que pudo movió el candelabro y abrió la puerta que daba acceso a la oquedad.

—¿Qué ocurre? —preguntó Vicente, asustado.

—¿Conoces a esta persona? —Felicia le pasó el carné, por la parte de la fotografía.

—¡Claro! ¡Es *el chufero*! También le llamamos Juli.

—A mí me ha dicho que era compañero diputado tuyo, de tu mismo partido, Izquierda Republicana, ahora en el Frente Popular.

—Sí, sí —le respondió Vicente, saliendo de aquel agujero—. Es Juli Just Gimeno. Le apodamos *el chufero* porque es del pueblo de Alboraya, cuna de la horchata y de la chufa. No te ha mentido. Es un amigo.

—¡Buuf! —suspiró Felicia—. ¡He estado a menos de medio segundo de lanzarle un puñetazo al mentón!

—Pues seguro que lo hubieras tumbado —respondió Vicente, sonriendo—. Pero no perdamos el tiempo. Supongo que querrá hablar conmigo.

—Sí, ha estado en tu casa, hablando con tu mujer.

Vicente y Felicia se fueron a toda prisa hacia la puerta y franquearon el acceso al tal Juli *el chufero*.

—¿Qué haces aquí? —le preguntó Vicente, devolviéndole la cartera.

—Supongo que sabes que estamos en la lista —le respondió Juli.

—Lo sabía de mí y también lo suponía de ti.

—Anda, pasad a la cocina —invitó a sus contertulios. Presentó a Gisela, su hija.

—El Frente Popular está organizando una huida de España, a través del puerto de Alicante. Tenemos garantías de protección del cónsul británico Goodden. Mañana por la noche, dos mercantes atracarán en el puerto. Tu familia y la mía tienen plaza en uno de los buques.

—¿Alicante? ¿Por qué nos tenemos que ir tan lejos? Hay puertos más cercanos a Valencia —preguntó extrañado Vicente.

—Precisamente por eso. Valencia no es un puerto seguro debido a los constantes bombardeos de la aviación italiana. Además, me temo que, mañana, la ciudad esté controlada por los *quintacolumnistas*, lo que lo hace inviable. Alicante es el puerto más alejado del frente. Las tropas franquistas tardarán más tiempo en hacerse con su control. Además, Casado ha garantizado la huida, concentrando los pocos milicianos que nos quedan en sus alrededores, para defenderlo e intentar ganar el máximo tiempo posible. Está previsto que los barcos zarpen mañana, entre las ocho y las diez de la noche. Hay que estar allí, al menos, dos o tres horas antes. Hay que tener en cuenta la desesperación de muchas personas por abandonar España. Pueden formarse tumultos para la entrada en los barcos.

—Entonces, ¿qué esperáis? Deberéis abandonar la ciudad antes del alba. Os quedan varias horas hasta llegar a Alicante, y no sabéis que os vais a encontrar —les urgió Felicia.

—No me fio de Casado. Ha demostrado ser un inútil — Vicente tenía reticencias.

—¡Pues claro que es un inútil! —exclamó Juli—. Pero esto no lo organiza él, sino la Federación Socialista de Alicante. A lo único que se ha comprometido Casado es a replegar lo que queda del Ejército de Levante y concentrarlo en la defensa del puerto de Alicante, para darnos más tiempo para organizar la huida.

—¿Y el cónsul británico Goodden? —siguió preguntando Vicente.

—Está claro que está recibiendo muchas presiones del llamado Gobierno de Burgos de Franco, pero, por cuestiones humanitarias, no puedan abandonar a su suerte a miles de refugiados. Parece que el *Foreign Office*, o sea, el Ministerio de Exteriores británico, ha dado su visto bueno a la operación. ¿Para qué nos va a mentir? ¿Qué gana con ello?

—Eso es cierto. No tienen ningún motivo para mentirnos. Como aparezca por Alicante y no cumpla su palabra, la multitud es capaz de lincharlo.

—Además, el propio Casado ha obtenido las mismas garantías que nosotros. Piensa, por un momento, que será un compañero nuestro en la huida. No puede estar mintiendo.

—Mi marido Hugo y yo teníamos razón en nuestro razonamiento —dijo, dirigiéndose a Vicente—. El coronel Casado no ha aceptado la visita de los falangistas esta misma mañana, con una última oferta de Franco, porque ya tenía garantizada su huida por los británicos. Al principio no le encontrábamos ningún sentido, pero ahora está todo muy claro. Ya había salvado su culo. No necesitaba rebajarse más ante los sublevados. Ordenó el repliegue de las tropas para defender el puerto y facilitar la huida. No es tan estúpido como parece.

—Te aseguro que es estúpido, y mucho. No ha organizado nada, tan solo se ha preocupado de salvarse él. Se ha aprovechado de las gestiones de otros, sobre todo de los partidos políticos y sindicatos de la izquierda —intervino Juli, *el chufero*—. Si por él fuera, nadie habría abandonado España, ya que, por sus propios medios, no ha conseguido ni un solo buque.

—Os repito —urgió Felicia—, ¿qué esperáis? En apenas unas horas debéis informar a vuestras familias, hacer el equipaje básico y partir hacia Alicante. Me temo que os espera una noche muy larga.

—Y un día, el de mañana, también —intervino Gisela, que había permanecido callada durante toda la conversación, pensativa.

De todo lo escuchado, había algo que no le terminaba de cuadrar, pero, por más que pensaba, no conseguía desentrañarlo. Tenía la sensación de que era importante.

«Algo no está bien»

Estaba preocupada por ellos.

Lo que sentía era peligro.

25 HUGO DESCANSANDO. RECUERDOS DE BERLÍN, ENTRE 1921 Y 1930

Hugo y Felicia, junto con su pequeña Gisela, formaban una familia muy feliz. En lo personal, ese fuego de su amor temprano seguía intacto. Además, estaban viendo como su hija Gisela crecía en un buen ambiente. Su padre hablaba con ella en español, y su madre en alemán, así habían conseguido que, a una edad muy temprana, fuera bilingüe nativa, y eso sin contar con las enseñanzas de inglés que recibía en su selecto colegio.

En este último tema, Felicia había tenido un pequeño enfrentamiento con su madre, ya que pretendía que estudiara en una *Grundschule* ordinaria, que era la educación primaria pública en Alemania, aunque en Berlín funcionaba de una manera ligeramente diferente. Al final, Felicia tuvo que ceder, cosa a la que estaba poco acostumbrada, ya que Hugo se alió con su suegra Emilie. Dos contra uno, por ello la pequeña Gisela estaba estudiando en el mejor colegio de la ciudad.

Por otra parte, Hugo se había adaptado de maravilla a la vida en Berlín. Una vez dominó con soltura el idioma alemán, su tío consideró que ya había probado su valía sobradamente en los talleres y en las rotativas del periódico. Georg sabía que había congeniado muy bien con sus compañeros, ya que era muy trabajador, le ponía ilusión a lo que hacía y jamás desobedecía una orden. Había conseguido que todos se olvidaran de que era el sobrino del director. Por lo tanto, después de tres años en la peor sección del periódico, se había ganado un ascenso de forma merecida. Había abandonado los talleres y tenía su propia mesa en la redacción, en la planta superior. Escribía de lo que fuera y hacía lo que le mandaban. Al fin y al cabo, era el recién llegado y, como le había ocurrido en las rotativas, no disponía de ningún privilegio especial por ser quién era. Nunca le había importado, allí era feliz.

En cuanto a Felicia, había conseguido, en un tiempo récord, habilitar el antiguo edificio del *Mosse-Palais* para su cometido actual. En apenas seis meses, había puesto toda la maquinaria de su fondo, que, en honor de su padre fallecido, lo había denominado *Rudolf Mosse Sozialinvestitionsfond*, o sea, Fondo de Inversión Social Rudolf Mosse. En apenas unos años se había hecho muy popular en Berlín y ya era conocido por sus siglas en alemán, RMS.

Supo capear los difíciles años de la crisis económica y la hiperinflación alemana, sobre todo durante 1922 y 1923, con una excelente gestión basada en la compra y construcción de inmuebles. Ello era el objeto fundamental del fondo que gestionaba, pero no pudo elegir mejor momento para hacerlo.

La clase media que había preferido ahorrar en dinero y no invertir en bienes materiales, en gran parte se arruinó, ya que las constantes devaluaciones del marco alemán llegaron hasta el extremo de que, con un solo dólar americano, podías comprar más de ciento sesenta millones de marcos. En consecuencia, la Hacienda alemana se hundió y el gobierno no tuvo más remedio que imprimir más billetes, con lo que la situación económica aún empeoró más.

Fue en ese preciso instante cuando Hjalmar Schacht, un conocido financiero, puso en vigor una nueva moneda llamada *Rentenmark*, que luego fue sustituida por el *Reichmark*. Los antiguos billetes dejaron, de forma oficial, de tener ningún valor, aunque, en la realidad de la economía alemana, ya hacía algún tiempo que no la tenían. Ello supuso la destrucción de billones de billetes de los marcos antiguos, que ya habían quedado obsoletos y fuera de la circulación. Felicia fue testigo, en primera persona, de esta curiosa imagen.

Ella había conseguido llegar a tiempo, por los pelos. Los diez millones de marcos que le legó su padre, no estaban en ese montón de *papelitos* inútiles, sino sabiamente invertidos en multitud de propiedades por todo Berlín, que no sufrieron la brutal depreciación de la moneda. Por todo ello, en este momento, era capaz de ayudar a más familias que las propias instituciones oficiales. Felicia era feliz dando una oportunidad a los más necesitados.

Llevaban una vida social discreta. A pesar de que Felicia, por su labor, era muy conocida en Berlín y, en consecuencia, les invitaban a multitud de actos, seleccionaban cuidadosamente aquellos a los que asistir. Intentaban no posicionarse, ni desde un punto de vista religioso ni político. No acudían a ningún acto que tuviera estas connotaciones y Hugo no publicaba nada en el *Vossische Zeitung* acerca de estos temas. No es que no tuvieran su ideología política clara, pero preferían no hacerla pública. Felicia había renunciado incluso a asistir a las cada vez más frecuentes protestas obreras. Ya le era imposible pasar desapercibida, como cuando era una joven desconocida.

A pesar de su discreción y su focalización en temas sociales y no políticos, no eran ajenos al caldo de cultivo que se estaba gestando en la sociedad alemana. Las reducciones presupuestarias en el gasto público y en ayudas sociales llegaron en el peor momento, cuando el pueblo más lo precisaba. En una gran parte, la clase obrera y una parte importante de la clase media, estaban deprimidos y arruinados. En consecuencia, se sintieron estafados y engañados con el republicanismo de Weimar. Hugo y Felicia contemplaban, con verdadero temor, que una parte de ese pueblo necesitado se estaba radicalizando. Felicia era más sensible a esos temas, pero Hugo intentaba ser más optimista.

Ante la miseria generalizada, la industria del ocio experimentó un ascenso notable en toda Alemania, pero especialmente en Berlín, tal y como había pronosticado su tío Georg hace ya unos años, la famosa «explosión cultural berlinesa». La riqueza intelectual y artística alcanzó grados excepcionales. Hugo recordó que su tío le había nombrado a un joven con futuro, que había conocido en el *Romanisches Café*, llamado Berthold Brecht. Ahora se había convertido en toda una celebridad, un auténtico innovador, con su teatro épico o dialéctico.

A pesar de todas las dificultades, la economía alemana consiguió estabilizarse en 1925, y dos años más tarde, la producción industrial ya alcanzó las cifras de la preguerra. No obstante, no todo evolucionaba de igual manera. El germen político extremista, surgido durante los duros años económicos y sociales anteriores, no solo no había decaído, sino que iba en claro aumento.

Felicia y Hugo contemplaban, con auténtico espanto, la cada vez más relevante figura de un político alemán llamado Adolf Hitler. Ya demostró maneras con su intento de golpe de Estado en Múnich, en 1923. Fue condenado a cinco años de prisión por aquella locura, aunque tan solo pasó ocho meses en la cárcel de Landsberg. Aun así, el tiempo le cundió, ya que escribió la primera parte de un libro que, en estos momentos, ya era muy popular en toda Alemania, llamado *Mein Kampf*, mi lucha, que era una mezcla entre su autobiografía y la expresión de una ideología radical. El libro fue publicado en dos tomos, el primero en 1925, llamado *Retrospección*, y el segundo un año después, llamado *El movimiento nacionalsocialista*.

Hugo se había negado a leerlo, no así Felicia, para su completo espanto. Sus ideales se basaban en la exaltación del *pangermanismo*, que era un movimiento político e ideológico que propugnaba la unión de «todos los pueblos alemanes», como, por ejemplo, de Austria, país natal de Hitler. También destilaba un anticomunismo muy evidente, pero Felicia lo interpretó no como una reflexión política e intelectual, que podía ser legítima, sino como un odio profundo y visceral que iba mucho más allá. Aquello era personal.

Pero eso no era lo peor de todo. Pangermanistas y anticomunistas ya habían existido bastante antes del nacimiento del propio Hitler.

Hitler no sentía simpatías por el pueblo judío. Hasta aquí, no era original ni mucho menos. No era la primera persona que lo hacía ni sería la última. Los judíos habían sufrido persecuciones desde hace innumerables siglos. Siempre había sido un pueblo oprimido y sometido a las leyes y costumbres de otros. Pero en el caso de Hitler era diferente. Allí había algo más, parecido a lo que Felicia había intuido con los comunistas, pero elevado a su máxima potencia. Hitler sobrepasaba el concepto del *antijudaísmo*, que representaba la hostilidad hacia los judíos como grupo religioso. Además de eso, odiaba su raza, su cultura y su propia existencia. Pero era un odio profundo, destilado, desde sus propias entrañas. Esto enlazaba con su ideología *pangermanista*. Felicia estaba convencida de que se consideraba perteneciente a una raza superior, que no solo debía dominar el mundo, sino que le otorgaba un derecho natural a exterminar a los seres inferiores. Hitler sublimaba el *antisemitismo*, iba mucho más allá.

Felicia tenía marcado un pasaje del *Mein Kampf*, que definía su verdadero miedo al auge de este individuo, cada vez más popular en Alemania. Literalmente decía lo siguiente:

«*El judío se hace también intempestivamente liberal y se muestra un entusiasta del progreso necesario a la humanidad. Poco a poco llega a hacerse de ese modo el portavoz de una nueva época.*

Pero lo cierto es que él continúa destruyendo radicalmente los fundamentos de una economía realmente útil al pueblo. Indirectamente, adquiriendo acciones industriales, se introduce en el círculo de la producción nacional; convierte esta en un objeto de fácil especulación mercantilista, despojando a las industrias y fábricas de su base de propiedad personal. De aquí nace aquel alejamiento subjetivo entre el patrón y el trabajador que conduce más tarde a la división política de las clases sociales.

Al cabo de todo, gracias a la bolsa, crece con extraordinaria rapidez la influencia del judío en el terreno económico. Asume el carácter de propietario o, por lo menos, el de controlador de las fuentes nacionales de producción.

Para reforzar su posición política, el judío trata de eliminar las barreras establecidas en el orden social y civil que todavía le molestan a cada paso. Se empeña, con la tenacidad que le es peculiar, en favor de la tolerancia religiosa y tiene en la francmasonería, que cayó completamente en sus manos, un magnífico instrumento para cohonestar y lograr la realización de sus fines.

Los círculos oficiales, del mismo modo que las esferas superiores de la burguesía política y económica, se dejan coger insensiblemente en el garlito judío por medio de lazos masónicos. Pero el pueblo mismo no cae en la fina red de la francmasonería; para reducirlo sería menester valerse de recursos más torpes, pero no por eso menos eficaces. Junto a la francmasonería está la prensa como una segunda arma al servicio del judaísmo. Con rara perseverancia y suma habilidad sabe el judío apoderarse de la prensa, mediante cuya ayuda comienza paulatinamente a cercar y a sofisticar, a manejar y a mover el conjunto de la vida pública.

Mientras el judío parece desbordarse en el ansia de «luces», de «progresos», de «libertades», de «humanidad», etc., practica íntimamente un estricto exclusivismo de su raza. Si bien es cierto que a menudo fomenta el matrimonio de judías con cristianos influyentes, en cambio, sabe mantener pura su descendencia masculina. Envenena la sangre de otros, en tanto que conserva incontaminado la suya propia. Rara vez el judío se casa con una cristiana, pero sí el cristiano con una judía. Los bastardos de tales uniones tienden siempre aliado judío. Esta es la razón por la cual, ante todo, una parte de la alta nobleza está degenerando completamente. Esto lo sabe el judío muy bien y practica por eso sistemáticamente este modo de «desarmar» a la clase dirigente de sus adversarios de raza. Para disimular sus manejos y adormecer a sus víctimas no cesa de hablar de la igualdad de todos los hombres, sin diferencia de raza ni color. Los imbéciles se dejan persuadir».

A Felicia le parecía un texto horripilante y muy peligroso, especialmente para ellos. Les hacía responsables de la crisis económica y de la lucha de clases, enriqueciéndose a costa de los más débiles, de ser masones conspirando contra la propia sociedad alemana y de promover la superioridad de su raza frente a las demás. También les culpaba de degenerar al pueblo y de hacerse con el control político, social y económico del país, valiéndose de sus tentáculos en la prensa y en las clases burguesas, que en ningún caso pretendían ayudar al pueblo, sino convertirlo en sus víctimas.

Aquello era delirante.

Felicia hizo el esfuerzo de ponerse frente al espejo de las palabras escritas por aquel loco. Ella y su familia pertenecían a la que Hitler denominaba clase burguesa, además, ayudando a los necesitados. Disponían de medios de comunicación, es decir, el poder sobre la prensa, para intentar engañar a los imbéciles y sojuzgarlos.

Desde luego, era un absoluto desvarío propio de un auténtico demente, pero no de uno cualquiera. Era una figura emergente en la política alemana. Cada vez que pensaba en ello, sentía auténtico terror. Era consciente de que su familia reunía todos los requisitos que Hitler enumeraba y odiaba profundamente.

Hugo intentaba quitarle importancia. Siempre solía decir que ese tipo de discursos tan solo pretendían exacerbar el nacionalismo alemán, por puro interés electoralista.

El Tratado de Versalles, que Alemania se había visto obligada a firmar en 1919, para poner fin a la Gran Guerra, contenía pactos muy duros contra el pueblo alemán. Reconocían ser los responsables morales y materiales del conflicto, debían hacer concesiones territoriales sangrantes, desarmarse y, sobre todo, pagar indemnizaciones exorbitantes a los vencedores. Era una cantidad tan elevada que, junto con sus intereses, probablemente, tardarían casi un siglo en liquidar por completo Si unimos esto al contexto de crisis de la posguerra y a la inestable situación social que se vivía en el país, el discurso demagógico y populista de Hitler podía hacerse un hueco entre los alemanes.

A pesar de ello, Hugo seguía pensando que se trataba de la dialéctica de una persona que no gobernaba el país y se lo podía permitir. Sin embargo, opinaba que, si algún día, Alemania sufría la desgracia de que el partido que comandaba, el *Nationalsozialistische Deutsche Arbeiter Partei*, o sea, el Partido Nacionalsocialista Obrero Alemán, abreviado NSDAP, aunque coloquialmente conocido como el Partido Nazi, ganara las elecciones, le sería imposible llevar a término toda esa larga lista de desvaríos y locuras. Hugo pensaba que el pueblo alemán era racional y jamás se lo permitiría.

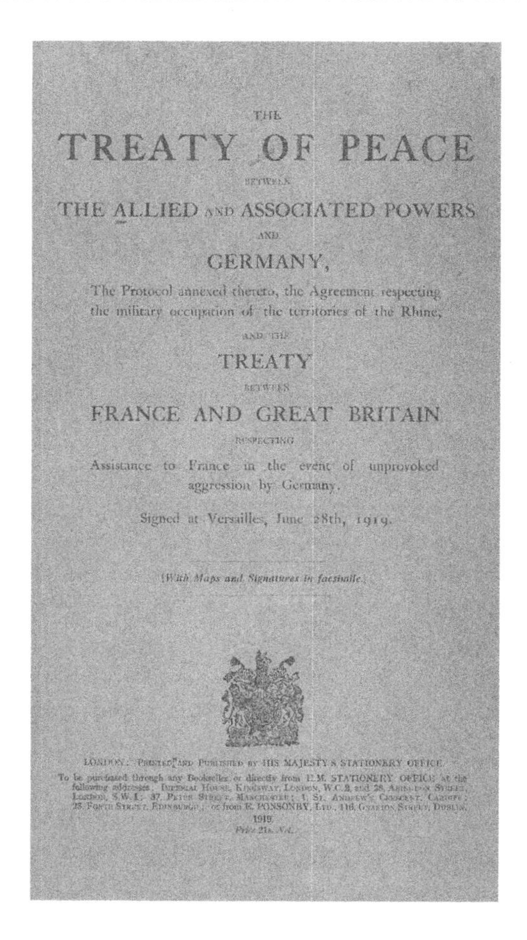

THE

TREATY OF PEACE

BETWEEN

THE ALLIED AND ASSOCIATED POWERS

AND

GERMANY,

The Protocol annexed thereto, the Agreement respecting the military occupation of the territories of the Rhine,

AND THE

TREATY

BETWEEN

FRANCE AND GREAT BRITAIN

RESPECTING

Assistance to France in the event of unprovoked aggression by Germany.

Signed at Versailles, June 28th, 1919.

(With Maps and Signatures in facsimile.)

LONDON: PRINTED AND PUBLISHED BY HIS MAJESTY'S STATIONERY OFFICE.

To be purchased through any Bookseller or directly from H.M. STATIONERY OFFICE at the following addresses: IMPERIAL HOUSE, KINGSWAY, LONDON, W.C.2, and 28, ABINGDON STREET, LONDON, S.W.1; 37, PETER STREET, MANCHESTER; 1, ST. ANDREW'S CRESCENT, CARDIFF; 23, FORTH STREET, EDINBURGH; or from E. PONSONBY, LTD., 116, GRAFTON STREET, DUBLIN.

1919.

Price 2s. 6d.

A pesar de ello, a Felicia las palabras de su marido no la reconfortaban. Seguía teniendo el mismo miedo. Hasta su propio escudo infundía terror.

26 VALENCIA, 28 DE MARZO DE 1939

Vicente Fe y Juli, *el chufero*, abandonaron la casa a toda prisa. Felicia tenía razón, tenían que preparar toda la logística para huir de España en apenas unas horas. No iban a dormir e iniciarían el viaje hacia el puerto de Alicante antes del alba. Presumiblemente, mañana mismo, Valencia ya no fuera una ciudad segura para ellos.

Felicia había estado observando a su hija. No se había comportado como era habitual en ella, muy coloquial y participativa. En cambio, la había visto pensativa.

—Gisela, conozco esa expresión en tu cara. Estás preocupada. ¿Es por Toni?

—¿Preocupada por Toni? A ese malnacido le deseo lo peor. Ha estado jugando conmigo seis meses. No tiene nada que ver con él.

—¿Entonces?

—No puedo evitar tener una sensación extraña. Algo no está bien.

—¿A qué te refieres?

—No lo sé exactamente, pero ha habido algo, en toda la conversación que he escuchado, que no me ha parecido coherente, pero no consigo aislarlo. Sé que existe, pero no soy capaz de verlo.

—¿Te refieres a la huida de Valencia de Vicente y Juli?

—No, eso es coherente. Si están en la lista, es indudable que cada minuto que pasen en la ciudad, sus vidas corren más peligro. No es eso, pero algo no encaja.

—Yo no veo nada extraño. Casado ha sacrificado la defensa de Valencia para que los republicanos que lo deseen puedan huir a través de Alicante. Quizá sea la única opción razonable que le quedaba.

De repente, a Gisela le cambió la expresión. Se levantó de la silla y se dirigió a su madre.

—¡Eso es! Si el coronel Casado no ha sido capaz de fletar ni un solo buque para poner a salvo a tantísimos republicanos y milicianos que desean abandonar el país para salvar sus vidas, ¿cómo pudo organizar la estrategia de replegar las tropas para la defensa de Alicante? ¿Para qué? Si no disponía de ningún trasporte...

—Bueno, ya lo has oído, ha intervenido en cónsul británico Goodden.

—¡Pero los británicos no controlan el puerto de Alicante! —exclamó Gisela—. No pueden dar ese tipo de garantías y más, cuando Franco ya se imaginará por dónde pretender huir todos. Además, Casado nunca ha sido un republicano convencido. En la última reunión que asistí de la Federación Universitaria Escolar, se comentaba en los corrillos. Se decía que simplemente se había servido de la república como un medio para medrar en el ejército y en la política, a pesar de su no afiliación a ninguno de ellos. ¿Sabes lo que Casado opina de Azaña? Que era un soberbio. ¿Y de su bestia negra, que es Negrín? Que es una de las peores personas que había conocido. Casado dice que antepone los intereses de Rusia y del comunismo por encima de su propio país, y que está desequilibrado.

—¿Adónde quieres llegar? —preguntó Felicia—. No sé por qué me dices estas cosas.

—Te he contado muy brevemente lo que piensa Casado de la gente que ha tenido a su alrededor, pero ¿sabes lo que dicen de él? El que fuera su Jefe de Estado Mayor de las Fuerzas Armadas, el general Vicente Rojo, piensa que Casado nunca ha servido al pueblo, sino a sí mismo, y que tan solo le importaba su persona. También comentan que está más próximo a los conservadores ingleses que a los republicanos españoles. Lo califican como una persona que no empatiza nada con la república y con todo lo que ella representa, ni siquiera por sus compatriotas que han combatido valerosamente en el frente.

—Sigo sin entenderte, Gisela.

—Una persona así, ¿tú crees que va a organizar una evacuación ordenada por el puerto de Alicante de personas que no le importan en absoluto?

—¿Qué quieres decir?

—Creo que no ha hecho un pacto con los ingleses, sino con el general Franco. Tengo la sensación de que está enviando a miles de personas, que están desesperadas por poder huir de España, a una enorme trampa. Creo que tan solo se ha preocupado de poner a salvo a su persona y al resto del Consejo Nacional de Defensa republicano.

—Entonces, ¿por qué ha hecho ese anuncio tan tranquilizador en la prensa? ¿Qué necesidad tenía de garantizar la seguridad a todos los que quisieran abandonar España? Nadie se lo había pedido. No hacía falta que dirigiera a todas esas personas hacia Alicante.

—¿No lo entiendes? Eso solo se explica porque, seguramente, fue una de las condiciones que Franco le impuso. Querrá atrapar a todos en el mismo puerto. Casado tan solo le está facilitando la labor a cambio de su vida. Envía a miles de personas a una enorme tela de araña.

—¿De verdad crees eso? —Felicia se empezaba a preocupar de verdad.

—Piensa un poco. El bastardo de Toni me dijo que, desde Alicante, tan solo iba a partir un barco, el *Stanbrook*. Ahora sabemos de dónde proviene esa información, de los *quintacolumnistas* franquistas. ¿Cómo podían saber eso con tanta antelación?

—No lo sé, la verdad... —Felicia estaba abrumada.

—¿Crees que Franco no sabe que, al menos, veinte mil personas se dirigen al puerto de Alicante? Está perfectamente informado. Lo tiene todo programado. Dejará partir al *Stanbrook*, que, como mucho, podrá acomodar a dos o tres mil personas hacinadas. El resto, pues ya sabes. La araña se los comerá.

—Pero el propio Casado se dirigirá también al puerto de Alicante. Así lo ha anunciado y se lo ha hecho saber a todos —Felicia intentaba resistirse a los argumentos de su hija.

—Una cosa tengo muy clara. Eso no ocurrirá, Casado no partirá hacia Alicante. Tendrá preparado un puerto alternativo secreto. No se puede permitir juntarse con una turba de gente desesperada por abandonar el país para salvar sus vidas. Sabe que tendría pocas oportunidades de embarcar en el *Stanbrook*, cuando la gente fuera consciente de que los ha engañado. Hasta podría peligrar su vida con un linchamiento público. Con toda seguridad, tendrá prevista su fuga en otro buque desde otro lugar.

—Pero entonces, ¿qué pasará con Vicente y con Juli?

—Sinceramente, no lo sé, pero no olvides que el mercante de Alicante está fletado por la Federación Socialista. Supongo que los miembros de los partidos del Frente Popular tendrán garantizada, de alguna manera, una plaza en el barco. Supongo que lograrán huir de España sin problemas.

—Al fin una buena noticia en tu conjetura —suspiró Felicia.

—Mamá, no creo que sean conjeturas. Todas las piezas encajan con esta explicación. Tan solo nos falta una variable que no hemos considerado.

—¿Cuál? —preguntó, con evidente curiosidad. No se le ocurría ninguna.

—Papá —respondió Gisela, muy seria.

—¿Qué tiene él que ver con todo esto? —jamás se imaginaba Felicia esa respuesta.

—Te olvidas con quién ha comido hoy, con el tío José María. En todo este gran tablero de ajedrez, no me creo que pueda ser casual.

—¿Qué quieres decir?

—No sabemos de qué han hablado, pero, desde luego, le ha causado una fuerte conmoción. Papá casi nunca duerme después de comer. Lleva más de una hora haciéndolo, y casi es la hora de cenar. ¿No te parece extraño?

Felicia se quedó pensativa, durante un pequeño instante. Se decidió.

—Despertémoslo —dijo, mientras se dirigía a abrir las puertas del salón.

En realidad, no iba a abrir las puertas del salón, sino la Caja de Pandora.

27 HUGO DESCANSANDO. RECUERDOS DE BERLÍN, 30 DE ENERO DE 1933

—¡Ha llegado el momento! —gritó Georg, exaltado.

—¿Qué te ocurre, tío? —le preguntó Hugo, muy extrañado de que prorrumpiera en su casa a esas horas tan tempranas de la mañana. Apenas eran las seis y media.

—¡Nos tenemos que marchar ya! —Georg parecía muy asustado.

—Marchar, ¿adónde? ¿Qué tonterías estás diciendo?

—Ese demonio de Hitler acaba de ser nombrado Canciller de Alemania, ¿no lo entiendes?

—¿Qué? —preguntó Hugo, muy sorprendido—. Anda, pasemos a la cocina, que vamos a despertar a Felicia y a Gisela con estas voces.

A pesar de sentarse, Georg seguía igual de exaltado.

—A ver tío, cuéntame qué ha pasado.

—Ya sabes que el Partido Nazi ha ganado las dos últimas elecciones de las tres que se celebraron en 1932. A pesar de ello, no cuentan con el apoyo de todo el *Reichstag*, el parlamento.

—Todo eso no es nuevo, ya ocurrió en noviembre del año pasado. Además, si no lo recuerdo mal, el Partido Nazi, aunque las ganó, perdió votos con respecto a las anteriores elecciones. El presidente Hindenburg, pese a ser un anciano, sigue controlando el país.

—Pues ese Hindenburg que controla el país, según tú, acaba de nombrar Canciller de Alemania a Hitler. La noticia aún no ha sido publicada por ninguno de los grandes periódicos, pero, sin duda, correrá como la pólvora durante el día de hoy.

—Me parece increíble. El presidente Hindenburg ha rechazado la candidatura de Hitler en numerosas ocasiones. La primera vez que ganó las elecciones, en julio de 1932, ya exigió la cancillería para él. El nazi se negó a apoyar al conservador Franz Von Papen, el entonces Canciller, y también rehusó compartir el poder con Hindenburg y Schleicher. Recuerdo que publicamos un artículo muy documentado en el *Vossische Zeitung*. Dentro del Partido Nazi, la figura de Hitler se estaba debilitando, ya que la corriente de Strasser estaba tomando fuerza.

—En la actual situación convulsa de Alemania, cada día te despiertas con un escenario nuevo. Ya sabes que hace poco, Hindenburg le ofreció a Hitler la Vicecancillería, que rechazó, ya que no quería compartir el poder con nadie. Después de este rechazo, nombró Canciller a Schleicher, hasta casi hoy mismo.

—¡No me lo puedo creer! —exclamó Hugo, aunque viendo la cara desesperada de su tío, sabía que no le estaba mintiendo. En ese momento, Hugo se percató de la palabra «casi» que había empleado su tío.

—¿Qué quieres decir con «casi»?

—Schleicher dimitió como Canciller ante el presidente Hindenburg hace dos días. La noticia no se hizo pública por expresa petición del presidente, ya que no deseaba que se creara un vacío de poder. Después de reunirse con Franz Von Papen, decidieron ayer mismo, ofrecerle la cancillería a Hitler, en un gobierno en el que, según Papen, iba a ser capaz de controlar al Partido Nazi, ya que se encontrarían en minoría. Hitler acaba de aceptar.

—¿Cómo puedes saber todo eso si aún no se ha hecho público?

—Que no lo haya publicado ninguna gran cabecera, no significa que no se haya hecho público. Todo el personal del *Vossische Zeitung* se encuentra en la redacción y en los talleres para publicar la noticia cuanto antes, pero no hemos sido los primeros —dijo, mientras arrojaba un ejemplar de *Der Angriff*, que significaba *El asalto*, que era uno de los órganos de comunicación oficiales del Partido Nazi.

Der Angriff

Deutsches Berlin:
Fahnen heraus!

Das deutsche Abendblatt in Berlin

Reichskanzler Hitler!

Frick Reichsinnenminister — Göring preußischer Innenminister

Hugo lo tomó con las manos y leyó sus titulares. *Der Angriff* lo editaba el jefe de propaganda del Partido Nazi, Joseph Goebbels, y tenía fecha de hoy mismo, 30 de enero de 1933. Se leían claramente sus típicas consignas. «Por los oprimidos y contra los opresores», haciendo un llamamiento a los alemanes «a sacar las banderas».

—Que lo publiquen ellos primero es lo lógico, disponen de información de primera mano, pero ¿qué hacemos nosotros aquí? ¿No deberíamos estar en el periódico trabajando en esta noticia?

—No —le respondió muy serio Georg—. Despierta a Felicia y a Gisela de inmediato. Cada segundo cuenta.

Hugo todavía estaba conmocionado, pero no terminaba de comprender a su tío, que continuó la conversación.

—Preparad un equipaje ligero. Debemos abandonar el país cuanto antes.

—¿Sabes lo que estás diciendo? —Hugo no daba crédito—. No debería ser tan sencillo dejar atrás todo por lo que has luchado durante tu vida. Berlín es tu hogar.

En ese momento, apareció Felicia en la cocina.

—¡Qué manera de gritar! ¿Qué hora es? No deben ser ni las siete de la mañana.

—Menos cuarto —le respondió Hugo, dándole un beso—-. Anda, siéntate en la mesa.

Le relataron los hechos.

—¡Te lo dije, Hugo! Ese Hitler es un demonio. Sabría que existía la posibilidad real de que se hiciera con el control de Alemania.

—Un poco de calma, eso no ha ocurrido. Es cierto que lo han nombrado Canciller, pero está en minoría en el gobierno. Papen se ha comprometido a controlarlo y no podrá hacer lo que quiera —Hugo intentó apaciguar los ánimos.

—¡A Hitler no lo controla nadie! —volvió a levantar la voz Georg—. Papen será historia en segundos, en cuanto establezca su dictadura. Ya no habrá más elecciones en Alemania en muchos años. Deberías comprenderlo.

—Georg tiene razón —dijo Felicia—. Llevo siguiendo la trayectoria de ese tarado desde hace más de diez años. Es un enfermo megalómano. En cuanto tome posesión de la cancillería, se hará con el control del país, y no por medios democráticos. ¿Para qué te crees que el Partido Nazi creó las «camisas pardas»? ¿Para repartir flores?

Hugo conocía que las *Sturmabteilung* o SA, más conocidas como «camisas pardas», por el color de su uniforme, eran una organización paramilitar, a semejanza de las «camisas negras» italianas, que controlaba el Partido Nacional Fascista de Benito Mussolini. Las *Sturmabteilung* fueron el primer grupo militarizado nacionalsocialista que creo rangos entre sus miembros, que luego fueron copiados por otras organizaciones. Formaban una estructura formidable, de varios millones de voluntarios. Llegaron a ser prohibidas durante un corto espacio de tiempo, ya que superaron en cantidad al propio ejército alemán, pero, hoy en día, eran muy temidas. Entre sus prominentes miembros se encontraban Hermann Göring, Ernst Röhm y el propio Adolf Hitler, por ejemplo.

—Me sorprende que te pongas de su parte —le dijo Hugo a Felicia—. ¿Vas a dejar detrás toda tu vida?

—No, vamos a salvar nuestras vidas, que es diferente —le respondió—. ¿Qué crees que hará ese demente cuando tome el control del país?

Georg sacó un papel arrugado y lo echó encima de la mesa de la cocina.

—Es el borrador de una lista confeccionada por el Partido Nazi —continuó Georg—. Me la ha facilitado un buen amigo que trabaja con ellos. Fijaos en el segundo nombre que aparece en esta lista.

—¡Eres tú! —gritó Hugo—. ¿Esto qué significa?

—No lo sé, mi amigo se ha limitado a facilitarme una copia, sin más explicaciones, pero no hace falta ser muy listo para imaginárselo.

Dr. Apfel, Alfred, geb. am 12. März 1882;
Bernhard, Georg, geb. am 20. Oktober 1875;
Dr. Breitscheid, Rudolf, geb. am 2. November 1874;
Eppstein, Eugen, geb. am 25. Juni 1878;
Falk, Alfred, geb. am 4. Februar 1896;
Feuchtwanger, Lion, geb. am 7. Juli 1884;
Dr. Foerster, Friedrich Wilhelm, geb. am 2. Juni 1869;
v. Gerlach, Helmuth, geb. am 2. Februar 1866;
Gohlke, Elfriede, gen. Ruth Fischer, geb. am 11. Dezember 1895;
Grossmann, Kurt, geb. am 21. Mai 1897;
Grzesinski, Albert, geb. am 28. Juli 1879;
Gumbel, Emil, geb. am 18. Juli 1891;
Hansmann, Wilhelm, geb. am 29. [illegible]ober 1886;
Heckert, Friedrich, geb. am 28. März 1[illegible]4;
Hölz, Max, geb. am 14. Oktober 1889;
Dr. Kerr, Alfred, geb. am 25. Dezember 1867;
Lehmann-Russbüldt, Otto, geb. am 1. Januar 1873;
Mann, Heinrich, geb. am 27. März 1871;
Maslowski, Peter, geb. am 25. April 1893;
Münzenberg, Wilhelm, geb. am 14. August 1889;
Neumann, Heinz Werner, geb. am 6. Juli 1902;
Pieck, Wilhelm, geb. am 3. Januar 1876;
Salomon, Berthold, gen. Jacob, g[illegible]am 12. Dezember 1898;
Scheidemann, Philipp, geb. am 2[illegible]Juli 1865;
Schwarzschild, Leopold, geb. a[illegible]8. Dezember 1891;
Sievers, Max, geb. am 11. Juli 1887;
Stampfer, Friedrich, geb. am 8. September 1874;
Toller, Ernst, geb. am 1. Dezember 1893;
Dr. Tucholski, Kurt, geb. am 9. Januar 1890;
Weiss, Bernhard, geb. am 30. Juli 1880;
Weissmann, Robert, geb. am 3. Juni 1869;
Wels, Otto, geb. am 19. September 1873;
Dr. Werthauer, Johann, geb. am 20. Januar 1866.

Hugo se levantó de la mesa y abrazó a su tío.

—Esto cambia las cosas. Te ayudaremos en todo lo que necesites. Ya sabes que eres mi padre alemán.

—Me parece que sigues sin comprenderlo —dijo Felicia—. Aunque nuestros nombres no estén en esta lista, toda la familia porta el apellido Bernhard.

—¡Pero hemos sido muy discretos! No nos hemos relacionado con el mundo judío, no hemos participado de ningún acto en apoyo de partido político alguno. Nadie conoce nuestra ideología. Podríamos pasar perfectamente por miembros del Partido Nazi, si nos lo propusiéramos.

—Sabes que eso, ahora mismo, no es posible —dijo Georg, que después de soltar la bomba, parecía más tranquilo—. Aunque es verdad que habéis sido muy discretos en vuestra vida social, tú trabajas para el *Vossische Zeitung*, un periódico cuya línea editorial es, más bien, de izquierdas, y que no ha simpatizado, por decirlo suave, con el Partido Nazi. Aunque no seamos conscientes todavía, ya es historia. En cuanto Hitler se haga con las riendas del país, cosa que sucederá en breve, el periódico desaparecerá y dejará de publicarse. Por mi parte, ya he presentado la renuncia a mi cargo de editor en jefe ante la *Editorial Ullstein*, los propietarios de la cabecera. No quiero perjudicarlos, después de todo lo que han hecho por mí. Siempre han estado a mi lado y he trabajado para periódicos de su propiedad durante muchísimos años. Son mi familia periodística.

Hugo, cuya vida giraba también en torno al periodismo, se vino abajo.

—No me imaginaba que la situación fuera tan desesperada —dijo, tapándose la cara con sus dos manos.

—Para que lo sepas, he presentado tu renuncia también, en tu propio nombre. Oficialmente, ya no pertenecemos a la plantilla del *Vossische Zeitung*, nos hemos desvinculado de él. Ahora, nuestras prioridades deben ser otras.

Hugo se dirigió a Felicia.

—¿Y tu fondo para ayudar a los más necesitados? ¡No solo es tu trabajo, es tu vida!

Felicia se abrazó con su marido. Hugo supo que no le iba a gustar lo que iba a oír.

—Sabes de sobra lo que amo el fondo que constituyó mi padre y lo que me he esforzado durante doce años en sacarlo adelante, cada vez con más dificultades, pero, ahora mismo, estoy pensando en nuestras vidas, sobre todo la de nuestra hija Gisela. Reflexiona un poco, tiene tan solo doce años de edad, con toda la vida por delante. ¿Qué futuro le espera en este país? Es más, ¿tiene algún futuro? ¿Quieres poner en riesgo su vida?

Hugo, en su interior, estaba devastado. Ya había tenido que huir de España en solitario, con apenas dieciocho años, cuando asesinaron a su padre en España. Ahora era feliz en Alemania, con una esposa y una hija maravillosas. Creía que había encontrado su lugar y la estabilidad que siempre había deseado.

—¿Y adónde vamos a ir? —preguntó Hugo, que estaba aturdido.

—Yo me desplazaré a Francia, junto con otros editores, que estábamos organizando, para el próximo 19 de febrero, el ciclo de conferencias llamado *Das Freie Wort*, es decir, la palabra libre. Pretendía ser una gran manifestación contra los nacionalsocialistas y sus recortes en la libertad de prensa. Supongo que seguirá adelante, ya que hay mucha gente involucrada, pero lo hará sin nosotros.

—¿Por qué París? —le preguntó Hugo.

—Porque allí tengo buenos amigos y pensamos fundar otro periódico, lejos de las garras de Hitler, y combatir la dictadura que le espera a nuestro país. Mi huida no es una rendición, tan solo pretendo seguir vivo y luchar, con las armas que tengo, que no son otras que mis palabras. Ese es mi motor, lo que me anima a dejar todo por lo que tanto he luchado. Puede parecer un paso atrás, pero en realidad, es para coger impulso. Soy consciente que, desde Alemania, no podría hacerlo. Aunque no me mataran los nazis, cosa que seguramente ocurriría, no podría publicar nada.

—¿Y qué será de nosotros? —preguntó Hugo, muy preocupado—. Nos ha ido muy bien juntos durante casi catorce años.

—Felicia, ¿me permites hablar con tu marido a solas? Es muy importante.

—Por supuesto, Georg —respondió, saliendo de la cocina—. Voy al dormitorio de Gisela.

Hugo no sabía de qué iba aquello. Su tío se dirigió a él, muy serio.

—¿Te acuerdas que, cuando te desposaste con Felicia, te hablé de un plan?

Hugo ya casi se había olvidado de aquella conversación. Intento recordarla.

—Sí, me dijiste que habías preparado nuestra boda, junto con Rudolf y Emilie Mosse. Ante mi estupor, me dijiste no sé qué de una partida de ajedrez, donde éramos simples peones.

—Veo que te acuerdas. Ante tu insistencia en conocer el plan, te dije que ya llegaría el momento que lo supieras. Bueno, pues el momento es ahora.

Hugo estaba expectante. No tenía ni la más remota idea de lo que su tío le iba a contar.

—Para empezar, nuestras vidas se separarán mañana. No viajaremos juntos. Como ya os he dicho, yo me quedaré en París, pero vosotros os iréis a España.

—¿Otra vez? —preguntó sorprendido Hugo—. Ya tuve que huir de allí en una ocasión.

—Ahora las circunstancias son muy diferentes. Hay dos motivos de peso por los que debes retornar. A pesar de tener la nacionalidad alemana, eres español de origen y conservas también esa nacionalidad.

—¿Ese es un motivo de peso?

—No, no lo es, pero ayuda mucho. Nadie se extrañará que huyas de la Alemania nazi y vuelvas a tu país, con tu mujer y tu hija.

—¿Y se puede saber cuáles son esos motivos?

—El primero es que España ha cambiado bastante desde que la abandonaste, en 1919. Estamos en 1933. La dictadura de Primo de Rivera terminó en 1930. La monarquía de Alfonso XIII fue abolida en 1931. Todos esos grandes cambios se han producido entre manifestaciones pacíficas en todas las ciudades españolas. Ahora, España está viviendo un gran fervor republicano. El presidente del Consejo de Ministros, Manuel Azaña, es una persona razonable que está llevando a cabo diferentes reformas, para modernizar el país, sobre todo desde el punto de vista social. También pertenece a nuestro gremio, además de político, es escritor y periodista. Es un republicano convencido de tendencias izquierdistas, además de un laicista, que ha promovido la separación Estado-Iglesia.

—¿Y eso es bueno? —preguntó Hugo.

—Mira lo que dice el artículo 26 de la Constitución Española, aprobada en 1931 —dijo, mientras sacaba de uno de sus bolsillos una pequeña cuartilla. Se notaba que llevaba preparada la conversación con Hugo.

«Art. 26. Todas las confesiones religiosas serán consideradas como Asociaciones sometidas a una ley especial.

El Estado, las regiones, las provincias y los Municipios no mantendrán, favorecerán, ni auxiliarán económicamente a las Iglesias, Asociaciones e Instituciones religiosas. Una ley especial regulará la total extinción, en un plazo máximo de dos años, del presupuesto del Clero. Quedan disueltas aquellas órdenes religiosas que estatutariamente impongan, además de los tres votos canónicos, otro de obediencia distinta a Autoridad distinta de la legítima del Estado. Sus bienes serán nacionalizados y afectados a fines benéficos y docentes. Las demás Órdenes religiosas se someterán a una ley especial votada por estas Cortes Constituyentes y ajustadas a las siguientes bases:

1ª Disolución de las que, por sus actividades, constituyan un peligro para la seguridad del Estado.

2ª Inscripción de las que deban subsistir, en un Registro especial dependiente del Ministerio de Justicia.

3ª Incapacidad de adquirir y conservar, por sí o por persona interpuesta, más bienes de los que, previa justificación, se destinen a su vivienda o al cumplimiento directo de sus fines privativos.

4ª Prohibición de ejercer la industria, el comercio o la enseñanza.

5ª Sumisión a todas las leyes tributarias del país.

6ª Obligación de rendir anualmente cuentas al Estado de la inversión de sus bienes en relación con los fines de la Asociación.

Los bienes de las Órdenes religiosas podrán ser nacionalizados».

—Disculpa, tío. Eso quizá esté muy bien, pero ¿qué tiene que ver con nosotros? No somos católicos, bueno, más bien nunca nos hemos integrado en ninguna religión.

—Lo que pretendía decirte, con toda mi explicación, es que España, ahora, es un Estado aconfesional según su Constitución, además se proponen aprobar una Ley de Confesiones y Congregaciones Religiosas, que profundizará en esta reforma. Aunque tu familia no esté vinculada, de forma activa, a ninguna religión, no olvidéis que tenéis raíces judías. Estaréis mucho más seguros en la España actual que en la Alemania de Hitler.

—En España, nadie sabe que tenemos ascendencia judía. En realidad, creo que hemos sido muy discretos hasta en Alemania.

—Me temo que eso va a cambiar —dijo Georg, que ahora aún estaba más serio que antes—. Ya te había advertido que llegarían tiempos difíciles para ti. Bueno, pues ya están aquí.

—¿Más difíciles que dejar atrás todo por lo que hemos luchado estos años?

—Esta es una cuestión diferente. Ahora, te dispones a entrar en contacto íntimo con tus raíces judías.

—No te entiendo, tío. Sabes que respeto mis raíces, pero reniego de cualquier cuestión religiosa.

—En realidad, no es una cuestión religiosa, como tú dices. Es una cuestión mucho más mundana, relacionada con nuestro pueblo.

—Cada vez que hablas más, te entiendo menos. Por favor, explícate de una vez.

Georg se levantó de la silla. Parecía que se disponía a hablar de pie.

—Quiero que me escuches atentamente, sin interrumpirme. Cuando concluya mi explicación, estaré a tu disposición para aclararte todas las dudas que te hayan podido surgir. Presta mucha atención a lo que vas a escuchar, aunque te resulte extraño. Créeme, es muy importante.

Georg Bernhard estuvo hablando durante quince minutos, mientras paseaba por la cocina. Hugo no daba crédito a lo que estaba escuchando. Si no llega a ser porque quién se lo estaba contando era una persona cabal como su tío, ya se hubiera echado a reír.

Cuando concluyó su disertación, Georg se volvió a sentar en su silla, como si no hubiese ocurrido nada. Se quedó mirando a Hugo.

—¿Comprendes ahora la importancia de nuestras raíces?

Hugo estaba descolocado. No sabía por dónde empezar, así que fue directo al grano.

—No te lo tomes a mal, tío, pero debo hacerte una pregunta inicial. ¿Me estás tomando el pelo?

—Mírame a los ojos —le respondió—. ¿Te parezco un demente?

—No, por eso te hago esta pregunta.

—Todo lo que te he contado es completamente cierto. Es una historia que se ha trasmitido generación tras generación, desde hace muchos siglos. Su propia existencia se ha cobrado muchas vidas, no se te ocurra tomártelo a la ligera. Desde este mismo instante, la responsabilidad ya no es mía, recae sobre tus hombros. Este es el plan del que te he hablado en alguna ocasión. Ahora tú formas parte de la partida de ajedrez y yo me retiro. Eres un peón, pero llegará un momento en que tu hija Gisela sea la reina.

—Eso no lo entiendo —respondió Hugo, que aún estaba interiorizando todo lo que había escuchado e intentando asimilarlo.

—Cuando llegue el momento, lo comprenderás. Es algo natural.

—¿Y cómo sabré cuándo llega ese momento?

—Lo sabrás, te lo aseguro, tal y como yo lo he sabido ahora. Es nuestro destino.

Se levantó de la silla.

—Despídeme de Felicia y Gisela. Ya me está costando mucho no llorar. Tened mucho cuidado en vuestro viaje a España. Vuestra vida, ahora, es más importante que la mía propia.

Tío y sobrino se fundieron en un prolongado abrazo.

Hugo jamás volvería a ver a Georg Bernhard.

28 PALMA DE MALLORCA, 28 DE MARZO DE 1939

El almirante Francisco Moreno, jefe de las Fuerzas y Operaciones de Bloqueo del Mediterráneo, ahora disueltas en apariencia, aterrizó en el aeródromo de Palma de Mallorca. Durante todo el vuelo estuvo pensando en las instrucciones directas que le había dado el Generalísimo. Porque sabía que era un gran militar y estratega, si no, hubiera pensado que había perdido la razón. «Primero me ordena que continúe, con más ahínco si cabe, mi labor de vigilancia y bloqueo, y luego esa nota...», pensaba, sin poder quitársela de la cabeza. Era lo más extraño que le había ocurrido en toda su prolongada carrera militar, lo que era mucho decir.

Nada más bajarse del avión, le estaba esperando un coche oficial, para trasladarlo al puerto. Si quería hacer efectivas las instrucciones del general Franco, no tenía tiempo que perder.

Llegó en apenas quince minutos. El destructor *Melilla* le estaba esperando, con las máquinas encendidas, a juzgar por el humo de sus chimeneas.

En realidad, el *Melilla* no había sido un buque de guerra español. La Armada franquista no disponía de destructores al inicio de la guerra, ya que con el único que contaban era con el *Velasco*, y casi por casualidad. Al estallar la guerra, se encontraba siendo reparado en El Ferrol. Su comandante, el capitán de corbeta Manuel Calderón, consiguió que toda la tripulación se uniera al bando sublevado, junto con el resto de la base naval.

El *Melilla* era un antiguo destructor italiano de la clase Aquila, que fue utilizado por ese país durante la Gran Guerra, hacía ya bastantes años. Las gestiones que el general Franco hizo con Mussolini, para que le vendiera, a bajo coste, buques de la *Regia Marina* italiana, dio sus frutos. El *Duce* le cedió a Franco cuatro destructores, renombrados *Huesca*, *Teruel*, *Ceuta* y *Melilla*, entre otros medios navales. Eran buques obsoletos, pero cubrían la necesidad de destructores que tenía la Armada franquista, que disponía de más cruceros, que eran buques que desplazaban más tonelaje, que destructores, más ligeros y operativos para labores de vigilancia.

Franco había ordenado añadir una cuarta chimenea falsa a todos los destructores recibidos de Italia, con el objeto de que la Armada republicana los confundiera con su moderno destructor *Velasco*. Por ello, después de las pertinentes modificaciones estéticas, todos los destructores añadieron a su nombre la palabra *Velasco* delante. Es decir, el destructor en el que, ahora mismo, estaba abordando el almirante Moreno, en realidad, se había denominado, durante toda la guerra, *Velasco-Melilla*, aunque, desde hacía apenas unos días, había recuperado su nombre original.

—¡A sus órdenes, mi almirante! —le recibió a pie de pasarela el comandante del buque, el capitán de corbeta Mariano Romero.

—Descanse. Vayamos a su camarote.

Así lo hicieron.

—Quiero que me asigne un camarote en este buque. Ya sabe que vengo para quedarme. Tenemos una misión especial —dijo Moreno.

—Por supuesto mi almirante. Ya conoce que, a bordo del *Melilla* no tenemos muchas comodidades. Ya tenía previsto trasladarme al camarote del primer oficial y le dejaré el mío para usted.

—No, no se moleste, no va a hacer falta. Me conformaré con el otro. Por otra parte, no creo que vaya a estar mucho tiempo a bordo.

El capitán Romero hizo ademán de levantarse.

—¿Qué hace? —le preguntó Moreno.

—Disculpe, mi almirante. Iba a informar al primer oficial para que vaciara su camarote. Me disponía a mostrárselo, para que pudiera acomodarse cuanto antes. Ya está anocheciendo, y supongo que habrá tenido un día duro. Vuelo de ida y vuelta a Burgos y reunión con el Generalísimo y su Estado Mayor, nada más y nada menos. Ordenaré que le sirvan la cena cuanto antes.

—Es verdad que estoy cansado, pero no tenemos tiempo que perder. Ya me acomodaré más tarde. Ordene soltar amarras. Nos hacemos a la mar.

—¿Ahora mismo? La tripulación se dispone a cenar.

La dotación del destructor *Melilla* era de unas ciento sesenta personas, entre marinería y oficiales.

—Pues tendrán que hacerlo un poco más tarde. He notado que le ha extrañado que me haga a la mar con usted, en su destructor. Sé que había recibido instrucciones de esperar mi llegada. Pues igual que usted cumple las órdenes mías, yo lo hago de nuestro Generalísimo. Le aseguro que no estoy aquí por un mero capricho.

—Por supuesto, mi almirante. Usted puede navegar en cualquier buque que le plazca de nuestra Armada —le respondió el capitán, un tanto abochornado por las palabras del almirante.

—El motivo por el que estoy, ahora mismo, en este buque, es porque he recibido instrucciones muy precisas que debo cumplir de forma personal. No menoscabo su labor como comandante de este buque, pero son órdenes directas de Burgos, ya me entiende.

—No se preocupe por esas cuestiones, mi almirante ¿Cuál es nuestro destino? —preguntó el capitán de corbeta, ya repuesto.

—¿Tiene un papel y una pluma a mano?

La pregunta le extrañó al capitán, pero obedeció sin rechistar a su almirante. Se levantó, rebusco entre uno de sus cajones y se los entregó.

El almirante Moreno garabateó algo en el papel y se lo devolvió al capitán.

—Esas son las coordenadas donde nos tenemos que dirigir de inmediato.

El capitán tomó una carta de navegación. A pesar de la proximidad del destino, les llevaría unas horas alcanzar esa posición, ya que, con las 260 toneladas de combustible que había cargado, la velocidad media para lograr su máxima autonomía apenas superaba los quince nudos. Su maquinaria, a pesar de las reparaciones y mejoras, seguía siendo obsoleta. Las cuatro calderas conectadas a dos turbinas, producían 38.000 caballos de potencia, accionando dos ejes y dos hélices. Eso cuando funcionaban, que no era infrecuente que alguna caldera no lo hiciera.

Romero se quedó mirando la carta. De repente, para su absoluta sorpresa, cayó en la cuenta.

Aquello no podía ser. Se debía tratar de un error.

No sabía cómo decírselo al almirante. Resolvió hacerlo de una manera delicada.

—Mi almirante, estas coordenadas no nos dirigen hacia la zona de Alicante. Se supone que es el cuadrante que tenemos asignado para vigilar y bloquear.

—Escuche capitán, yo también me sorprendí, al igual que usted, cuando recibí las instrucciones. Le voy a ordenar lo mismo que tuve que hacer yo, hace apenas unas horas. Destruya la nota que le he escrito. Rómpala en mil pedazos. A continuación, dé las órdenes precisas y ponga rumbo a esas coordenadas en concreto. Son las instrucciones del Generalísimo y el motivo que esté a bordo de su buque.

—¡A sus órdenes, mi almirante! —se cuadró el capitán.

29 VALENCIA, 28 DE MARZO DE 1939

Felicia y Gisela se dirigieron hacia el salón, con la intención de despertar a Hugo.

—Déjame hacerlo a mí —dijo Felicia—. La anterior vez que se despertó no lo hizo de muy buena gana, por llamarlo de alguna manera.

—Todo tuyo —le respondió su hija, mientras abrían las puertas del salón.

Para su absoluta sorpresa, Hugo ya no estaba tumbado en el sillón. Se encontraba sentado, apoyando su cabeza entre sus manos.

—No sabíamos que ya te habías despertado —dijo Felicia, a modo de introducción.

—Me acabo de incorporar hace apenas cinco minutos — respondió Hugo.

—¿Has descansado?

—La verdad es que no, pero, desde luego, he despejado un tanto mi mente. He tenido un sueño revelador.

—No queríamos molestarte, pero es casi la hora de cenar.

—¡La hora de cenar! —exclamó Hugo, levantándose de golpe del sillón.

Felicia intentó poner una nota de humor. Su marido no tenía buena cara.

—Si te refieres a la cena, que no nos has contado, con el director Vicente Fe, ya nos hemos enterado. Ha venido a casa mientras tú dormías como un lirón. No te preocupes, entre tu hija y yo hemos sabido salir de la situación con bastante dignidad, a pesar de nuestras caras de sorpresa, al verlo llegar a estas horas.

—¿Habéis cenado ya? —Hugo no sabía cómo interpretar lo que acababa de escuchar.

—No, Vicente ha preferido no quedarse. Ha supuesto que estabas muy cansado y ha decidido marcharse a su casa.

Felicia consideró que no era el momento adecuado para explicarle el verdadero motivo de su marcha.

—¡Debía de hablar con él, es muy importante! —insistió Hugo.

—¿Tiene algo que ver con la comida que has mantenido con tu hermano este mediodía?

—Sí. Me ha contado noticias que Vicente debería conocer. Todo se ha precipitado. La República se ha desmoronado con estrépito.

—Anda, vamos a sentarnos a la cocina y, mientras cenamos, hablamos con más tranquilidad.

—¿Con más tranquilidad? —Hugo no comprendía la reacción de su mujer—. Precisamente es la palabra más inapropiada que se me ocurre, tranquilidad.

Hugo se levantó del sillón. Felicia le dio un pequeño abrazo. Luego, asidos por el hombro, se marcharon hacia la cocina. Gisela los siguió en completo silencio. «A ver cómo lidia mi madre con esta situación», pensó.

Se sentaron alrededor de la mesa. Felicia tenía la cena preparada. Sirvió un plato de sopa a cada uno y, al centro de la mesa, unas verduras.

—Decías que tu hermano te ha informado del estado de la guerra —rompió el hielo Felicia.

—Así es —respondió Hugo, mientras saboreaba la sopa—. La situación es mucho más desesperada de lo que ya presumíamos.

—Lo sabemos —le respondió su mujer.

—¿Qué es lo que sabéis?

Felicia le relató todos los hechos que habían conocido por Toni, con pelos y señales.

Hugo se sorprendió.

—¿De dónde habéis obtenido esa información? Incluso es más completa de la que mi propio hermano me ha contado.

Gisela vio llegar la borrasca.

—Resulta que el padre de un compañero de la Facultad de Gisela está muy relacionado con los altos estamentos. Esta misma tarde nos hemos enterado de todo.

Gisela respiró. Su madre había sido muy delicada explicando una situación muy poco delicada. Había rizado el rizo. Esperaba que su padre no hiciera preguntas acerca del presunto compañero de la Facultad, pero, para su sobresalto, se giró hacia ella.

—Desde luego debe ser un pez gordo. La información es completamente veraz. Mañana mismo, la Quinta Columna se hará con el control de la ciudad. Ya lo tienen todo preparado y programado. A pesar de que el coronel Casado no ha querido recibir ni a mi hermano ni a José Antonio Sáez de Santamaría, saben que ha llegado a un acuerdo con los franquistas de la ciudad. Mañana a primera hora se dirigirá, a través de la radio, a toda Valencia. Después de eso, abandonará la ciudad y les dejará el camino despejado a los *quintacolumnistas*, que aprovecharán para salir a la calle, incluso antes de la entrada de las tropas franquistas. Tomarán el ayuntamiento y los principales edificios de la ciudad. Arriarán todas las banderas republicanas para sustituirlas por la que ellos llaman «nacional». Mi hermano también me ha dicho que mañana proclamarán alcalde provisional de Valencia a Francisco Londres, que enarbolará una gran bandera desde el balcón del ayuntamiento. Incluso está previsto que, en los actos oficiales, cuando se produzca la entrada en la ciudad del general Aranda y sus tropas, participe Jacinto Benavente, bendiciendo al nuevo régimen. ¿Quién le ha visto y quién le ve? Uno que se hacía llamar antifascista, ahora abrazando a sus hermanos políticos.

—Lo sabemos, es terrible —dijo Felicia.

—¿Conoce toda esta información también Vicente?

—Claro, se la hemos contado. Estaba consternado, igual que tú. No daba crédito, no porque no supiera el resultado de la contienda desde hace tiempo, como nosotros, sino por la rapidez y la precipitación de su final.

—Sí, eso es cierto. Lo que me ha contado mi hermano era de esperar, pero todos pensábamos que los hechos no ocurrirían tan rápido ni de esta manera, con una República en desbandada. Si no llega a ser por el dramatismo de la situación de decenas de miles de personas, los más indefensos, casi diría que ha sido una ópera bufa. Todos los responsables se encuentran a salvo fuera de España y los que han dado la cara por la república, jugándose la vida, con toda probabilidad la vayan a perder.

Se quedaron mirando los tres. Aquello parecía un funeral. Sin embargo, Felicia conocía perfectamente a Hugo. Allí había algo más. Se lanzó.

—¿Para qué se ha arriesgado tu hermano a comer contigo hoy? ¿Para darte noticias que mañana mismo íbamos a ser testigos con nuestros propios ojos?

Hugo levantó la cabeza.

—¿Por qué no se ha quedado Vicente a cenar? Con toda la información que ahora sabemos, podríamos haberla comentado.

Felicia no le quería dar la noticia todavía.

—Aunque te vaya a contestar, no rehúyas la pregunta que te he hecho. Vicente tan solo te quería comunicar que *El Mercantil Valenciano* no se publicará más. Mañana nadie acudirá a la redacción, ni siquiera tú. Te lo quería decir a ti el primero, por la especial amistad que tenéis, pero al ver que estabas dormido, nos lo ha dicho a nosotras y no ha querido molestarte.

—Bueno, hoy, en la redacción, ya se respiraba un ambiente de cierta despedida. Tampoco me supone ninguna sorpresa —suspiró Hugo. A pesar de ello, sintió una profunda tristeza. Toda su infancia y los últimos seis años de su vida se los había dedicado a *El Mercantil Valenciano*. Casi era como su casa y a sus compañeros los consideraba también de su familia.

—Bueno, ahora contéstame a mi pregunta —insistió Felicia.

—¿Qué te hace pensar que ha venido por otro motivo diferente al que os he contado?

—Porque es mentira —se atrevió a acusar Felicia. Aunque no sabía por qué, lo intuía. Se esperaba una reacción furibunda de su marido, pero le sorprendió con otra pregunta inesperada, aunque se parecía más a una afirmación.

—Vicente no se ha ido a su casa por no despertarme, ¿verdad?

Aquello desarmó a Felicia. No estaba preparada para semejante contestación. Por otra parte, pensó que le estaba pidiendo sinceridad a su marido, cuando ella no lo estaba siendo con él. Resolvió contarle la verdad.

—No, no ha sido por eso.

—Está en la lista, ¿verdad? Eso era lo que me quería contar, no la tontería del cierre del periódico, que todos nos imaginábamos.

—¿Cómo lo puedes saber? ¿Acaso nos estabas escuchando desde el salón?

—¡Por supuesto que no! —respondió, ofendido—. Si lo hubiera hecho habría participado de la conversación, no me hubiera escondido.

—¿Entonces?

—No hace falta ser muy inteligente para intuirlo. Diputado del Frente Popular, director de un periódico alineado con la república desde el principio del alzamiento militar de Franco, con soflamas republicanas día sí y día también. En Valencia es toda una personalidad. Además, seguro que estará de los primeros de la lista.

—Casi has empleado sus mismas palabras —dijo Felicia, que ahora, al recordarlo, volvía la tristeza a su rostro—. También ha venido a casa un tal Juli, apodado *el chufero*, que igualmente estaba en la lista.

—¿Julio Just?

—Sí, creo que se llamaba así.

Ahora, sin venir a cuento, Hugo soltó la cuchara de una manera tan violenta que casi derrama el plato de sopa. Se puso en pie.

—Se han ido a sus casas para preparar su huida de la ciudad, junto con sus familias, ¿no?

—Sí, claro —contestó Felicia, que no comprendía la súbita reacción de su marido.

—¿Han dicho adónde se pensaban dirigir?

—Claro. El coronel Casado, junto con la Federación Socialista de Alicante, ha preparado una evacuación desde ese puerto. Todos los que lo deseen lo podrán hacer.

Ahora, Hugo se volvió a sentar, pero su reacción sorprendió a Felicia y a Gisela.

Se puso a llorar, tapándose la cara con sus manos.

—¿Qué te pasa? —Felicia se apresuró a abrazar a su marido.

—Que Casado no piensa ni acercarse a Alicante. Esa no será su vía de escape.

—¿Qué? —preguntó Felicia, alarmada—. Pero si lo ha anunciado públicamente, tanto en la prensa escrita como en la radio.

—Alicante es una trampa. Tan solo espero que consigan una plaza en el *Stanbrook*, que será el único buque que partirá de ese puerto —dijo, entre sollozos.

—¿Cómo puedes saber eso?

Hugo intentó dejar de llorar. Ahora se puso todo lo serio que pudo, hasta asustaba.

—¿No querías saber por qué mi hermano se ha arriesgado a comer conmigo hoy?

—Sí, eso te había preguntado hace un momento.

—Ha arriesgado su vida para informarme que yo también estoy en la lista.

30 VALENCIA, 28 DE MARZO DE 1939

—¿Por qué tú? —acertó a preguntar Felicia—. ¿Qué has hecho para merecer ser fusilado?

La escena que se estaba viviendo en la cocina de la familia Font era terrible. Felicia se había levantado de la silla y Gisela había reaccionado de una manera extraña, apartando de forma violenta su plato de sopa, que había vertido su contenido sobre el suelo. Ahora, el que más aplomo y entereza demostraba era el propio Hugo.

—No lo sé, jamás he escrito ningún artículo en el periódico que dejara traslucir mis ideas. Salvo con mi círculo íntimo, que es muy reducido y seguramente todos estarán en la lista también, nunca hablo de política con nadie. La experiencia que sufrimos en el pasado me sirvió para ser hermético en esa materia. La verdad, no me lo puedo explicar. Está claro que soy redactor en *El Mercantil Valenciano,* pero no me imagino que hayan incluido en esa lista a todos los periodistas de la ciudad.

Gisela ya no se pudo aguantar más. Ahora, todo su autocontrol se vino abajo.

—Ha sido culpa mía, papá —después de pronunciar esas palabras, empezó a llorar sin consuelo.

Como pudo, le explicó quién era Toni, su exnovio, que era la persona que le había facilitado toda la información acerca del desmoronamiento de la república y los planes de los sublevados.

Hugo abrazó a su hija.

—¿Así que el hijo de Antonio Cano? ¡Vaya familia más hipócrita y peligrosa! Juegan a dos barajas, así seguro que ganan. No te preocupes por ellos, Gisela. De lo único que puedes ser culpable es de no saber elegir a tus novios, pero de nada más. Ni siquiera se puede considerar un pecado de juventud. Ya sabes que yo elegí a mi novia, tu madre, con la misma edad que tienes tú ahora.

Gisela ni le respondió. Estaba llorando encima del hombro de su padre. A pesar de las palabras amables, que intentaban tranquilizarla, era consciente de que, con toda probabilidad, la culpable fuera ella, por confiar en Toni y hablar abiertamente de política con él.

—¿Qué vamos a hacer ahora? —dijo una desconsolada Felicia—. Ya vivimos una situación idéntica en Berlín, y ahora es revivir una segunda fuga, pero esta es diferente. Aquella ocasión fue espantosa, no lo voy a negar, pero disponíamos de medios sobrados para abandonar Alemania.

—No olvides que para mí no es la segunda, es la tercera. Ya sabes que tuve que huir de España con dieciocho años, para regresar a mi país de origen con treinta y dos, eso sí, con una mujer que no me merezco y con una hija increíble. Llegué a Berlín como un jovenzuelo ignorante y sin futuro y regresé con una familia, que eso es lo que somos ahora. Me parece que, en lo que a mí respecta, no me puedo quejar. Mis dos primeras experiencias fueron positivas.

Felicia estaba perpleja y confundida. Estaba claro que su marido intentaba que Gisela y ella no se derrumbaran, pero le iban a matar en dos días. Veía a Hugo excesivamente tranquilo, dada la situación desesperada. Además, permitiéndose el lujo de hablar de familia, cuando lo iban a dejar de ser en breve, al menos un miembro de ella. No se pudo resistir ante la realidad de los hechos.

—¡Por favor, Hugo! Nosotros no tenemos un medio de escape de España. No somos nadie ni tenemos influencias. Vicente Fe y Julio Just son políticos y, probablemente, puedan abandonar el país, aunque sea a través del vigilado puerto de Alicante.

Hugo seguía sereno, para la exasperación de Felicia. Intentó captar su atención con una frase misteriosa.

—No me habéis hecho dos preguntas muy importantes y fundamentales en toda esta historia —dijo Hugo, que seguía aparentando una tranquilidad, que quizá fuera impostada.

—¿Qué es lo que dices? ¿Dos preguntas? —repitió Felicia—. En una situación así, ¿en serio te vas a poner a jugar a las adivinanzas? ¿Crees que el ambiente es el adecuado como para empezar con tonterías?

—Te aseguro que son cualquier cosa menos tonterías —le respondió Hugo, muy serio.

Gisela se soltó de su padre e intentó dejar de llorar, con poco éxito, pero, al menos, fue capaz de hablar e intentar hacerse entender.

—Creo que nos has contado una mentira, o una verdad a medias, como quieras llamarla.

Hugo no respondió. En su lugar, se quedó mirando a su hija, animándola a continuar.

—Tu hermano no vino a Valencia para decirte que estabas en la lista —siguió Gisela—. Lo siento, no me lo puedo creer, es inverosímil en sí mismo.

Hugo, por primera vez, mostró una tímida sonrisa. Felicia, en cambio, abrió los ojos como platos. No se esperaba esa afirmación.

—Continúa —dijo Hugo.

Mientras, Felicia seguía con esa cara de no entender nada. «¡Si nos lo acaba de contar!», pensaba.

Gisela obedeció.

—El tío José María no se jugaría la vida viniendo a Valencia, tan solo para decirte que ibas a morir en dos días. Eso no lo hace un hermano. Un hermano no trae problemas, trae soluciones.

—¿Pero qué soluciones pueden existir? Estamos atrapados como ratas. No tenemos recursos —dijo Felicia, que no entendía la reflexión de su hija.

—Gisela ha sido muy perspicaz. Sin duda, lo ha heredado de su madre, ¿recuerdas nuestra vida en Berlín? —dijo, mirando con amor a Felicia.

—Claro que la recuerdo. Excepto su final, fueron años muy felices, tal y como ocurre ahora. Hemos sido una familia, pero ahora no sé qué nos espera.

—¿Recuerdas lo que nos dijimos al abandonar Berlín? Que nada ni nadie podría con nuestra familia. Nos dio ánimos y nos ayudó con aquella infame travesía. Ese mismo espíritu es el que quiero ver ahora en vosotras.

—Créeme, Hugo, no veo ese espíritu por ningún lado.

—Venga, volvamos al tema principal ¿Qué otra cuestión os ha llamado la atención de toda la conversación?

Madre e hija se quedaron pensativas. De repente, Gisela se levantó de la silla.

—¡Casado! —gritó.

—Casado, ¿qué? —preguntó Felicia, que no comprendía la reacción de su hija.

—Tú también lo puedes deducir, si piensas un poco —dijo Hugo, dirigiéndose a su esposa.

Felicia se quedó mirando a su hija, que ahora estaba muy nerviosa. De repente, le vino una idea a la cabeza.

—¡Claro! Has manifestado que el coronel Casado no pensaba huir a través del puerto de Alicante. Eso significa que existe otra vía de escape. Conoces por dónde piensa huir el coronel.

—¿Veis como si pensáis juntas sois formidables?

—Pero eso tampoco supone ninguna solución a nuestro problema. Conocer el medio de huida del presidente de la Segunda República española no nos ayuda en nada. Nosotros no estamos a su nivel. Él tiene influencias y las habrá utilizado en su favor. ¿Qué tenemos nosotros?

—Si me dais un minuto, os lo muestro —le respondió Hugo, mientras se levantaba y salía de la cocina.

En efecto, menos de un minuto después, estaba de vuelta. Extendió cuatro hojas, con apariencia de documentos oficiales. Parecía una especie de listado con nombres.

—¿Qué es esto? —preguntó Felicia.

—Es la lista oficial de pasajeros que van a huir de España en el buque *HMS Galatea*, mañana por la noche —respondió Hugo.

—¿Pero no habíamos convenido que tan solo se iba a permitir la salida del buque mercante *Stanbrook*?

—Para empezar, ese buque mercante, como bien lo has definido, partirá del puerto de Alicante. Pero el *HMS Galatea* no cumple ninguno de los dos requisitos.

—¿A qué te refieres?

—Ni es un barco mercante, ya que es un buque de guerra que pertenece a la *Royal Navy* británica, y tampoco zarpará desde el puerto de Alicante. Además, quiero que le dediquéis diez minutos a leer toda la lista de su pasaje, con tranquilidad, pero os recomiendo que le prestéis especial atención al undécimo pasajero por la cola, en el último de los cuatro documentos.

LIST OF PASSENGERS. M. M. S. "Galatea" 00001

Jimenez Nicolau	Santiago	1	Captain - A.D.C. of Casado
Pineiroa plaza	Rosendo	2	Lt. Col.
Nieto Carmona	Andres	3	Colonel
Zamarró de Antonio	Alejandro	4	Lt. Colonel
Moragas Corujo	Emilio	5	Sec.Chief of Police
Altabas Palacin	Miguel	6	Capt.Shock Police
Hernandez Sanchez	Francisco	7	Lt. Col., Shock Police
Aizpuru Maristany	Gabriel	8	Col. Shock Police
Ritore Olmo	Valentin	9	Major Carabineros
Puerto Escamilla	Juan	10	Capt. Shock Police
Cano Vazquez	Daniel	11	Chief Agricult. Dept.
Pestor Santamaria	Amaro	12	Pros. Counsel, Army of extremadu
Casado Iglesias	Angel	13	Sec.Direct.Agric.
Gomez Escribano	Jesus	14	Sec. Police & Public Health
Calmado Ferrer	Rafael	15	Major A.D.C. Casado
Morajas Corujo	Fernando	16	Sec. Police of Valencia
Labrado Maza	Orencio	17	A.D.C. of Casado
Mantecon Navasal	José Ignacio	18	Commisar Army of Levante
LopeznCaballos	Leopoldo	19	Chief Section Economy
[illegible]lmeron Hurtado	Abelardo	20	Delegate of Carabineros
Alvaro Perez	Pablo	21	Delegate of Carabineros
Rojas Zabala	Ernesto	22	Commisar XXXX Ist Division
Luis Hernalz	Estanislao	23	Comisar Ist Division
Leon Ramos	Rodrigo	24	Commisar of Brigade 74
Grande Talavera	Guillermo	25	Chief G.H.Q. Div. 39
Rubin Camarena	Balbino	26	Chief Police Cartagena
Valle Soria	Mariano	27	Major Brigade nº 4
Ruiz Gutierrez	Agracio	28	Major Brigade nº 8
Lopez Lucio	Gerardo	29	Sec. Section Education and Communications
Gonzalez Salzado	José	30	Sec. Military Police (S.I.M.)
Mateos Moreno	Fermin	31	Chief Section Industries
Salgado Moreira	Manuel	32	Chief Military Police (S.I.M.)
Pulgate Galindo	Juan	33	Chief Brigade nº 74
Serret Cunat	Jose	34	Newspaper man
Sanchez Rosadas	Serafin	35	Sec. Socialist Comm. Val.
Pascual Perrucha	Graciano	36	Major
Rodriguez Gonzalez	Celestino	37	Chauffeur
Sanchez Martinez	Pedro	38	Sec. Nat. Comm. Defense
Rodriguez Medina	Francisco	39	Batallonn Commander
Puiz Perez	José	40	Military Police
Alarcon Minaya	Emilio	41	Military Police
Rovina Pena	Tomas	42	Military Police
Molina Gutierrez	Francisco	43	Military Police
Quintas Gomez	Nicolas	44	Capt. G?H.Q. nº 16
Gonzalez Fernandez	Pedro	45	Carabinero
Garcia Sanchez	Clemente	46	Escort Police
Moreno Ortega	Justo	47	Escort Police, Home Office
Campoe Arribas	Lorenzo	48	Escort Police, Home Office
Bonet Leal	Leopoldo	49	Commisar, Home Office
Contreras Arriza	Jose	50	Lt. Infantry
Alcantarilla Benito	Luis	51	Chauffeur
Araujo del Castillo	Jose	52	Assistant Home Office
Blum	Oscar	53	Novelist
Curia Sabra	Ricardo	54	Military Police
Jarreno Muñoz	Jose Maria	55	C.N.T.

00002

..onzález Sanchez Barbera	Jose	56	Sec. Railway Comm.
Gallifa Salamo	Miguel	57	Military Police
Gonzalez Garcia	Antonio	58	Capt. Infantry
Macero Perez	Emilio	59	Aviation
Roman Tejado	Emiliano	60	Capt. Carabineros
Lazaro Perez	Cristobal	61	Capt. Carabineros
Herrero de Blas	Lorenzo	62	Civil Police
Carrasco	Micaela	63	Private Sec.Director of Fine Art
Ruiz Alcala	Eduardo	64	Director of Fine Arts.
Gonzalez Dominguez	Pedro	65	Sergeant
Cimeno Cimeño	Salvador	66	Civil Police
Andradez Rodriguez	Francisco	67	Capt. Infantry
Abarca Martinez	Damian	68	Political Agent
Marcos Adua	Salvador	69	Political Agent
Montalban Garcia	Concepcion	70	
Fernandez Garcia	Pedro	71	Capt. Carabineros
Carreno Garcia	Catalina	72	
Espada de Lago	Sebastian	73	Madrid Police
Garcia Pradas	José	74	Press Secretary
..el Toro y Gomez	Antonio	75	Assistant Chief Police
..epeda Montero	Nicolas	76	Assistant Exchequer Police
Guillen Vela	Enrique	77	Assistant Exchequer Police
Blanco Torres	Jose	78	Chauffeur
Sobreperez Beliver	Mario	79	Chauffeur
Guisado Manzo	Bernardo	80	Capt. Carabineros
Alonso Fernandez	Isidro	81	Capt. Engineers
de Cozar Herrera	Felix	82	Lt. Engineers
Perez Navacerrada	Eusebio	83	Lt. Engineers
Benedito Campins	Jose	84	Capt. Infantry
de Abajo	Vega	85	Telephonist
Lasa	Manuela	86	Telephonist
Bilabo	Ma.Luisa	87	Telephonist
Guerra	Antonia	88	Telephonist
Reig Pardo	Rafael	89	Capt. Infantry
Battaler Macer	Jose	90	Accountant
Lluessea Urrega	Estanislao	91	Political Agent. Argentine
Almeda Hermosa	Luis	92	Press Agent
Alba Alberta	Francisco	93	Press Agent
/ nela Gilabert	Juan	94	Commissar
Montfort Olleta	Jose	95	Political Agent
Gimenez Hernandez	Gerardo	96	Sec.Soc. Union, Valencia
Medin Sanchez	Victor	97	Municipal Council, Valencia
Iberra Muñoz	Fulgencio	98	Sec.Soc. Union, Valencia
Delso de Miguel	Joaquin	99	F.A.I.
Villanueva Marquez	Juan	100	S.I.M.
Pastor Sevilla	Isidro	101	S.I.M.
Gonzalez Entrialgo	Avelino	102	Nat. Comm. Mov. Libert.
Consegura Criado	Jose	103	Nat. Comm. Young Libert.
MicallesRipoll	Prometeo	104	Nat. Comm. Young Libert.
Aldea Perez	Concepcion	105	Telephonist
Portales Casamar	Suceso	106	C.N.T.
Partos Polgare	Patio	107	Chief, Naval Base, Valencia
Vicioso Ollere	Manuela	108	Comm. Young Libert.
Pastor Bolves	Carmen	109	Sec. Ministry Commerce
Falomir Guerrexx	Antonia	110	
Lloreas Navarro	Rosa	111	
Vicente Gili	Carmen	112	
Tamaral Vicente	Conpepcion	113	15 years

00003

..maral Vicente	Maria	114	14 yeras
Tamaral Vicente	Mercedes	115	12 "
Tamaral Vicente	Juan Jose	116	10 "
Tamaral Vicente	Antonia	117	8 "
Tamaral Robles	Andres	118	Police
Falomis Benito	Pedro	119	Mechanic
Menendez Garcia	Mariano	120	Commercial Agent
Gonzalez Ramirez	Manuel	121	Sergeant Infantry
Battle Ouasch	Juan	122	Radiotelegraphist
Casalo Ollestre	Juan	123	Sergeant
Lopez Muñoz	Jesus	124	Sergeant
Eriz Escurre	Juan	125	Sergeant
Barrea Sanchez	Juan Antonio	126	Pressman
Braganza	Antonio José	127	Telegraphist
Taliena Gadea	Pascual	128	Miner
Salvador Brum	Joaquin	129	Carabinero
Marcillo Macinaz	Pedro Jose	130	Carabinero
Oliva Ramon	Santiago	131	Sergeant, Shock Police
Gary Igatus	Pedro	132	Corp. Infantry
Aguirre Bengoa	Santiago	133	Trooper
il Orti	Felipe	134	Batallion Commander
Romero Rodriguez	Emilio	135	Corp. Infantry
Sola Pena	José	136	Corp. Infantry
Gomez Acebo	Antonio	137	Corp. Infantry
Ibero Martin	Edmundo	138	Corp. Infantry
Ferrer Soler	Enrique	139	Assistant Sick Bay
Perella Esteban	Antonio	140	Assistant Sick Bay
Martorell Vives	Salvador	141	Sergeant Engineers
Piferrer Chaffer	Enrique	142	Lieut. Engineers
Sabater Reus	Gabriel	143	Chauffeur
Gardo Amargos	Manuel	144	Chauffeur
Trilles Marti	Elisea	145	Fisherman
Pages Gallen	Victor	146	President U.G.T. de Gandia
Gallert Ferrer	Vicente	147	Sea Carabineros
Gordan Pla	Ramon	148	Chauffeur
Benedito Campins	Felix	149	Sergeant Supply Dept.
Blasco Frances	Pascual	150	Trooper
Jarra Romero	José	151	Trooper
Ferrera Gutierrez	Manuel	152	Trooper
Rubio Vazquez	Julian	153	Policeman
Cabanas Catalan	Jose	154	F.A.I.
Grunefeld	Jose	155	(Argentine) Political Agent
Garcia	Tomas Arturo	156	(Argentine) Political Agent
Cortijo Valverde	Eduardo	157	F.A.I.
Menendes	Leopoldo	158	General
Menendes	Juan	159	Son of the above
Camacho	Antonio	160	Colonel
Reyes Senen	Alfonso	161	
Ciudad	Francisco	162	Lt. Colonel
Silverio A	Amador	163	Major
Arce	Juan	164	Lt. Colonel Air Force
Cardona	Luis	165	Lieutenant
Belda	Francisco	166	Colonel Artillery
Martin Canales	Eduardo	167	
La Iglesia	Federico	168	Colonel Chief of Staff, Lev...
Just Pellicer	Alegria	169	Daughter of above, 7 years
Just Pellicer	Mario	170	Son of above, 4 years
Just Pellicier	Antonio	171	Son of above, 2 years

00004

..scriba	Maria	172	Adopted daughter of above,12 years
Rodriguez Olozabal	José	173	President of Court of Valencia
Rodriguez Olozabal	Manuel	174	Prosecuting Lawyer-Brother of above
Alvarez X	Aurelio	175	Sergeant of Carabineros
Wood	Barbara	176	P.36II40 London July 9, 1935
Barrado Herrero	Ignacio	177	
Rigal	Albert	178	P.66240, Paris, Nov.8;37
Maupoil	Bernard	179	P.52049, Paris Sept.30,32
Valdes de Rivaud	Maria	180	
Brown	E.H.	181	P.C.104451,Marseille, 23/3/39
Beer	Zygfryd	182	P.138/36 Prague, Jan.29/36
Zilliacua	Laurin	183	P.187/1095 Helsinfords, May 10, 1937
Casado	Segismundo	184	Colonel
Gonzalez Marin	[illegible]	185	Nombre: Manuel
Carrillo	Wenceslao	18[illegible]	
Valz	Eduardo	186	
Del Rio Rodriguez	José	188	
Gil	Rodrigo	189	P.485 Madrid March 2,39
Sportisse	Alice Gilberte		190 P.18859 Paris, May 23, 38
..ollin	Jean-Jacques Louis	191	P.69974 Paris, Nov.26,36
..anacho y Vicnte	Rafael	192	
Kalmanovitch		193	
Duran Martimer	Gustavo	194	Lt.Colonel Chief XXth.Army Corps

Formaban parte de la Comision Internacional enviada por el Comité de Coordi nacion en Paris para ayudar en la evacuacion de las personas mas en peligro

A Gisela casi se le salen los ojos de las órbitas.

—¡Es Segismundo Casado! —exclamó.

—Junto con él se encuentran todos los nombres de lo que queda del Consejo Nacional de Defensa republicano —añadió Hugo.

Durante casi quince minutos, Felicia y Gisela estuvieron repasando el pasaje del *HMS Galatea*. Conocían a algunos de los que iban a embarcar, pero no estaba el nombre de ninguno de ellos.

—A no ser que mi vista me falle, aquí no estamos nosotros. O sea, que sabes a través de qué medio y por dónde va a huir de España el coronel Casado y los suyos, y ya está.

—No está —intervino Gisela, con mucha firmeza—. Está claro que estos listados te los ha facilitado tu hermano, este mismo mediodía. ¿Para qué lo iba a hacer si no figuramos en ellos? Tan solo queda una respuesta lógica.

—¿Cuál?

—Que, en realidad, sí que estemos.

Felicia se quedó mirando a su hija, sin comprenderla.

—No, no estamos. Me he leído el listado dos veces. Se me podría haber pasado el nombre de alguno de nosotros, pero ¿de los tres? Seguro que no.

Hugo intervino.

—Muy a tu pesar —dijo, dirigiéndose a su esposa—, me parece que tu hija te ha superado, con dieciocho años. Yo te conocí con la misma edad. ¿Te acuerdas de aquella comida en tu pomposo castillo? En realidad, sois idénticas, pero Gisela tiene más imaginación que tú.

—¿Qué tiene que ver la imaginación con una lista de embarque, con nombres y apellidos concretos? —Felicia seguía sin comprenderlos.

—Todo —respondió Hugo—. ¿Sabes lo que dijo Albert Einstein en una ocasión?

—Anda, suéltalo.

—Que, «en los momentos de crisis, solo la imaginación es más importante que el conocimiento». Ahora estamos en uno de esos momentos de crisis, aplica la imaginación.

—Sí —contestó Felicia—. También el escritor estadounidense George William Curtis dijo, en una ocasión, que «la imaginación sirve para viajar y cuesta menos». Imagina lo que quieras, hasta que viajas a la otra parte del mundo, pero lo harás tan solo con tu mente. En realidad, no te moverás ni un solo metro.

Su hija Gisela salió en su auxilio.

—Ya que estamos con citas, me uno a vosotros. ¿sabes cuál era el lema de Julio Verne? «Todo lo que una persona puede imaginar, otros pueden hacerlo realidad».

Felicia se le quedó mirando, sin comprenderla.

—Mamá, sí que estamos en esta lista de embarque.

31 VALENCIA, 28 DE MARZO DE 1939

—Mirad el último libro que me acabo de leer, publicado al principio de esta guerra —dijo Felicia, tomando el ejemplar de encima de un estante de la cocina—. Leed el título.

Hugo y Gisela lo leyeron a la vez.

—*La realidad y el deseo*, de Luis Cernuda.

—Es un poemario precioso, a ver si os aplicáis el título y sabéis distinguir ambos conceptos.

—Mamá —empezó a explicarse Gisela—, el tío José María también tiene familia y una notable posición dentro del nuevo régimen que se instaurará en España. Ahora mismo, tiene mucho más que perder que nosotros. ¿No comprendes, al menos, la lógica que encierra que el tío no arriesgaría su vida por un motivo que no fuera de vital importancia para nosotros?

—Sí, supongo que tienes razón.

—¿Y cuál te parece que podría ser ese motivo? Te voy a dar tres opciones, la primera, ¿informar del estado de la guerra? La segunda, ¿decirle a papá que va a morir en unas horas? o la tercera, ¿salvarle la vida a su hermano? Reflexiona un poco, ¿por cuál de ellas creería el tío que merecería la pena arriesgar su valiosa vida?

—Bueno, explicado así, está claro que me estás conduciendo a que te diga que la tercera es la más probable, pero es todo pura dialéctica. ¿Dónde están las pruebas que lo sustenten?

—Eso es otra cosa —intervino ahora Hugo, dirigiéndose a su mujer—. A ti, que te encanta la poesía, ¿no ves una intensa belleza poética en el razonamiento de tu hija? Me ha impresionado, la verdad.

—¿Belleza poética? Yo preferiría pruebas más prosaicas —le respondió—. Con versos no nos vamos a salvar.

Mientras terminaba la frase, Hugo salió de la cocina. Al minuto escaso estaba de vuelta, con un sobre en su mano. Lo dejó encima de la mesa.

—Aquí tienes tus pruebas prosaicas —le dijo a Felicia.

Felicia se lo quedó mirando extrañada. Gisela estaba sonriendo.

—¿No lo pensáis abrir? —preguntó Hugo.

—Yo ya sé lo que contiene —le respondió Gisela—. Anda, mamá, ábrelo.

Felicia no comprendía como su hija podía conocer su contenido, pero. de todas maneras, obedeció.

Abrió el sobre.

En su interior había tres salvoconductos, documentación de identidad y tres pasajes para el *HMS Galatea*.

Felicia se los quedó observando durante un minuto escaso, con un gesto de estupor.

—Estos documentos no son nuestros, van a nombre de otras personas —concluyó—. No nos dejarán abordar ese buque con documentación falsa o a nombre de otros.

—Fíjate mejor en cada uno de ellos, en concreto en la fotografía.

Ahora sí, Felicia se sobresaltó de forma notable.

—¡Son nuestras fotos! —exclamó.

—Así es. Durante el viaje, tú serás Concepción Montalbán García, Gisela se llamará Catalina Carreño García, y yo asumiré en papel de José Serret Cuñat. Ahora, a la vista de esta documentación, observad la lista del pasaje del *HMS Galatea.* En concreto, fijaos en los viajeros números 34, 70 y 72.

Mateos Moreno	Fermin	31	Chéef Section Industries
Salgado Moreira	Manuel	32	Chief Military Police (S.I.M.
Pulgate Galindo	Juan	33	Chief Brigade nº 74
Serret Cunat	Jose	34	Nrwspaper man
Sanchez Rosadas	Serafin	35	Sec. Socialist Comm. Val.
Pascual Perrucha	Graciano	36	Major

Montalban Garcia	Concepcion	70	
Fernandez Garcia	Pedro	71	Capt. Carabineros
Carreno Garcia	Catalina	72	
Espada de Lago	Sebastian	73	Madrid Police
Garcia Pradas	José	74	Press Secretary
Del Toro y Gomez	Antonio	75	Assistant Chief Police
Cepeda Montero	Nicolas	76	Assistant Exchequer Police
Guillen Vela	Enrique	77	Assistant Exchequer Police
Blanco Torres	Jose	78	Chauffeur

Allí estaban esos nombres. No solo eso. En la nueva identidad de Hugo, hacía constancia de que era un *Newspaper man,* es decir, lo identificaba como un periodista. En los casos de Felicia y Gisela, convenientemente omitía informar de sus ocupaciones.

—Insisto, con estos documentos falsos no engañaremos a nadie —Felicia seguía sin estar convencida.

—Esa es la parte más divertida de esta historia. No son documentos falsos. Están emitidos por las autoridades con los sellos originales y con nuestra foto real. Los pasajes también son auténticos y únicos. No se presentarán en el puerto las personas con esos nombres, porque oficialmente somos nosotros —explicó Hugo.

Gisela ya lo había deducido todo, por lo que no mostró ninguna sorpresa ni formuló ninguna pregunta. Era Felicia la que se mostraba escéptica.

—Pero has dicho que el buque no partirá de Alicante, desde donde, supuestamente, se está organizando la huida masiva. ¿Entonces?

—No, no saldrá de Alicante, como ya te había dicho —respondió Hugo—. ¿No te llama la atención que sea un buque militar británico y no un mercante? Eso debería de ser una pista con la suficiente relevancia como para saber desde donde partiremos mañana.

Felicia se quedó pensativa. Una idea le rondaba la cabeza.

—¡Desde Gandía! —exclamó, cuando lo comprendió.

—Muy bien, esta parte la has deducido tu solita.

—¿Por qué desde el puerto de Gandía? —preguntó Gisela, extrañada—. Está mucho más cerca de Valencia y es lógico pensar que caerá en manos enemigas antes que el puerto de Alicante.

—Es comprensible que no sepas el motivo, aún eres joven y no conoces la especial relación de los ingleses con ese puerto —le respondió su padre—. En mayo de 1938, el gobierno británico decidió que iba a ser Gandía el puerto de atraque oficial de sus buques de guerra en la zona levantina. El de Valencia no era seguro, por los constantes bombardeos y les pareció más discreto Gandía. En consecuencia, se convirtió en el puerto de entrada y salida de súbditos británicos durante el último año de la guerra civil. También los británicos tienen una relación comercial muy intensa con la ciudad. No obstante, son los concesionarios del puerto. Además, el hecho de que fuera elegido por la Cruz Roja Internacional y las diferentes organizaciones humanitarias, como base de operaciones de intercambio de prisioneros de guerra, facilitó la elección. En consecuencia, en el puerto que menos llama la atención la presencia de un buque de guerra británico es en Gandía.

—Pero toda esa información también la conocerá el gobierno franquista, ¿no?

—¡Por supuesto! No solo la conoce, sino que está informado por las propias autoridades británicas. Saben que el *HMS Galatea* atracará a partir de las cuatro de la tarde y han dado su permiso para que entre en las aguas territoriales españolas. Evidentemente, lo que desconocen es su verdadera misión, pero lo único que va a hacer, mañana por la noche, es partir hacia aguas internacionales, tal y como ha venido siendo habitual durante este último año. En principio, es una misión rutinaria que no debería despertar ninguna sospecha. Además, mañana hay organizado un intercambio de prisioneros de guerra italianos en el propio puerto, con lo que la confusión está garantizada. Estas operaciones suelen ser conflictivas, lo que supone un beneficio añadido para pasar desapercibidos.

—Aún no podemos decir que estemos a salvo —reflexionó Gisela—. Demasiadas variables están abiertas. Ya sabes que los buques de guerra de la armada franquista estarán vigilando la costa.

—¿De verdad crees que unos viejos destructores de la Gran Guerra, como los franquistas, se van a atrever con un moderno crucero ligero de la *Royal Navy*? El supuesto combate naval duraría menos de cinco minutos. Una cosa es interceptar buques mercantes desarmados y con una evidente sobrecarga de refugiados, y otra hacerlo contra un oponente netamente superior, con una batería de cañones *Mark XXIII*, del calibre cincuenta, por no nombrar los modernos lanzatorpedos. Al primer *zambombazo*, los destructores franquistas se irían a pique. No se atreverán a iniciar ningún acto hostil, conociendo el resultado de antemano. Además, no te olvides de una cuestión estratégica importante. Su principal interés estará centrado en el puerto de Alicante. Gandía no debería estar entre sus preocupaciones principales. Es muy posible que nos encontremos con las aguas despejadas.

Felicia aún permanecía en pie, en el centro de la cocina.

—Todo eso está muy bien, pero aquí nadie hace la pregunta fundamental.

Hugo y Gisela permanecieron en silencio. Desconocían a qué se refería.

—Nos vamos de España, eso parece claro, pero ¿adónde iremos? ¿Dónde reharemos de nuevo nuestra vida familiar? Os veo muy interesados con los planes de fuga, y muy poco con los planes de nuestro futuro.

«*Touché*», pensó Gisela. No tenía ni idea.

32 GANDÍA, 29 DE MARZO DE 1939

—Debéis partir de inmediato a Alicante. Allí se está organizando la evacuación general. Aún es un puerto republicano. Gandía ya está en manos de la Quinta Columna franquista —dijo el coronel Casado.

—Entonces, si la evacuación es por Alicante, ¿qué haces tú en el puerto de Gandía? —le espetó el capitán Montes, que era un destacado miembro del Partido Comunista, además de militar.

—Estoy intentando organizarlo todo lo mejor que puedo. Partiré para Alicante en breve, cuando termine mi labor aquí. Estoy en contacto con los cónsules de Gran Bretaña y Francia. Los buques que están amarrados en este puerto, zarparán hacia Alicante.

—Como nos engañes, te descerrajo un tiro aquí mismo —le amenazó Montes—. No permitiré que nos tomes el pelo. Ya me conoces de sobra y sabes que no son bravuconadas. O zarpamos contigo o te mato aquí mismo.

La situación se había tornado muy violenta. Casado sabía que, por las calles de Gandía, ya desfilaban unos trescientos falangistas. Para evitarlos, había dado un pequeño rodeo hasta llegar al puerto de Gandía. Lo que observó a su llegada no se lo esperaba. Pensaba que todos lo que querían abandonar España estarían camino de Alicante. No creía que se fuera a encontrar con militares republicanos.

—¡Por favor, Montes! Todos estamos del mismo bando. No saques las cosas de quicio.

El capitán parecía que iba a perder la paciencia.

—Además, ¿de qué barcos me hablas? Tan solo veo un buque de guerra británico, el *HMS Sussex* y el *S. Nubian*. Además, me da la impresión que este último está siendo utilizado para un intercambio de prisioneros italianos por combatientes de las Brigadas Internacionales. No olvides con quién estás hablando, idiota, que tengo mil veces más experiencia que tú, a pesar de nuestros diferentes grados militares.

—Por favor, tranquilízate. Estamos esperando la llegada de buques mercantes británicos y franceses. Los redirigiremos hacia el puerto de Alicante, por eso estoy yo aquí. Tan solo estoy haciendo labores de intermediación con los cónsules, de hecho, los estoy esperando. Acudirán aquí, a Gandía, a entrevistarse conmigo.

—No te creo, siempre has sido un cochino mentiroso. Lo del golpe contra Negrín lo confirmó —dijo el capitán, levantando su fusil, en un claro gesto amenazante.

En ese momento, para salvación de Casado, apareció el comandante Narciso Julián, que dirigía una brigada blindada republicana.

Se sorprendió por lo que vio ante sus ojos.

—¿Qué es lo que ocurre aquí? —exclamó, con un tono de evidente enfado—. ¡Capitán, baje su arma de inmediato!

Montes no respetaba a Casado. Sabía que odiaba a los comunistas y no se fiaba de él, pero el coronel Narciso Julián era otra cosa. Depuso su actitud amenazante.

Casado tomó la palabra.

—Le estaba informando al capitán que estoy organizando la evacuación por el puerto de Alicante.

—Y en vez de estar a voces en medio de la calle, ¿por qué no lo discutimos en privado, por ejemplo, en el edificio de la comandancia del puerto?

—No hay ningún problema. Ahora aviso a *Mister* Apfel, que es el encargado de la compañía concesionaria del puerto. Que se una a la reunión y estoy seguro de que confirmará mi versión, si no me creéis a mí.

En ese justo instante, estaba entrando en el puerto el *HMS Galatea*.

Casado aprovechó la ocasión.

—Si nos esperamos unos minutos, a bordo de ese buque viaja el contralmirante John Tovey, que ya conocéis que es el jefe de las fuerzas navales británicas en el Mediterráneo. Supongo que con él viajará también el cónsul Goodden. Nos reuniremos todos y dejaremos las cosas bien claras de una vez, sin malentendidos —afirmó.

Montes ya no tuvo más remedio que acceder a las peticiones de Casado. En apenas un cuarto de hora, estaban reunidos el propio Casado, el coronel Julián, el contralmirante Tovey, el cónsul Goodden y *Mister* Apfel, como representante del puerto. También se encontraban presentes en la reunión algunos miembros del Consejo Nacional de Defensa republicano.

—Debemos organizar los buques en dirección a Alicante —Casado comenzó la reunión tomando la palabra y la iniciativa, que parecía que había perdido.

—Ahora mismo se está produciendo un intercambio de prisioneros en el *S. Nubian*, con ayuda de los militares del *Sussex* —intervino Tovey—. Parece que hay algunos disturbios. No los podemos mover hasta que la situación se resuelva, es un tema de la Cruz Roja.

—¡Y una mierda! —replicó Montes—. Todos los combatientes y los civiles republicanos se están dirigiendo hacía Alicante. ¿Qué se van a encontrar allí? ¿Un puerto vacío?

—Hemos dado instrucciones para que varios buques mercantes se dirijan hacia Alicante. Sabemos que está fondeado el *Stanbrook*, que, apurando, podrá acomodar a unas tres mil personas, pero llegarán más buques, también franceses —explicó el cónsul Goodden.

En ese preciso instante, entró una comunicación por la radio.

—Coronel Casado —dijo uno de sus subordinados—. Es el coronel Burillo, desde el puerto de Alicante. Quiere hablar con usted, Dice que es urgente.

—Adelante, ponga la radio encima de la mesa y escuchemos todos lo que nos quiere contar el coronel.

—¿Casado? —preguntó, entre interferencias.

—Sí, soy yo, coronel. Infórmeme de las novedades en el puerto.

—¿Se lo resumo? ¡Esto es un puñetero desastre! —exclamó Burillo, muy enfadado—. Ya seremos más de quince mil personas esperando en el puerto y no cesan de llegar columnas de gente. No hay barcos. Todos estamos muy nerviosos. Sabemos, por personas que vienen de allí, que Gandía ya está en manos de los falangistas. No creo que tarden mucho tiempo en hacerse con el control del puerto de

Alicante. Necesitamos ayuda, ¡pero tiene que ser ya! Estamos desesperados. ¡Esto es una catástrofe!

—¡Ya lo decía yo! —exclamó Montes, dando un puñetazo encima de la mesa, en claro gesto violento.

—Escuche, coronel —dijo Casado por la radio—. Además del capitán Montes, le están escuchando el contralmirante británico Tovey, el cónsul Goodden, el coronel Narciso Julián y el *mandamás* del puerto de Gandía, *Mister* Apfel. Tan solo falta el cónsul francés, que ya tenía que haber llegado, pero no le vamos a esperar.

—¡Pues muevan sus culos ya! —los gritos de angustia de Burillo se podían escuchar desde fuera del edificio —. Si no acuden los barcos prometidos, seremos capturados y ajusticiados.

—No lo permitiremos —dijo Goodden—. Tenemos instrucciones del *Foreign Office.* Todos los buques disponibles se dirigirán a Alicante. Los únicos que permanecerán en Gandía serán los militares, el *Sussex* y el *Galatea,* ya que están envueltos en otra operación, pero aunque los enviáramos, les servirían de muy poco, ya que su capacidad de carga no supera las doscientas personas. No olvide que no son mercantes.

—Coronel, le habla Apfel. Soy el jefe de la concesionaria del puerto. Puedo corroborar cada palabra del cónsul. Daré instrucciones para que todos los mercantes se dirijan a Alicante.

Ahora intervino Tovey.

—Contarán con la protección de la *Royal Navy,* al menos hasta que alcancen aguas internacionales. En las aguas territoriales españolas, intentaremos entorpecer la labor de vigilancia de los buques franquistas —confirmó el contralmirante.

—¡Desde mucha prisa, esto se está poniendo muy feo por momentos! Nos falta hasta lo más básico, agua y comida. La gente está muy alterada. Me temo que se pueda producir un motín.

—Ahora mismo ordenaré que le faciliten todo lo que precisen —dijo Casado.

—¡Vengan a por nosotros cagando leches! No tengo nada más que añadir. ¡Levanten sus culos de las sillas y sáquenos de aquí ya! —cortó la comunicación el coronel Burillo.

Todos lo presentes se quedaron mirando, abrumados por los gritos de auxilio de los que acababan de ser testigos.

—¿No lo comprenden? Tienen que marcharse todos hacia Alicante, antes de que su puerto sea tomado por las tropas franquistas —dijo Casado, dirigiéndose al coronel Julián y al capitán Montes—. Preparen sus tropas para una partida inmediata. Nosotros coordinaremos desde Gandía todos los recursos disponibles hacia Alicante. No lo digo yo, ya han escuchado a todos los que estamos sentados en esta mesa, que, ahora mismo, tienen más poder que yo.

Los oficiales republicanos quedaron medio convencidos con las explicaciones, pero no les quedaba otra alternativa. Abandonaron el edificio del puerto y prepararon sus tropas para marchar hacia Alicante.

Cuando se quedaron solos Tovey, Goodden, *Mister* Apfel y Casado, el primero se dirigió al último.

—No crea que porque se queda en Gandía, tiene garantizada la libertad. Será embarcado, como estaba previsto en el *HMS Galatea*, pero eso es todo nuestro compromiso. No le podemos garantizar que no sea apresado.

—¿Qué? —chilló Casado, indignado—. Creía que eso ya lo teníamos hablado y lo habíamos dejado muy claro. Mi libertad y mi traslado a Inglaterra son temas innegociables.

—Pues ahora ya no es así —insistió Tovey, con el gesto muy adusto—. Serán las autoridades británicas las que decidan su suerte. Si nos ordenan que les entreguemos al general Franco, así procederemos, al igual que con el resto de los pasajeros del *HMS Galatea*, sin ninguna excepción. No tiene alternativa, así que, háganos a todos el favor de no humillarse más. La conversación ha terminado —dijo, levantándose de la silla, seguido por Goodden y *Mister* Apfel.

Casado había pasado de la indignación a la angustia, en apenas unos segundos.

33 GANDÍA, 29 DE MARZO DE 1939

—Algo ocurre —dijo Hugo.

—Parece que hay problemas —le contestó Felicia.

Se estaban aproximando al puerto de Gandía. Eran las cuatro de la tarde y pensaban que llegaban con la suficiente antelación para embarcar en el *HMS Galatea*, tal y como tenían previsto. Debía de zarpar al anochecer. Sin embargo, el buque no había arribado al puerto y estaban observando una escena de lo más curiosa, por llamarla de alguna manera.

Desde la distancia, mientras se aproximaban, podían observar al coronel Casado y a su séquito discutiendo en medio del puerto, y no era una discusión cualquiera. Les daba la impresión que era violenta. Por otra parte, esperaban encontrar el puerto de Gandía tranquilo, ya que la evacuación oficial estaba anunciada desde Alicante. Sin embargo, había, al menos, trescientos milicianos republicanos ý aún parecía que estaban llegando más. Temieron que aquello les pudiera complicar su embarque.

Durante el viaje, habían conocido que Gandía estaba en poder de la Quinta Columna. Tal y como habían comentado, era previsible, ya que se encontraba más cerca de Valencia. Alicante aún estaba en poder de los republicanos. Entre esta noticia y lo que observaban, no podían ocultar su preocupación.

Vieron como el coronel Casado, acompañado de otros militares republicanos, abandonaban el puerto. No sabían qué estaba ocurriendo, pero no era normal.

—Mirad —gritó Gisela, mirando en dirección a la bocana del puerto.

Los tres se giraron.

—Ese es nuestro buque, el *HMS Galatea* —dijo Hugo—. Aunque se esperaba que atracara con algo más de antelación, por lo menos ya lo tenemos aquí.

Había tanto revuelo en el puerto de Gandía que, desde que lo vislumbraron en la distancia hasta que pudieron entrar, les llevó casi una hora. Reinaba la confusión por todas partes, ya que, además de las tropas republicanas pretendiendo huir, también observaron una dotación de soldados británicos fuertemente armados. Aquello, desde luego, no parecía nada normal.

Hugo se dirigió a un oficial de la *Royal Navy*, para preguntar qué es lo que ocurría.

—Hemos tenido complicaciones —le dijo—. Estamos evacuando a un contingente de soldados italianos y tememos alguna revuelta por parte de los combatientes españoles. Tenemos instrucciones de nuestros superiores de rechazarla por la fuerza.

—Nosotros estamos incluidos en la lista del pasaje —le indicó Hugo, preocupado y asustado al mismo tiempo.

—No se alejen del buque en ningún momento —el oficial advirtió el temor de Hugo—. Si la situación se torna violenta, este será el lugar más seguro del puerto, tras nuestros soldados.

—Pero ¿se mantienen los planes de evacuación?

—Quiero suponer que sí, ya que no hemos recibido noticias cancelando la operación, pero tampoco esperábamos encontrarnos estos graves incidentes en Gandía. Ahora mismo, se están manteniendo conversaciones con el *Foreign Office*. El cónsul Goodden se acaba de trasladar al pueblo de El Perelló, donde se encuentran las oficinas provisionales del Consulado Británico. Compréndalo, ahora mismo, nada es seguro. Le repito, lo único que les puedo recomendar es que no se muevan de aquí. Siento no disponer de más información, pero son testigos directos de la tremenda confusión.

Felicia y Gisela habían escuchado la conversación. En sus caras se reflejaba la misma angustia que manifestaba Hugo.

Pasaron dos horas y nada parecía resolverse. Uno de los buques, el llamado *S. Nubian*, se disponía a hacerse a la mar, pero en su barco no había ninguna actividad que indicara que fueran a cargar pasaje. Por lo menos, la mera presencia de los soldados británicos había servido como medida disuasoria y no se había producido ningún enfrentamiento, más allá de pequeños incidentes aislados.

Como no esperaban encontrarse en Gandía con semejantes problemas, habían acudido con los pertrechos justos y necesarios. Apenas les quedaba agua y comida, y, además, empezaba a anochecer. Se abrigaron y se acurrucaron. Intentaban darse ánimos entre ellos, aunque servía de bien poco.

De repente, para su absoluta sorpresa, vieron a diez personas con el uniforme de la Falange, acercarse hacía todos los que se encontraban congregados, esperando embarcar. Se asombraron cuando observaron que los soldados británicos les franqueaban el paso, en lugar de hacerles frente. Por un momento, les invadió el pánico.

—Hasta aquí hemos llegado —dijo Hugo—. No se podrá decir que no lo intentamos.

Felicia y Gisela observaron la situación con más detenimiento. Aquellas personas no llevaban armas en el cinto, sino unos voluminosos fardos a sus espaldas. Cuando se aproximaron, pudieron ver con claridad que lo que portaban eran provisiones, comida y agua. Su sorpresa fue aún mayor que si les hubieran capturado. En realidad, no venían a detenerles, sino a ayudarles. Aceptaron el agua y la comida y les agradecieron el gesto humanitario, completamente inesperado. «Definitivamente, Gandía ha enloquecido», pensó Felicia.

Ahora ya no tenían hambre ni sed, pero eran casi las diez de la noche, y todo seguía igual. El embarque estaba previsto entre las seis y las ocho. Los problemas eran más que evidentes.

—¿Y si no conseguimos escapar? —se atrevió a preguntar Gisela—. Esto no tiene pinta de resolverse. Cada minuto que pasa estamos más cerca de Franco.

—No pierdas la esperanza, estoy convencido de que lo conseguiremos —respondió Hugo.

—¿Cómo puedes estar tan seguro?

—Entre otras cosas, porque no tenemos un «plan B» —le contestó, intentando romper la tensión que se respiraba—. Gandía es nuestro puerto, o de entrada en la cárcel o de salida al mar, y será esta última opción. No olvidéis que ya pasamos, hace seis años, por una situación similar y también muy desesperada. Contra viento y marea, entonces lo conseguimos y también lo haremos ahora. No os vengáis abajo. Os aseguro que los días de la familia Font no acabarán en Gandía.

Las palabras de Hugo parecieron tranquilizar un tanto a Felicia y Gisela, pero el tiempo iba pasando. Ya era completamente de noche y los ánimos estaban del mismo color del cielo, negros.

Media hora después, vieron aparecer a una persona a toda prisa. Por su aspecto, era británico. Se dirigió al oficial con el que habían mantenido una conversación hacía unas horas. Como estaban prácticamente a su lado, pudieron escuchar el breve diálogo.

—Capitán Sim, tenemos luz verde del *Foreign Office*. Avisen de inmediato al contralmirante Tovey. Organicen una fila y vayan a por Casado y sus hombres —dijo el recién llegado.

—Por fin buenas noticias, *Mister* Goodden. Voy a dar las instrucciones precisas. Ya nos temíamos lo peor.

Hugo, Felicia y Gisela no pudieron reprimir levantarse y abrazarse.

Los soldados británicos organizaron un pasillo. Tan solo dejaban entrar a aquellos que aparecían en el listado oficial de pasajeros.

—Concepción Montalbán —dijo Felicia, mientras mostraba su documentación.

—Catalina Carreño —dijo Gisela.

—José Serret —dijo, por último, Hugo, también mostrando el pasaje y los salvoconductos de los tres.

El soldado revisó la documentación. Era un momento delicado, pero la realidad es que apenas les prestó atención a los papeles, franqueándoles el paso a la pasarela que daba acceso al *HMS Galatea.*

—¡Por fin abordo! —gritó Hugo, con los brazos extendidos.

Desde el buque, pudieron observar cómo se producían incidentes en el puerto. Quedaban combatientes republicanos que no se habían marchado a Alicante y que reclamaban embarcar, aunque no tuvieran pasaje asignado. Se había producido una revuelta. Los soldados británicos se vieron desbordados por la turba, así que decidieron replegarse al interior del buque e interrumpieron las labores de embarque.

—No podemos dejarles en tierra —dijo el capitán del *Galatea.* Apenas son treinta o cuarenta personas.

—Sí, pero esas no son las instrucciones que tengo —le respondió el cónsul—. Piense que, a la lista del pasaje la tenemos identificada, pero esa marabunta no sabemos quiénes son.

Tanto Hugo como Felicia y Gisela sonrieron.

«Si los tienen a todos tan identificados como a nosotros, mal vamos», pensó con maldad, Gisela.

—Algo habrá que hacer. No podemos demorar nuestra partida mucho más. Como aparezcan tropas franquistas en el puerto, tendremos serios problemas.

—Acompáñeme a la sala de comunicaciones del buque y avise de que se reúna con nosotros el contralmirante —le ordenó al capitán—. Lo único que puedo hacer es informar al *Foreign Office* de la situación que se ha creado y esperar nuevas instrucciones. Compréndalo, no tengo autoridad para nada más.

Las horas iban pasando. La familia Font se acurrucó en un costado del buque y los tres intentaron dormir. Ya era muy tarde.

Se despertaron con las primeras luces del día. Para su completa desesperación, seguían atracados en el puerto. Sin embargo, algo había cambiado. La pasarela de embarque volvía a estar operativa y pudieron ver como los marinos británicos estaban dialogando con los pocos republicanos que aún permanecían en Gandía. A los pocos minutos, vieron como los acompañaban y les permitían abordar el buque. No serían más de treinta personas.

—Ahora sí —dijo Tovey al capitán del *Galatea*—, suelte amarras e inicie las maniobras de salida del puerto. Nos marchamos por fin—. Informe a Apfel por radio.

En el momento de abandonar Gandía, ya eran las nueve y media de la mañana del día 30 de marzo. Partían con un retraso de doce horas. «Eso significa que le hemos dado doce horas de ventaja al enemigo», se decía Hugo, sin atreverse a compartir sus pensamientos con su mujer y su hija.

Desde su posición, podía ver a Tovey y Sim, que estaban en el puente de mando. A pesar de todos los acontecimientos acaecidos, parecían tranquilos y relajados. Había amanecido un día magnífico. El capitán estaba oteando el horizonte a través de los prismáticos. De repente, Hugo vio cómo se los pasaba al contralmirante. Le dio la impresión de que habían avistado algo que no se esperaban. Disimuladamente, se acercó al puente. El buque había cargado más personas de las que previa, por lo que estaba abarrotado. Pasó desapercibido entre la multitud.

—¿Ves lo mismo que yo? —escuchó decir a Sim.

—Sí, es el buque mercante *Mar Negro*, armado y camuflado para parecer un crucero franquista. Recordarás que ya nos causó ciertos problemas a la llegada a Gandía, por eso nos retrasamos. No lleva la misma derrota que nosotros, el rumbo no parece ser el mismo.

—No me refiero a ese buque. Observe justo detrás de él. La silueta del *Mar Negro* lo oculta.

—¡Dios mío! —dijo Tovey, cuando avistó al segundo barco—. Ese no es un simple mercante armado. Esto no puede ser casualidad.

—No, no lo es. Además, estamos en aguas territoriales españolas. A pesar de nuestra clara superioridad en combate, tenemos instrucciones de no poner resistencia armada, en el caso de ser abordados en esta zona. Otra cosa sería si ya estuviéramos en aguas internacionales.

—Nos hacen señales —indicó Tovey, que seguía con los prismáticos—. Me refiero al verdadero destructor, no el *Mar Negro*.

—¿Qué nos comunican?

—Que paremos motores inmediatamente y que nos preparemos para ser abordados.

Ambos se miraron con cara de evidente preocupación.

Hugo dedujo que iban a obedecer. Aquello no era nada bueno, de hecho, era una auténtica catástrofe. Estaba claro que todo se complicaba mucho más.

«A ver qué hacemos ahora».

34 AGUAS TERRITORIALES ESPAÑOLAS, GANDÍA, 30 DE MARZO DE 1939

—No tengo palabras — dijo el capitán de corbeta Mariano Romero, comandante del destructor *Melilla*.

—Si le sirve de consuelo, yo tampoco le encuentro ninguna explicación coherente, capitán —le respondió el almirante Francisco Moreno, que comandaba la operación de bloqueo que había ordenado Franco.

—¿Cómo podía saber el Generalísimo que, en estas coordenadas y a esta hora concreta, nos íbamos a encontrar con el navío armado *S. Nubian*, el crucero pesado *HMS Sussex* y una de las joyas de la *Royal Navy*, uno de sus nuevos cruceros ligeros, el *HMS Galatea*? Jamás habíamos observado tanto tráfico marítimo militar al mismo tiempo en este cuadrante, desde que comenzó la guerra. Si no lo estuviera viendo con mis propios ojos, no lo creería.

—Hemos de pensar que el Generalísimo dispone de información que nosotros no poseemos, en su doble vertiente, la de militar y la de Jefe del Estado español. La parte política no es competencia nuestra.

—Desde luego que no. Pero esta situación es insólita. Se trata del puerto de Gandía, no el de Alicante. Allí, nuestros buques se están fajando con mercantes que intentan entrar en el puerto. Por lo visto, según nos han comunicado en el último parte por radio, hay unas veinte mil personas hacinadas, esperando salir de España por allí. Pero ¿en Gandía? Aquí no hay nadie. ¿A qué se puede deber este inusual despliegue de la *Royal Navy*? Si querían ayudar a los republicanos que intentan huir, no deberían de estar aquí —razonó el capitán.

—Quizá haya encontrado la respuesta entre su argumentación. Por lo visto, parece que los británicos no querían ayudar a los más de veinte mil republicanos desesperados, sino tan solo a unos pocos, quizá a la élite.

—¿Con tres buques de guerra? ¿No le parece excesivo? Tan solo con el *Galatea* hubiera sido suficiente.

—Supongo que habrán tomado sus medidas de precaución, aunque es cierto que parecen muy exageradas. Tampoco sabemos si los tres buques han coincidido y no forman parte de la misma misión. Los británicos saben que la guerra ha concluido. Igual están terminando de evacuar a todos sus compatriotas, hasta que la situación en España se normalice —el almirante intentaba justificar lo difícilmente justificable.

—¿En buques de guerra? Para ese cometido serían más prácticos los mercantes.

—Los mercantes los tendrán ocupados intentando entrar en el puerto de Alicante, burlando el bloqueo. Habrán pensado que, para evacuar a unos cientos de personas, les sirven los cruceros militares que, además, les aportan una seguridad de la que no disponen los mercantes.

—Movilizar una fuerza naval de esta envergadura, por un mero trasporte de civiles británicos, me sigue pareciendo exagerado —insistió el capitán.

El almirante había soltado todo su razonamiento, pero no se creía una sola palabra de lo que había dicho. Tan solo lo había hecho por tranquilizar al capitán.

—Romero, vigile el *Galatea*, a ver si responden a nuestro mensaje —le dijo, por tenerlo entretenido.

El capitán tomó de nuevo los prismáticos y se puso a otear la cubierta del crucero.

—De momento no veo nada, pero creo que han hecho caso a nuestras señales —comentó—. Han detenido los motores y no parece que estén en configuración de combate.

—¡Pues menos mal! —exclamó aliviado el almirante—. Con la tremenda fuerza naval que poseen a nuestro alrededor, no duraríamos a flote ni dos minutos.

—El general Franco lo debió de prever todo. Al final, parece que sus órdenes, aparentemente alocadas, eran racionales y acertadas.

—Desde luego.

El capitán Romero seguía atento con los prismáticos.

—Almirante, acaban de contestar a nuestras señales.

—¿Qué dice Tovey?

—Motores detenidos y listos para ser abordados.

—¡Caramba! —Moreno aún seguía sorprendido—. Todo un contralmirante, jefe de la flota del Mediterráneo de la *Royal Navy*, se pone a disposición nuestra. ¡Qué honor más inesperado!

—¿No le parece muy extraño? —insistió Romero.

—Mucho. A pesar de la aparente normalidad, todo esto es insólito, no crea que se me escapa lo excepcional de la situación. Por ello, quiero que escuche atentamente todas mis instrucciones y las siga al pie de la letra. Es una orden directa, ¿lo tiene claro?

—Por supuesto, lo que usted mande, mi almirante.

—Ponga de inmediato el destructor en modo de combate, pero de una manera discreta. Que la marinería no imprescindible para las operaciones de combate se deje ver por cubierta, haciendo tareas rutinarias. Arriaremos un bote y me acercaré al crucero británico. Iremos tan solo cuatro hombres armados y yo. Usted se quedará a bordo. No sé qué planean, pero, por si acaso las cosas se tuercen, vigíleme con los prismáticos. Si, en algún momento, ve que levanto la mano izquierda de forma ostentosa, ataquen de inmediato al *Galatea* con todos nuestros recursos. Ni siquiera esperen a que abandone el buque inglés.

—Pero almirante... —intentó objetar el capitán del *Melilla*.

—Ya sé que todos perderemos la vida. Con nuestros viejos cañones tan solo causaremos pequeños daños al crucero, pero ellos nos hundirán con facilidad, cuando nos respondan. Espero no tener que recurrir a la violencia y que Tovey sea razonable con las órdenes del Generalísimo, pero nunca se sabe con los ingleses. Más vale estar preparados. Si hay que combatir, al menos, nosotros golpearemos primero, aunque luego nos *zurren* de lo lindo. Moriremos matando.

—Lo que usted ordene, mi almirante. Prepararé el bote de inmediato y escogeré a cuatro de mis mejores hombres para que le acompañen.

Arriaron una pequeña embarcación auxiliar y las cinco personas subieron a su interior.

—Indíquele al *Galatea* que me dirijo hacia ellos y que me faciliten el acceso a bordo —ordenó el almirante al capitán Romero.

Ambos se dieron un abrazo, sin palabras de despedida.

Ya en el mar, a Moreno apenas le separaban unos diez minutos de navegación hasta su destino. Mientras se aproximaba al crucero británico, aún le daba vueltas en su cabeza a las instrucciones del Generalísimo. Tal y como le había ordenado, no había informado al capitán del *Melilla* de las instrucciones al completo. Tan solo le había indicado las coordenadas adonde debía dirigir el destructor y lo que se iban a encontrar en ellas, una flota de la *Royal Navy*. Nada más. Había una parte de las órdenes que no podía repetir a nadie y que tan solo él podía conocer y ejecutar. Era esta última parte la que no le permitía tranquilizarse, por lo insólito que le resultaban.

Al alcanzar el crucero, les lanzaron una escala de cuerda. Primero ascendió el almirante, seguido de su pequeña escolta.

En la cubierta, les estaban esperando el contralmirante y el capitán del *Galatea*.

—Es para nosotros un honor que nos visite, almirante Moreno. Sea bienvenido a bordo —dijo Tovey, mientras se estrechaban las manos.

—Gracias por su bienvenida, contralmirante. Ya conoce que estoy al frente de la Operación de Bloqueo Marítimo de la costa mediterránea. Se encuentran en aguas territoriales españolas, y sabe que tenemos el derecho a inspeccionar su buque. No lo tome como un acto hostil ni mucho menos. Tanto usted como yo cumplimos órdenes de nuestros superiores, nada más.

—Por supuesto, almirante, lo comprendo perfectamente. Sabe que este crucero dispone de una propulsión que genera el doble de potencia que su destructor. Nos podríamos haber alejado con facilidad de su buque si lo hubiéramos deseado, sin embargo, nos hemos detenido y le hemos permitido abordarnos. Conocemos y respetamos el derecho marítimo internacional.

—Me alegra escuchar sus palabras, contralmirante. Como es evidente, lleva usted una sobrecarga de pasajeros que no pertenecen a su dotación.

—No lo puedo negar, usted mismo los está viendo por todas partes.

Hugo y su familia se habían situado estratégicamente justo al lado del lugar dónde habían lanzado la escala de cuerda. Así podrían escuchar la conversación. «Y si las cosas se ponen feas, como todo parecía prever, siempre podremos lanzarnos a la mar y hacernos con el bote. Es un acto desesperado, pero lucharemos hasta el final», pensó. Tenía que reconocer que estaba muy asustado, quizá más que nunca.

—Tengo entendido que, a bordo de su buque, se encuentra el coronel Casado.

—Así es.

También tengo conocimiento de que aloja al cónsul de Cuba y al general republicano Leopoldo Menéndez López.

—Su información es correcta.

—¿Podría verlos? Ya sabe que debo cerciorarme.

—Por supuesto —le respondió en contralmirante, mientras hacía gestos dirigidos a su tripulación. No tardaron ni un minuto en estar en presencia de Moreno.

—Vaya —dijo—. ¿Supongo que saben que están acusados de graves crímenes de guerra?

Ninguno de los tres contestó. Mantuvieron una mirada retadora frente a las acusaciones del almirante franquista.

—No le reconocemos ninguna autoridad —le retó el general Menéndez.

Ahora, las miradas retadoras se trasformaron en desprecio mutuo.

—Apártense de mi vista, escoria *roja* —les dijo el almirante, mientras los soldados británicos les alejaban.

Moreno se giró hacia Tovey.

—Me imagino que es consciente de que no pueden continuar en su buque.

—Escuche, almirante. Supongo que usted habrá recibido las mismas instrucciones que yo. Ya aceptamos los términos del acuerdo con su general Franco. Por otra parte, tiene razón, aquí no podrían seguir, aunque yo quisiera. Este es un barco de guerra, no un buque trasporte. La presencia de tantas personas ajenas a la tripulación es peligrosa hasta para nuestra propia seguridad.

Hugo lo vio todo perdido. Estaba claro que les habían traicionado. Pensó en poner en marcha su plan de escape. Al moverse para ver las posibilidades de saltar por la borda, su pie tropezó, de forma accidental, con el del almirante Moreno. De inmediato se giró, y se quedó observando a los tres miembros de la familia Font, acurrucados.

—Disculpe, almirante, no pretendía... —intentó excusarse Hugo.

—No importa —le cortó—. ¿Quiénes son ustedes?

—Yo soy el periodista José Serret, y ellas dos son Concepción Montalbán y Catalina Carreño. No somos militares, ni políticos ni sindicalistas. No hemos participado en la guerra.

El almirante, después de observarlos durante un instante, pareció darse por satisfecho con las explicaciones y se volvió a encarar con Tovey. Hugo respiró tranquilo. Por un momento, había tenido el corazón en la boca.

—Ya sabe lo que tiene que hacer. Desembarque a toda esta gente de su buque de inmediato, tal y como estaba convenido —dijo, mientras se despedía de Tovey y Sim y abandonaba el *Galatea*.

35 AGUAS TERRITORIALES ESPAÑOLAS, GANDÍA, 30 DE MARZO DE 1939

—Veo que todo ha ido bien —dijo Romero, cuando el almirante Moreno retornó sano y salvo al destructor *Melilla.*

—Bueno, por lo menos no hemos iniciado un incidente militar internacional —le respondió, con lo que parecía un gesto de sonrisa en su rostro.

—¿Qué van a hacer? ¿Se han avenido a acatar las órdenes del Generalísimo?

—Parece que sí. Tovey no me ha puesto ninguna pega. He podido ver en persona que, a bordo de su buque, viaja Segismundo Casado junto con su séquito, además del cónsul de Cuba y el general Menéndez como *personajes* más destacados, por llamarles de alguna manera.

—¡Esos bastardos! —no pudo reprimirse el capitán.

—Esto aún no ha terminado. Tenemos trabajo que hacer. Usted no pierda de vista el *Galatea* y mantenga nuestro buque en situación de combate. Por mi parte, necesito acceder a la sala de comunicaciones. Hágase cargo de todo. Si ocurre algo fuera de lo normal, interrúmpame.

—Como usted ordene, mi almirante.

El almirante accedió a la sección de comunicaciones. Tan solo estaba el oficial de guardia y un técnico. Cuando vieron entrar a Moreno, se levantaron de inmediato y se cuadraron.

—Por favor, voy a necesitar esta sala. La información que voy a trasmitir es clasificada, así que, les ruego, abandonen sus puestos.

—¡A sus órdenes! —le respondieron a coro, saliendo del habitáculo a toda prisa.

Una vez a solas, tomó la radio y ordenó enviar un escueto telegrama al Generalísimo, tal y como habían acordado.

URGENTE

CUARTEL GENERAL DEL GENERALISIMO — ESTADO MAYOR DE LA ARMADA

TELEGRAMA POSTAL

3ª Sección

Burgos, 30 de Marzo de [illegible] (III Año Triunfal)

EL ALMIRANTE JEFE DEL ESTADO MAYOR DE LA ARMADA

AL GENERALISIMO

PLAZA.

Almirante Jefe Escuadra en radiograma número [illegible] depositado a las 14h. 10m. del día de hoy comunica lo siguiente:

"Mar Negro" comunica que buque extranjero de guerra embarcan GANDIA multitud rojos".

Lo que se traslada para conocimiento.

TRANSMITASE

EL ALMIRANTE JEFE DEL E.M. DE LA ARMADA.

P.A.

Le confirmaba que el *Mar Negro*, el barco que estaba sirviendo de apoyo al destructor *Melilla*, confirmaba que en un buque de guerra extranjero habían embarcado *rojos*.

Escueto. Esa era la parte oficial, tal y como había convenido.

Ese mensaje no era el motivo por el que había hecho abandonar la sala al personal. Lo importante venía ahora. Debía comunicarse con el general Franco de forma confidencial.

Tomo el arcaico telégrafo del *Melilla* y mandó una señal al Cuartel General del Generalísimo. Inmediatamente recibió una respuesta. Se identificó y solicitó una conversación privada con Franco. Mediante *morse*, mando una señal indicativa. Era el código que informaba de la urgencia y del máximo secreto. De inmediato fue reconocida y le indicaron que se mantuviera a la espera.

Mientras aguardaba la comunicación, se asomó por el pequeño ojo de buey. Allí seguía el *Galatea*. No había puesto sus motores en marcha, ya que no se veía humo salir por sus chimeneas. Desde esa distancia y sin prismáticos, no acertaba a ver lo que ocurría en su cubierta.

De repente, el telégrafo cobró vida. Se acercó. Antes de iniciar una conversación confidencial, ambos tenían que cerciorarse de quién estaba al otro lado de la línea. Así lo hicieron. Moreno comprobó que era el general Franco en persona.

Todos los mensajes confidenciales debían seguir un estricto protocolo de cifrado. El almirante Moreno sabía que Franco había hecho gestiones con el gobierno alemán, para que les facilitaran las célebres máquinas criptográficas *Enigma*, que ellos utilizaban con tanto éxito.

A pesar de la insistencia, las gestiones tan solo consiguieron veinte máquinas, además, las del modelo «D», que eran de uso comercial y no eran idénticas a las que utilizaba el ejército alemán. Hitler no se quería desprender de una tecnología puntera en el cifrado de mensajes, que eran impenetrables para sus adversarios. Tan solo deseaban probarlas utilizando al ejército franquista, pero sin facilitarles sus versiones de élite.

Sin embargo, para sorpresa general, estaciones de radiotelegrafía españolas habían captado mensajes enviados desde España, cifrados por máquinas *Enigma* del ejército alemán. Si las trasmisiones militares republicanas eran un auténtico desastre y Franco no disponía de esa tecnología, ¿quién las estaba utilizando en España?

Era todo un misterio.

Franco estaba decidido a resolverlo.

Dispuso una unidad de los servicios secretos telegráficos militares, dedicada en exclusiva a esta cuestión. El equipo consiguió avances. Triangulando señales, con diversas estaciones de escucha, creen que consiguieron resolver el misterio, aunque, en realidad, fue tan solo una conjetura, ya que nunca la pudieron probar en firme.

Hitler envió a la denominada *Legión Cóndor* para ayudar a Franco a vencer en la guerra civil. En realidad, Hitler, se ayudaba a sí mismo, ya que probaba, en un escenario bélico real, sus nuevas armas, sobre todo en materia de comunicaciones, carros de combate *Panzer I* y prototipos de aviones. Hermann Göring, estrecho colaborador de Hitler y jefe de la *Luftwaffe*, que era la fuerza aérea nazi, fue el que lo convenció. Además de la *Legión Cóndor* como tal, que era de público conocimiento, los alemanes también crearon, en paralelo, otras células secretas para evaluar el rendimiento de sus armas. Estos grupos o estructuras no eran conocidos ni siquiera por el propio Franco, ya que manejaban información militar clasificada y muy sensible, que los alemanes no deseaban compartir con nadie.

El azar quiso que, en una de esas triangulaciones para captar de dónde procedía la señal de una máquina *Enigma* emitiendo desde España, los servicios de inteligencia detectaran el lugar desde donde, supuestamente, se había realizado la trasmisión. Cuando acudieron los militares españoles, aquello tenía todo el aspecto de un piso franco camuflado. Por los documentos que encontraron, ya que sus ocupantes lo habían abandonado a toda prisa, dedujeron la existencia de este tipo de células secretas que disponían de máquinas *Enigma* de uso militar. Pero al no hallar ninguna, ya que se la llevarían con ellos en su precipitada huida, no dejaba de ser una mera conjetura, aunque con bastantes dosis de verosimilitud.

En consecuencia, las comunicaciones cifradas españolas, al no disponer de la tecnología alemana puntera, también usaban un sistema más rudimentario. Tan solo se enviaban números. Cada pareja de números representaba una letra. Es decir, para escribir A, se debía cifrar «01», para la B el «02» y así sucesivamente. Como los números iban desde el 00, que significaba el final de una frase, hasta el 99, cada letra podía ser representada por más de un número. Dado que el alfabeto español estaba conformado por 29 letras, incluyendo la *ch* y la *ll*, la letra A se podía codificar como «01», pero cuando terminaban las 29 letras se volvía a empezar a contar otra vez, así la A también podía codificarse como «30», «59» y «78».

Este procedimiento hacía algo lentas las conversaciones en directo, ya que, tanto el receptor como el emisor, debían tomar un papel y una pluma y descodificar la cadena de números en letras.

El almirante envió el siguiente mensaje inicial a Franco, con el cifrado habitual, en grupos de dos letras:

```
1518 2106 1618
```

Recibió esta contestación:

```
0721 0116 0318
```

Teniendo en cuenta el cifrado correspondiente a cada número y letra:

A	**B**	**C**	**CH**	**D**	**E**	**F**	**G**	**H**	**I**
01	02	03	04	05	06	07	08	09	10
J	**K**	**L**	**LL**	**M**	**N**	**Ñ**	**O**	**P**	**Q**
11	12	13	14	15	16	17	18	19	20
R	**S**	**T**	**U**	**V**	**W**	**X**	**Y**	**Z**	
21	22	23	24	25	26	27	28	29	

El almirante le había enviado su apellido, MORENO, y el Generalísimo el suyo, FRANCO. Ahora ya sabían que estaban hablando entre ellos, a solas.

—Todo según lo convenido —escribió el almirante. Esperó un momento la respuesta del general, mientras descifraba su mensaje y cifraba el suyo.

—Confirma si están los tres —contestó Franco, escueto y directo, como siempre.

Moreno le confirmó que los había visto en persona. No existía ninguna duda de su identidad. Franco le dijo que continuara con las órdenes previstas y le recordó la extrema confidencialidad de este tema y que no hablara con nadie más que con él mismo. Cortaron la comunicación.

Justo cuando terminó, entró en tromba el capitán Romero.

—¿Qué ocurre? —le pregunto el almirante, viendo el estado de su subordinado.

—Creo que será mejor que salga usted y lo vea con sus propios ojos —le respondió.

Ambos se dirigieron al puente de mando. La escena que contemplaron era surrealista. El *HMS Galatea* seguía en su misma posición, con los motores parados, pero se había situado otro buque en paralelo, por barlovento.

—¿De dónde ha salido ese barco? —preguntó el almirante—. Hace media hora no se le avistaba.

—Es el buque hospital *RFA Maine* de la *Royal Navy*. Observamos como se acercaba, pero no le dimos importancia. No olvide que, hace apenas unas horas, se produjo un intercambio de prisioneros en el puerto de Gandía, auspiciado por la Cruz Roja Internacional. El *Maine* es el buque que suelen utilizar en estos casos, por eso, inicialmente, no despertó nuestras sospechas. Claro, cuando se situó al costado del *Galatea*, ya nos alarmamos. No esperábamos esa maniobra.

—¿Qué están haciendo exactamente?

—Como le decía, mírelo con sus propios ojos —dijo el capitán, pasándole los prismáticos al almirante.

—¡Están trasladando a los *rojos* al barco hospital! —exclamó Moreno.

—¿Le informó de ello Tovey?

—La verdad es que no, pero sí que me dijo que el *Galatea* es un crucero militar, que no está preparado para soportar un exceso de carga de casi doscientas personas. Igual es una maniobra de autoprotección.

El capitán Romero se quedó mirando al almirante.

—¿De verdad cree eso?

—No. En realidad, lo que pienso es que, en cuanto concluyan el traslado de todas las personas ajenas a la tripulación del *Galatea*, el *Maine* se dirigirá hacia aguas internacionales, protegido por los dos cruceros británicos. Las ratas se escaparán. Eso es lo que creo que pasará.

Romero hizo un gesto afirmativo con la cabeza. Él pensaba lo mismo.

—El destructor está en modo de combate señor. Estamos preparados y ellos distraídos con las maniobras de traslado de todos los *rojos*. Quizá sea nuestra única oportunidad contra ese poderoso crucero ¿Ordeno lanzar una salva de aviso e inmediatamente atacamos?

—No —le respondió muy serio el almirante.

—¿Qué? —preguntó Romero, muy sorprendido —. ¿Le preocupa el otro crucero británico, el *Sussex*? Se ha alejado de su posición inicial. Ahora mismo, se encuentra demasiado lejos para poder repeler nuestro ataque, si nos anticipamos a ellos. No podemos permitir que huyan, tenemos órdenes de impedirlo y...

El almirante Moreno le interrumpió.

—¿Sabe cuáles son nuestras puñeteras órdenes? —le preguntó. Estaba claro que estaba muy enfadado—. Que les permitamos marcharse. Que nos pongamos a su disposición y que los escoltemos, si así nos lo requieren. Es decir, que no hagamos absolutamente nada más que de sus niñeras. Esa ha sido siempre nuestra verdadera misión. Nunca nos enviaron para interceptarlos, sino para controlar que la operación concluyera con éxito.

El capitán mostró su absoluto desconcierto.

—¿Nos han hecho acudir a esta posición para dar cobertura a la fuga de los pocos líderes *rojos* criminales que quedaban en España? ¿Quién ha osado a dar esas estúpidas órdenes? ¿Un descerebrado? Habría que ponerlo en conocimiento del Generalísimo de inmediato.

—Me temo que no hará falta. ¿Acaso no se imagina de dónde proviene la orden?

—No estará insinuando que...

—No lo insinúo, lo afirmo. La orden me la trasmitió el mismísimo general Franco, en persona, cuando estuve en Burgos. Me comunicó las coordenadas adonde debíamos dirigirnos y la naturaleza exacta de nuestra misión. Todo ha sido un gran teatro y nosotros los payasos de la función. Lamento no habérselo comunicado antes, pero tan solo lo debía de saber yo. Órdenes directas.

El capitán se le quedó mirando, incrédulo.

—No me pregunte el sentido de esas órdenes, porque lo desconozco —mintió el almirante.

Tan solo Franco y él estaban al tanto de los motivos reales de permitir la huida.

36 TRAVESÍA MARTÍTIMA DE GANDIA A MARSELLA, 1 DE ABRIL DE 1939

—Antes que nada, le quiero agradecer su hospitalidad y la de su gobierno. Solo espero que no nos entreguen a las autoridades del régimen franquista —dijo Hugo, dirigiéndose al capitán del buque hospital *Maine*.

—Sabe que eso no se lo puedo asegurar, ya que depende de las gestiones políticas entre países. Lo que está claro que nuestro destino es el puerto de Marsella, en Francia, donde pretendemos atracar pasado mañana, día 3.

—Lo comprendo —le respondió Hugo, resignado. Tenía claro que hasta que no arribaran al puerto de Marsella no conocerían cuál iba a ser su suerte. Les quedaban dos días de profunda incertidumbre.

—¿Sabe qué ha ocurrido en el puerto de Alicante?

—Eso sí que lo conozco. Estamos permanentemente informados por radio. No sé si debería contárselo. Me temo que no son buenas noticias.

—No se preocupe, estoy curado de espanto. Es la tercera vez en mi vida que me veo envuelto en una situación parecida.

El capitán se quedó mirando a Hugo. Parecía que no lo había entendido. No obstante, continuó la conversación.

—Bueno, pues como se podrá imaginar, fue y todavía es, un auténtico caos y un desastre humanitario de proporciones todavía inciertas.

—¿Qué pasó?

—Como estaba previsto, logró partir un buque, el *Stanbrook*, que llegó a cargar a más de tres mil personas. Tuvo que navegar en *zigzag* en dirección al puerto de Orán, para evitar ser descubierto. La aviación intentó hundirlo, pero pudo esquivar las dos bombas que le arrojaron. También consiguió zarpar otro buque, el *Maritime*, pero por el hostigamiento al que fue sometido, apenas tuvo tiempo de cargar a una treintena de personas. Observe esta imagen del *Stanbrook*, en el puerto de Alicante. Habla por sí misma.

—¿Tiene alguna noticia del buque? Tenía previsto partir antes que lo hicimos nosotros. Si no ha habido incidentes, debería haber llegado al puerto de Orán.

—Así es. A pesar de las enormes dificultades para manejar un barco mercante no preparado para acoger a tres mil personas, llegó el día 30 al puerto de Orán, aparentemente sano y salvo. También tengo una imagen tranquilizadora del momento del desembarco. Conozco personalmente al capitán del buque, Dickson, que es un galés terco como una mula. Se propuso hacer lo imposible y lo ha conseguido. Poner a salvo a miles de personas en un viejo mercante con capacidad para tan solo cien tripulantes.

—¿Y el resto de las personas que quedaron en Alicante? —preguntó preocupado Hugo. En su fuero interno, esperaba que Vicente Fe y Juli, *el chufero*, estuvieran a salvo.

—En los primeros momentos, se creó una especie de Junta de Evacuación en el propio puerto, para organizar una huida que nunca se produjo. La organizaron los políticos y los sindicalistas, y pusieron al frente a una persona respetada por todos, al diputado francés Charles Tillon. Hay que tener en cuenta que la gente estaba desesperada, además aquello era un polvorín a punto de estallar. Piense que había combatientes republicanos armados, políticos y sindicalistas, pero también muchas familias con niños que no habían tenido nada que ver con la guerra, que lo único que pretendían era abandonar España. El diputado francés logró cierta organización, pero todo fue inútil.

—Entonces, ¿los barcos prometidos no llegaron? —Hugo seguía preguntando, espantado.

—No, y eso que lo intentaron. Entre los días 29 y 30 hicieron amagos de entrada en el puerto varios mercantes, pero tuvieron que desistir ante la amenaza, no solo de la Armada franquista, sino también de los bombardeos aéreos.

—Imagino la desolación cuando comprendieron que estaban atrapados —se lamentó Hugo—. ¿Cuánta gente se llegó a congregar? ¿Y qué ocurrió cuando fueron conscientes de que no podrían escapar?

—Las cifras son confusas, pero nos dicen que había unas veinte mil personas esperando salir de España. Lo siento, ya le he dicho que no lo lograron. Primero fueron los falangistas de

Alicante los que lo impidieron, el día 30, pero el golpe definitivo fue la toma de la Plaza del Mar por la División italiana *Littorio*, al mando del general Gambara. Cualquier esperanza de salvación, en ese momento naufragó. Las tropas se hicieron con el control del puerto. A través de la radio me he enterado de escenas dantescas, no sé si se las debería contar.

—Hágalo, por favor.

—Muchos, ante la angustia de verse atrapados, incluso se suicidaron. Familias completas lo hicieron. La desesperación les hizo cometer esas locuras, ya que muchos de ellos eran civiles que se podrían haber quedado en España. No obstante, prefirieron la muerte. Se tiraron al mar, se rebanaron el cuello o se descerrajaron un tiro, hubo de todo. El caso más curioso que me han narrado es el del que fuera alcalde de Alcira, Francisco Oliver. Me cuentan que se sentó en el suelo, se encendió un puro, para, a continuación, rebanarse el cuello. Es horrible.

—Desde luego —a Hugo no le salían las palabras.

—¿Sabe? —le dijo el capitán—. Se lo dice un miembro de la Armada Británica. En todas las guerras se viven horrores, por parte de los dos bandos. Si, además, son guerras civiles, son como combatir contra tu propia familia. No lo hagan nunca más. Siempre es preferible una mala paz a una guerra, y se está diciendo un militar.

—¿Qué será de todos los que han atrapado los franquistas?

—Pues supongo que correrán diferentes suertes. Los militares y los más comprometidos con la república serán fusilados y el resto, con algo de fortuna, serán liberados o trasladados a campos de trabajo. Pero tenga una cosa muy clara, si la victoria de la guerra hubiese caído del lado republicano, no creo que las cosas hubieran sido muy diferentes. La guerra es el último recurso de las personas incompetentes, porque todos acaban, de alguna manera, perdiendo. No hay ganadores.

—Tiene razón —reconoció Hugo— Yo lo he vivido en mi propia familia. Mi hermano José María es un destacado miembro del régimen franquista. Nuestra ideología no puede ser más diferente y opuesta. Sin embargo, jamás se me ocurriría desearle nada malo. De hecho, si no llega a ser por él, a estas horas ya estaría muerto.

—Ya que le veo tan interesado, antes de zarpar del puerto de Gandía nos llegó un ejemplar de la *Gaceta de Alicante*, junto con los negativos de unas fotografías. La acabo de leer. Viene bastante más información de la que yo le he contado, pero, claro, escrita por el bando vencedor. No verá en su interior nada de lo que yo le he contado.

Hugo tomó el ejemplar entre sus manos. No pudo aguantar ni dos minutos. Se lo devolvió al capitán.

—Esto es pura propaganda.

—Usted es José Serret y, según el manifiesto de embarque, es periodista. No pretendo ofenderle, pero ¿se ha planteado qué ha estado usted escribiendo y publicando durante los últimos tres años? Posiblemente algo parecido a esto, pero visto desde el otro bando. En este mundo, si algo he aprendido en mis muchos años de servicio en la *Royal Navy*, en este buque hospital, es que nada es blanco o negro. Existe toda una escala de grises. En el respeto y la tolerancia está la virtud. Todos los extremos son malos. Piense en ello. Ha sido un placer mantener esta conversación con usted, señor Serret —concluyó la conversación el capitán, mientras se dirigía al puente.

GACETA DE ALICANTE

0.20

El 30 de marzo de 1939, ALICANTE despertó a la luz de la Primavera de la Victoria

Franco y España

Hugo se quedó pensativo con las reflexiones que acababa de escuchar. Quizá el capitán tenía razón en relación con las guerras, pero no en el tema ideológico. Pensaba que era al contrario. La tolerancia y el respeto venían determinados por tus ideales, y no al revés. No se imaginaba al general Franco como una persona tolerante. Por otra parte, tampoco lo habían sido ni Stalin ni Lenin, en el otro extremo ideológico. Pensándolo un poco mejor, quizá fuera mejor cualquier tono del gris.

37 TRAVESÍA MARTÍTIMA DE GANDIA A MARSELLA, 2 DE ABRIL DE 1939

—Yo creo que ya es hora de hablarlo, ¿no?

La afirmación de Felicia pilló por sorpresa a Gisela, pero sobre todo a Hugo.

—¿A qué te refieres? —le preguntó.

—A nuestro futuro. ¿Lo tenemos?

Hugo estaba intentando rehuir esa conversación desde que habían embarcado en el *Maine*. Parecía que ya no tenía escapatoria, había llegado el momento.

—¿Por qué lo dudas? —Hugo no sabía qué decir.

—Cuando lleguemos al puerto de Marsella, ¿qué vamos a hacer? Sí, habremos conseguido escapar de las garras de Franco, pero nos encontraremos en un país que no es el nuestro, sin nadie conocido y sin ningún lugar adónde ir.

Hugo omitió su conversación con el capitán, en concreto la parte en la que le reconocía que no sabía si serían devueltos a España a su llegada al Francia. Recordaba que dijo que era un tema de negociación política. No podía olvidar que, abordo, viajaban, junto a gente corriente como ellos, el propio coronel Casado y otros destacados dirigentes republicanos.

Dijo lo primero que se le ocurrió.

—Sí que conocemos a una persona, en concreto residiendo en París. Mi tío Georg Bernhard vive allí. Cuando, en 1933, nosotros huimos a España, él prefirió quedarse en Francia.

—¿En serio lo dices? —preguntó Felicia, que se había levantado y estaba con los brazos en jarras.

—Bueno, tan solo es una posibilidad, nada más.

—Ya sabes el aprecio personal que le tengo a Georg. Gracias a las maquinaciones de mi padre y él, nos conocimos y acabamos juntos. Pero, ahora mismo, Georg no sería una ayuda para nosotros ni nosotros lo seríamos para él. Sigue siendo un activista antinazi muy señalado. Tú mismo me has contado que publica un periódico allí. ¿No se llamaba el *Pariser Tageblatt* o algo así?

—Bueno, ahora ha cambiado su denominación. Se llama *Pariser Tageszeitung* y, además, creó que Georg, desde el año pasado, ya no tiene ninguna vinculación con él.

Pariser Tageszeitung

QUOTIDIEN DE PARIS

CHEFREDAKTEUR:

GEORG BERNHARD

ZWEITER JAHRGANG

DEUXIEME ANNEE

VERANSTALTUNGEN der EXPOSITION täglich in der "Pariser Tageszeitung"

—Eso me da igual. Pertenece a la oposición alemana al régimen nazi de Hitler. Es una persona que tiene precio por su cabeza. Con todo el cariño que sabes que le tengo, ¿crees que sería el mejor lugar para que nuestra familia se estableciera de forma permanente? ¿Sería un hogar seguro para nosotros?

—Tienes razón, no lo sería. Además, Georg ya es mayor y tiene sus propios problemas. Nosotros le supondríamos uno más.

—Pues volvemos a la casilla de salida. ¿Qué haremos cuando lleguemos a Marsella?

Gisela había estado escuchando en silencio la conversación entre sus padres, pero ahora consideró que debía intervenir.

—¿Por qué no volvemos a casa? —preguntó, fingiendo inocencia.

—¿A casa? ¿Qué casa? —le inquirió su madre, sin entender a qué se refería.

—Mamá, tú y yo somos berlinesas. Papá también tiene la nacionalidad alemana. Ya sé que nuestra familia, los Mosse, fue purgada por Hitler y todas nuestras propiedades confiscadas. Pero ha pasado seis años desde nuestra huida. Ahora tenemos el apellido Bernhard, y ya no nos relacionan ni con Georg ni con mi abuelo Rudolf. Nadie sabe que somos judíos, ese extremo no consta en la documentación oficial alemana, ya se ocupó Georg de hacerla desaparecer, antes de que fuera asesinado. Lo sabes tan bien como yo.

—¿Te has vuelto loca? —le gritó su madre—. Huimos del nuestro país en 1933 para evitar lo que está sucediendo ahora, en 1939. ¿Y se te ocurre proponer volver? ¿Sabes cómo ha cambiado Alemania?

—Por supuesto mamá, es una tragedia, pero Berlín sigue siendo nuestra ciudad y Alemania nuestro país, a pesar del demente del bigote y sus ideas racistas. Pero él no es Alemania. Algún día dejará el poder.

—Pues no tiene ninguna pinta que eso vaya a ocurrir en breve, por las noticias que llegan de allí —insistió Felicia.

Ahora, el que permanecía callado era Hugo.

—¿No le vas a decir nada a la niña? —le inquirió su mujer.

Gisela estaba a punto de responderle, no de muy buenas maneras, pero su padre le indicó que se callara con el dedo en la boca.

—Escucha, Felicia. Hay que considerar la opinión de Gisela como una persona adulta. Ya no es una niña. No es que me parezca una idea brillante ni mucho menos, pero no pasa nada porque hablemos de ello.

—¡Pues hagámoslo! —exclamó Felicia, al verse un tanto desautorizada por su marido.

—Es nuestra verdadera casa —insistió Gisela—. Aún conservamos amistades que nos ayudarían a establecernos. Además, ahora hay trabajo de sobra en Berlín. Ya sabéis lo que pienso de Hitler, pero ha colocado a nuestra ciudad en el centro del mundo. Hace apenas algo más de dos años, se celebraron los Juegos Olímpicos, en el verano de 1936. Hay que reconocer que ha revitalizado la industria y la economía alemana de una manera notable.

—Sí, sobre todo la industria militar —Felicia seguía negativa.

—No hagamos lo mismo que criticamos, es decir, ser extremistas. También ha desarrollado las infraestructuras públicas, ferrocarriles, autopistas, obras hidráulicas y energéticas. No estoy defendiendo al tarado de Hitler, tan solo apuntando las cosas positivas, para que pudiéramos, hipotéticamente, instalarnos allí —se explicó Gisela—. No estoy hablando de política.

—Hay que reconocer que tu hija tiene un punto a su favor con el razonamiento. No ha contado ninguna mentira —se atrevió a opinar Hugo.

—¿Tú también crees que nos debemos meter otra vez en la boca del lobo?

—Tan solo creo que hay que considerarlo. Por otra parte, ¿tienes otra propuesta que hacer? —a Hugo ya le estaba cargando la negatividad de Felicia.

—Ya veo, Los dos queréis volver a Berlín.

—Y tú no —le respondió Gisela—, pero tampoco propones ninguna alternativa. Piensa un poco e intenta quitar a Hitler de la ecuación. ¿De dónde somos? ¿Dónde no tendríamos ningún problema en establecernos? Y, sobre todo, la más importante de todas las preguntas, ¿dónde llamaríamos menos la atención? ¡Los tres tenemos pasaportes alemanes! En cualquier otro lugar seríamos una especie de «refugiados políticos» o apátridas, menos en Alemania, donde seríamos ciudadanos de pleno derecho.

«¡Caramba con Gisela!», pensó su padre.

—Me parece que tu hija te acaba de lanzar un torpedo a la línea de flotación de tus argumentos —. Hugo era consciente que estaba jugando con fuego con su mujer. Podía entender que estuviera resentida con Hitler. Con el pretexto de la *arianización*, es decir, la exclusión de todas las minorías étnicas que no pertenecieran a la presunta auténtica raza germánica que se había inventado, el Canciller alemán llevaba años masacrando a los más débiles. Esa era la fibra sensible de Felicia. Siempre se había preocupado por los demás, sobre todo, por los más deprimidos y excluidos socialmente.

—De verdad, no os entiendo —Felicia seguía enfadada, en pie.

Hugo se aproximó a ella y la tomó por un hombro, en un gesto cariñoso.

—¿Me permites que te haga una reflexión?

—Claro —contestó Felicia, cogiéndole de la mano.

—Toda tu vida te has preocupado por los demás. ¿No crees que ya va siendo hora de que te preocupes por ti misma y tu familia?

En ese preciso momento, Felicia fue consciente de que había perdido.

38 TRAVESÍA MARTÍTIMA DE GANDIA A MARSELLA, 3 DE ABRIL DE 1939

—Gisela, tengo que hablar contigo —le susurró su padre.

—Pues claro, cuando quieras.

—No me entiendes, quiero hablar contigo sin la presencia de la mamá.

—¿Por qué? —Gisela estaba sorprendida.

—Nos vemos en la proa del buque, en diez minutos. Voy a ir a los retretes. Haz tú lo mismo y luego acude allí.

Su padre se levantó y se alejó de ellas. Gisela estaba confundida. «¿Qué está ocurriendo?», pensó. Su curiosidad le pudo. Se excusó con su madre y, pasado un minuto, también se marchó.

Como habían convenido, se encontraron en la proa. El mar estaba movido y les salpicaba algo de agua.

—¿Me tengo que preocupar por algo? —fue lo primero que dijo Gisela, ante la insólita actitud de su padre.

—No, tranquila, al menos, eso creo.

—¡Vaya respuesta más tranquilizadora!

—Hace dos días, mantuve una breve conversación con el capitán de este barco, sobre todo con la intención de conocer la suerte de todos nuestros camaradas, que habían intentado huir de España por el puerto de Alicante.

—Supongo que la respuesta no te gustaría. Alicante era una trampa de Franco, eso ya lo sabíamos.

—Bueno, al menos, algunos consiguieron salvarse, pero la mayoría no. Parece que se vivieron situaciones desesperadas, incluso con suicidios de familias al completo.

—¡Es horrible! —exclamó Gisela—. Aunque, supongo que no me has citado aquí para hablar de eso. Mamá también lo podría escuchar y, está claro que, sea lo que sea que deseas contarme, no quieres que se entere.

—¿No eres demasiado espabilada para tener dieciocho años? —le dijo su padre, para intentar rebajar la tensión.

Gisela le dio una colleja cariñosa. Hugo sonrió.

—Tienes razón, no es eso. Era tan solo una pequeña introducción para lo que te voy a contar.

—Pues adelante, no tenemos mucho tiempo antes que mamá note nuestra prolongada ausencia.

Gisela tenía razón. Hugo miró a su alrededor, como medida de precaución, para evitar ser escuchados. Observo la presencia de un marinero cerca de ellos. Cuando Hugo se le quedó mirando, debió comprender que molestaba y se marchó de forma discreta. Una vez solos, continuó.

—El capitán, en esa misma conversación, también me comentó otras cuestiones. La más preocupante de todas es que no estamos a salvo.

—¿Qué? —preguntó Gisela, sorprendida— ¿Qué quieres decir con esa frase?

—Que existe la posibilidad de que, cuando lleguemos en apenas unas horas al puerto de Marsella, seamos apresados y entregados a las tropas franquistas.

Gisela abrió sus enormes ojos azules aún más.

—¿No piensas que esta información la deberíamos compartir con mamá? Creo que, si acaba sucediendo esa tragedia y descubre que tan solo me la habías contado a mí, se enfadará. Y tendrá toda la razón.

—Tampoco te he citado aquí para contarte eso.

Gisela, ahora, sí que estaba confundida de verdad.

—Ahora ya no entiendo nada.

—Mi tío, Georg Bernhard, me advirtió, hace muchos años, de que llegaría este día y que lo sabría reconocer. En aquel momento no comprendí lo que me estaba diciendo, pero ahora lo veo todo claro. Tenía razón con sus sabias palabras.

—Papá, ¿te encuentras bien? Ahora la que no entiendo nada soy yo.

—¿Sabes que, entre tu abuelo y mi tío, arreglaron el «casual» encuentro entre tu madre y yo. Entre ellos dos, planearon que nos casáramos.

—¿Qué tonterías dices? Si os casasteis, es porque os enamorasteis. En eso no creo que tuvieran nada que ver ni Rudolf ni Georg.

—No, claro que no, pero ellos pusieron los medios para que eso pudiera suceder. No me lo estoy inventando, me lo contó mi propio tío, poco antes de abandonar Alemania. Tu madre no lo sabe.

—Bueno, tampoco es algo malo. Esta conversación también la podríamos tener en su presencia.

—¿Sabes por qué querían que sucedieran las cosas como acabaron pasando?

—Supongo que porque tú eras un apuesto joven de buena familia con ideas y sentimientos muy similares a los de mamá, además de judío, que eso importaba mucho en aquella época. Mi abuelo, por lo que me ha contado mamá de él, ya que, como sabes, yo no llegué a conocerlo, era un tanto protector con ella. En ti vería una manera de quitarse a los *moscones* inoportunos que rondaban a mamá. Aunque sigue siendo guapísima, me ha enseñado fotos de su juventud y de vuestra boda. Todavía lo era más, yo diría que hasta espectacular.

—Idéntica a ti, eso era lo que querían —susurró Hugo.

—¿Qué dices?

—El mismo día de nuestra boda, mi tío me confesó que hasta nuestra propia boda, que acababa de celebrarse hacia un momento, formaba parte de un plan más grande y ajeno a ellos. Ya me advirtió, en 1920, que llegarían tiempos difíciles. Ese supuesto plan, desconocido para mí, parece que tuviera previsto hasta el ascenso de Hitler al poder. Incluso se atrevió a aventurar que tendríamos una hija preciosa. Te confieso que, en aquel momento, pensé que se había pasado con la bebida, pero todo lo que me contó, resulta que, con el tiempo, acabó sucediendo en la realidad.

—Conmigo, tenía un cincuenta por ciento de posibilidades de acertar. O chico o chica. Tampoco me parece un gran mérito.

—Mi tío no me quiso contar nada más el día de la boda. Me dijo que ya reanudaríamos la conversación más adelante.

Bueno, pues «el más adelante» no sucedió hasta el día 30 de enero de 1933, más de doce años después de la primera.

—¿Cómo te puedes acordar tan bien de la fecha?

—Porque fue la última vez que vi a mi tío Georg. El día de nuestra despedida. Nosotros abandonaríamos Alemania al día siguiente. Tú, entonces, tenías doce años.

—Recuerdo la huida. No lo pasamos bien, por decirlo suave. Atravesar Europa hasta llegar a España fue duro, hasta a través de los ojos de una niña de doce años, que tiende a vivir los acontecimientos como aventuras.

—Tienes razón. Intentamos que te enteraras de lo mínimo posible, incluso recurriendo a la valeriana, para mantenerte adormilada.

—¿Me disteis valeriana? —preguntó Gisela, indignada.

—Por favor, no nos desviemos del tema, que no tenemos mucho tiempo.

—Tienes razón. Volvamos al grano, ¿me piensas contar de una vez qué hacemos aquí?

—Voy a decirte lo mismo que me contó mi tío, ese 30 de enero. Quiero que me escuches atentamente, sin interrumpirme. Cuando concluya mi explicación, estaré a tu disposición para aclararte todas las dudas que te hayan podido surgir. Presta mucha atención a lo que vas a escuchar, aunque te resulte extraño. Créeme, es muy importante.

—¿Esas fueron las palabras de tu tío?

—Exactas, palabra por palabra. Ahora escucha y calla.

Hugo estuvo repitiéndole a Gisela la explicación que su tío le había dado. Intentó ser más breve, ya que Felicia podía extrañarse por su ausencia injustificada. Cuando concluyó su explicación, la expresión en la cara de Gisela era la misma que él había puesto cuando su tío le contó el plan.

—Por cierto —concluyó Hugo—, mi tío me dijo que, en este preciso momento, debo abandonar la gran partida de ajedrez. He sido un peón que ha recorrido todo el tablero, en consecuencia, según las reglas, se ha producido su promoción o coronación, como se conoce técnicamente. Ahora, tú te has convertido en la reina. No me preguntes qué quiso decir mi tío con todo esto, porque lo desconozco.

Gisela no decía nada. Se había quedado abrumada. Estaba pensando. Miro fijamente a los ojos de su padre.

—Tan solo te voy a formular dos preguntas.

—Adelante.

—La primera, ¿por qué me has dicho que sabrías cuándo llegaría el momento de contarme todo esto? ¿Por qué es ahora ese momento? ¿Qué ha ocurrido?

Hugo bajó la cabeza. Temía la pregunta, pero debía de responderla.

—Gisela, ¿por qué te crees que te he contado, al principio de la conversación, que quizá seamos apresados al desembarcar en Marsella? Si eso ocurre, yo seré fusilado, recuerda que estoy en la lista de Franco. Contra ti no tienen nada. En un par de horas habremos llegado al puerto. Precisamente por eso, ahora es el momento, porque quizá no tengamos otro. Quizá esta sea nuestra última conversación.

—¡No digas eso! No nos van a apresar.

—Eso no lo sabremos hasta desembarcar del buque. Bueno, ¿y cuál era tu segunda pregunta?

Gisela tenía el semblante más triste, pero no apartó la mirada de los ojos de su padre.

—Mi segunda pregunta es, ¿tú le das crédito a todo lo que me has contado? Comprende que me haya sonado fantástico, pero me fio mucho de tu criterio.

—Completamente. Yo también confié en el criterio de mi tío Georg, en su momento. Jamás he conocido en toda mi vida a una persona más cabal que él.

—Pues nada, desde este instante, haz el favor de dirigirte a mi como Su Majestad, Gisela I.

Su padre no pudo evitar reírse.

—Anda, vamos con tu madre. Ya ha pasado mucho tiempo, podría estar preocupada.

«La que estoy preocupada de verdad soy yo», pensó Gisela, abrumada por todo lo que acababa de conocer.

Aún debía asimilar las implicaciones de todo aquello.

39 PUERTO DE MARSELLA, 3 DE ABRIL DE 1939

Felicia, Gisela y Hugo estaban observando las maniobras de atraque. Felicia estaba entretenida con las labores del capitán y la marinería, que intentaban encajar un buque de más de ciento veinte metros de eslora en un pequeño muelle. Sin embargo, Gisela y Hugo estaban más interesados en el muelle en sí mismo. Observaron una pareja de guardias franceses, pero no parecía haber tropas militares a la vista.

«Supongo que, si nos estuvieran esperando, no se mostrarían hasta el último momento, para evitar la posible huida del buque», pensó Hugo. Obviamente no compartió sus pensamientos con Gisela. En realidad, no hubiera hecho falta, ya que ella estaba pensando exactamente lo mismo.

Finalmente, el buque culminó sus labores de atraque y los marineros colocaron la pasarela que les permitiría descender. Seguían sin observar nada fuera de lo común.

Tan concentrados estaban en las maniobras de atraque, que no se percataron de que un marinero les estaba haciendo señales, desde el puente de mando. Al no obtener resultados, tuvo que descender. Se acercó a la familia y se dirigió a Hugo.

—Señor, tengo instrucciones del capitán de que me acompañe al puente de mando.

Hugo se quedó mirando a Gisela, que lo comprendió enseguida. No lo pudieron evitar y se abrazaron. Felicia estaba contemplando la escena, sin entender nada.

—¿Qué es lo que ocurre? —preguntó.

Hugo, con los ojos llorosos, se abrazó ahora con su mujer. Felicia pensó que quizá fuera una reacción emocional al ir a pisar suelo francés, lejos del demonio de Franco.

Hugo, por su parte, durante un pequeño instante consideró informarle de la situación, pero decidió no decir nada.

Simplemente cogió su equipaje y se dispuso a acompañar a aquel marinero británico.

—¿Para qué te llevas las maletas? —le peguntó Felicia, extrañada.

—También es verdad —le respondió con rapidez Hugo—. No las voy a necesitar.

Felicia se quedó mirando a ambos. Algo se le escapaba, pero pensó que ya se lo contarían una vez hubieran desembarcado. No podían hacer esperar a aquel marinero.

Hugo intercambió una última mirada cómplice con su hija, que estaba haciendo esfuerzos por no llorar.

Siguió al marinero hasta el puente de mando. Como suponía, lo estaba esperando el capitán, con su uniforme de gala, acompañado del primer y el segundo oficial.

—¿Me ha hecho llamar? —preguntó. Estaba nervioso y era obvio que se trataba de una pregunta estúpida.

—Por supuesto. Ahora, que hemos terminado la maniobra de atraque y nos encontramos en territorio francés, debemos mantener una conversación con usted. Supongo que imaginará los motivos.

—No —mintió Hugo.

—¿Ni siquiera viendo a mi lado a mi primer y segundo oficial? Le puedo decir que no acostumbramos a ponernos nuestros uniformes reglamentarios de la *Royal Navy*. Este es un buque hospital y nos manejamos mejor con nuestra indumentaria de trabajo.

—Lo siento, señor capitán y oficiales —intentó mantener la compostura lo mejor que pudo—, no tengo ni idea qué hago aquí.

—¿Es usted Hugo Font?

—No, señor.

—¿Está seguro de lo que afirma?

Hugo pensó acabar con todo aquello con dignidad germánica, en homenaje a su segundo padre, su tío Georg.

—Mi nombre es Hugo Bernhard y soy ciudadano alemán, aunque viaje con documentación a nombre de José Serret.

El capitán hizo un gesto con el brazo, dejándolo caer con desgana.

—Sí, sí, eso ya lo sabemos. Y Concepción Montalbán es Felicia Bernhard, su esposa, y Catalina Carreño es Gisela Bernhard, su hija.

Hugo se sorprendió

—Entonces, si ya lo saben todo eso, ¿para qué me lo preguntan?

—Es una simple formalidad, ya sabe cómo proceder en estos casos.

—No, no lo sé —Hugo estaba muy serio—. Por favor, ¿podríamos terminar cuánto antes?

El capitán sonrió.

—Sí, disculpe, pero permítame que antes le haga unas preguntas.

—¿Tengo alternativa?

—Si le he hecho venir hasta aquí, me temo que no.

—Pues adelante.

—Sabe que nuestro crucero, el *HMS Galatea*, fue abordado por el almirante Moreno, de la Armada franquista. A pesar de comprobar que portaba casi doscientos fugitivos republicanos, entre ellos tres muy significados, no los detuvieron. Usted fue testigo de ello. Estábamos en aguas territoriales españolas y tenían derecho a hacerlo.

—Sí. Junto con mi familia, nos encontrábamos al lado del almirante, cuando se produjo el abordaje.

—¿Y no se ha preguntado por qué se comportó de esa manera tan excepcional? Primero solicita una inspección visual, abordando el buque, para luego no tomar ninguna medida.

Hugo permaneció callado. El capitán continuó.

—Después de aquello, llegamos nosotros, el *Maine*, para hacernos cargo de todos ustedes. La operación de traslado se demoró más de una hora y se hizo en presencia de dos buques de guerra de la Armada franquista. Al estar el crucero *Galatea* junto a nuestro buque hospital, inutilizaba sus potentes cañones. Era un momento perfecto para que el destructor *Melilla* y el mercante armado *Mar Negro* hubieran atacado, con elevadas posibilidades de éxito. Sin embargo, observaron la maniobra sin hacer ni un solo disparo, ni siquiera de advertencia. Absolutamente nada. ¿Sabe que fuimos el único buque que consiguió escapar de España sin ser hostigado, ni por la aviación ni por las fuerzas navales franquistas, a pesar de contar con medios?

Hugo ya se imaginaba los motivos, pero parecía que el capitán quería lucirse. No se lo iba a permitir.

—Supongo que Franco habrá llegado a algún tipo de acuerdo con esos tres que ha nombrado antes, sobre todo con el coronel Casado, para deportarlos y dejarlos en libertad en Francia, desde donde supongo que se dirigirán a Londres. Todo estaba pactado de antemano —explicó Hugo.

—Respuesta errónea —le respondió el capitán, que ahora estaba sonriendo.

—No le creo —le retó Hugo—. Ya le he dicho que fui testigo, porque estaba exactamente al lado de aquel almirante franquista, cuando identificó a esos tres.

—¿Tan solo identificó a esos tres?

—¡Pues claro! Preguntó expresamente por ellos e hizo que el contralmirante que se encontraba a bordo del *Galatea* los trajera a su presencia, para poder verlos en persona. Le repito que estaba justo a su lado.

—Le vuelvo a formular la pregunta, ¿está completamente seguro de que tan solo identificó a esos tres?

Por la cabeza de Hugo le cruzó una idea descabellada. En realidad, no solo había identificado a Casado y a los suyos. Cuando, accidentalmente, se tropezó con él, también había identificado a Felicia, a Gisela y a él mismo.

—Veo, por la expresión de asombro en su rostro, que empieza a comprenderlo —dijo el capitán, que seguía pareciendo divertido.

—Entonces, ¿no nos identificó a nosotros por accidente? —preguntó un atónito Hugo.

—¡Por supuesto que no! Los tres que Franco quería comprobar que se encontraban a bordo dcl *Galatea* no eran ni Casado ni sus hombres. El almirante disimuló llamándolos a su presencia, pero lo que quería verificar, en realidad, es que usted y su familia se encontraban en el buque.

Hugo no podía creer lo que estaba escuchando.

—¡Pero si nosotros no somos nadie! —exclamó—. A pesar de viajar con nombres falsos, es cierto que soy periodista. No tenemos nada que ver con la República Española ni con la guerra. No henos participado en nada.

—Pues alguien deben ser, cuando el motivo por el que hayamos llegado sanos y salvos a Marsella, sin ser hostigados por la Aviación ni retenidos por la Armada franquista, haya sido su mera presencia en el buque.

Hugo no solo estaba pasmado. Estupefacto, patidifuso o boquiabierto. Cualquier calificativo se quedaba corto.

—Pero ¿por qué?

—Como comprenderá, desconozco los detalles, pero sí hicieron especial mención a su hija Gisela. Ella era la más importante de los tres. La debíamos proteger a toda costa. Veo que tuvimos éxito, si no advirtieron nuestra discreta vigilancia.

Hugo se acordó del marinero que estaba extrañamente próximo a Gisela y a él, cuando habían mantenido la conversación, hacia un rato.

—Entonces, ¿qué hago yo aquí?

—Ahora parece que nos vamos entendiendo. Nos hemos vestido de gala para imponerle la insignia de honor del *Royal Feet Auxuliary Maine* —dijo, mientras el primer oficial abría una pequeña caja y le entregaba el contenido a su capitán.

—*Herr* Bernhard, le hago la imposición de la mención de honor de nuestro buque hospital —dijo de forma muy pomposa, mientas le colocaba la insignia en uno de los ojales de su chaqueta.

El capitán y los dos oficiales comenzaron a aplaudir. Hugo seguía sin reaccionar. Estaba en otro mundo. Los tres británicos le abrazaron y le agradecieron su presencia en su barco, ya que gracias a ellos habían alcanzado Marsella sin ningún problema.

—¿Me puedo ir? —preguntó Hugo, todavía incrédulo.

—Por supuesto, cuando lo desee —le contestó el capitán—. Ha sido un verdadero placer contar con su presencia y la de su familia abordo.

Hugo hizo una pequeña reverencia atolondrada, ya que no sabía cómo proceder en un caso así, y abandonó el puente de mando lo más rápido que pudo.

Cuando Gisela vio a su padre descender las escaleras, corrió a abrazarle. Ambos derramaron alguna *lagrimilla.*

—Yo también me alegro de volver a verte —dijo Felicia, que seguía sin comprender la causa del extraño comportamiento del padre y de la hija.

—Ya os lo contaré— contesto Hugo—. Ahora bajemos los tres de este buque lo más rápido posible y traslademonos a Berlín por el medio más rápido posible. Quiero abandonar Francia ya.

—¿A qué vienen estas repentinas prisas? —preguntó Felicia, que observó la insignia en el ojal del abrigo de su marido—. ¿Es porque te han condecorado? ¿Eso no se supone que es algo bueno?

—Te aseguro que no lo es —le respondió Hugo, con un gesto en su rostro que a Felicia se le quitaron las ganas de seguir preguntando.

«Otro misterio más para la colección», pensó.

Ya se explicaría cuando él quisiera.

40 BERLÍN, 3 DE ABRIL DE 1939

En cuanto desembarcaron del *Maine*, no permanecieron en el puerto ni cinco minutos. De inmediato, tomaron un trasporte. Para sorpresa de Felicia y de Gisela, Hugo no le indicó al chófer la estación de tren de Marsella, sino que le mostró, en un plano, la dirección del aeródromo. Estaba claro que tenía mucha prisa por abandonar Francia. Durante el trayecto no dijo nada. Como no había vuelo directo con Berlín, debieron hacer escala en París. La parte positiva es que, en cuanto llegaran a la capital de Francia, tan solo deberían aguardar tres horas más para embarcar en dirección a Berlín, su destino definitivo.

En total, desde que pisaron suelo francés hasta que llegaron a Alemania, apenas habían trascurrido doce horas. Como eran ciudadanos alemanes y disponían de toda la documentación en regla, no tuvieron ningún problema en los controles, y eso que eran muy numerosos. Es lo primero que les llamó la atención.

Felicia no comprendía las prisas, pero no quiso decir nada. Tanto su marido como su hija permanecieron prácticamente en silencio durante todo el viaje, salvo para alguna conversación intrascendente. Sin embargo, sus silencios eran diferentes. En su marido percibía temor y en su hija, bueno, en ella no percibía nada. Parecía un baúl hermético, no dejaba traslucir ninguna emoción, algo inusual en una siempre alegre y expresiva Gisela. Estaba claro que fuera lo que fuese lo que estaba ocurriendo a su alrededor, se trataba de dos cuestiones diferentes.

Nada más llegar a Berlín, se alojaron en el hotel Adlon, frente a la Puerta de Brandenburgo. Estaba considerado uno de los mejores hoteles de Europa. Aunque tampoco les sobraba el dinero como para ir derrochándolo, tampoco les faltaba. Habían llegado tarde y desconocían qué se iban a encontrar cuando amaneciera, así que prefirieron pasar la primera noche en un lugar conocido y muy concurrido. Pensaron que sería más seguro, además ya era muy tarde y querían descansar cómodos y tranquilos, después de la movida travesía marítima desde Gandía hasta Marsella, más el viaje en avión. Llevaban cinco días de viaje. Mañana ya buscarían un alojamiento definitivo y se instalarían de nuevo en Berlín.

Hugo y Gisela se durmieron enseguida, no así Felicia, que le había perturbado su vuelta a la ciudad donde había vivido hasta los treinta y dos años. Teniendo en cuenta que ahora tenía treinta y ocho, tan solo había pasado seis años fuera de ella.

Se asomó por el balcón de la habitación. Aunque era de noche, se podía percibir el notable cambio que había experimentado la ciudad en su ausencia. Asomándose, podía ver la Puerta de Brandenburgo. A pesar de ser uno de los monumentos emblemáticos de la ciudad, a Felicia le traía recuerdos muy tristes. En la tarde anterior a su huida de Berlín, el 30 de enero de 1933, quince mil nazis desfilaron, con antorchas encendidas, bajo la puerta. Era el mismo día que Hitler había asumido la Cancillería alemana. Para ella, había marcado el principio del fin. Ahora se había convertido en un símbolo de la Alemania nazi.

Cerró el balcón, se tumbó en la cama, e intentó dormir. No lo consiguió. Era irónico y triste a la vez. Berlín era su hogar, pero se encontraba incómoda en él. No sabía lo que les depararía el futuro, pero temía que nada bueno. La ciudad era la misma, pero no así sus gentes. Desde que desembarcaron del avión ya pudieron observar profusión de uniformes, y no solo de policías o militares. Hitler había conseguido «militarizar» a la sociedad civil. Como buen líder populista, se apoyaba en los obreros y en las familias, y no dudaba en utilizar a los jóvenes y a las mujeres como reclamo.

La simbología y la imagen eran muy importantes para captar fieles a su causa. Dos cosas le causaron especial impacto cuando entraron en la ciudad, precisamente relacionadas con lo anterior. Lo primero, un grupo de jóvenes, que apenas tendrían la mayoría de edad, portando el uniforme de las Juventudes Hitlerianas.

Lo segundo que le llamó la atención, desde el mismo momento que descendieron del avión, y eso que era ya de noche, era la profusión de propaganda nazi, haciendo referencia a los elementos de un buen populista.

Aunque debía reconocer que, en el auge del populismo alemán, había tenido mucho que ver las draconianas medidas que le fueron impuestas a Alemania al final de la Gran Guerra, con el Tratado de Versalles. Pérdidas de parte de su territorio, limitación de su ejército y capacidad de defensa, ceder a Polonia el estrecho de Danzig, dejando aislada a Prusia Oriental, pero, sobre todo, las elevadísimas compensaciones económicas, en un contexto de crisis económica e hiperinflación. Los obreros e incluso la clase media se arruinaron. Era el caldo de cultivo perfecto para una figura como Hitler. «Debieron preverlo», pensó.

Un buen ejemplo de lo anterior es los carteles nazis reclamando el estrecho de Danzig, o esta otra imagen, que afirmaba que nuestra última esperanza era Hitler. Era icónica. Obreros tristes y empobrecidos buscando un hombre fuerte que les sacara de la miseria.

La utilización de las familias, todas rubias y felices, tenía como objeto promover la raza aria, aprovechando el frío invierno y las ayudas que les prestaban.

Y, cómo no, en el manual de todo buen propagandista, no podía faltar la presencia femenina.

Los nazis eran conscientes de que necesitaban esos cuatro pilares. El sentimiento de nación, apelar a las clases medias y obreras ofreciéndoles recuperar su pujanza de antaño, sacándolos de la pobreza y empoderándolos, promover las ayudas a las familias arias con sus niños en brazos sonriendo y felices y, cómo no, a las mujeres, animando a alistarse en las Juventudes Hitlerianas. Por supuesto, todas guapas, rubias y con ojos azules, su ideal de raza. Se aprovechaban de la mujer en sus dos vertientes, el de ser una buena esposa ama de casa, educando a sus hijos en los ideales hitlerianos, además de como mero reclamo publicitario, como un simple objeto decorativo, con el fin de conseguir más acólitos para su causa.

Por supuesto, en el manual del buen populista tampoco podía faltar un enemigo al que echarle la culpa de todos los males del país. En este caso, se ensañaron con los comunistas, pero, sobre todo, con los judíos, que fueron su objetivo número uno. Parecían el origen de todos los males de Alemania, incluso llegaron a acusarles de ser los responsables de la derrota en la Gran Guerra, cuando la realidad es que miles de ellos combatieron valerosamente y perdieron la vida defendiendo el que consideraban su país.

A Felicia le había llamado la atención esta imagen de la que había sido testigo en su trayecto hasta el hotel. Un viandante, parado frente a un cartel expositor, leyendo *Der Stuermer, El Atacante,* un periódico de clara tendencia antisemita. Parece que los nazis colocaban estas vidrieras en lugares concurridos, como paradas de autobús, parques y similares, para que la gente los pudiera leer.

Felicia debía reconocer la genialidad, aunque fuera con fines diabólicos, del Ministro para la Ilustración Pública y Propaganda del *III Reich*, Joseph Goebbels.

Lo que desconocía Felicia eran las vueltas que podía dar la vida.

A veces, los ángeles se juntaban con los demonios.

41 BERLÍN, 4 DE ABRIL DE 1939

Amaneció un día gris y plomizo en Berlín. «Qué raro», pensó Felicia con algo de guasa, que, a pesar de que fue la última en dormirse, también había sido la primera en despertarse.

—Venga, dormilones, que hoy nos espera el primer día duro en Berlín.

Gisela abrió un ojo.

—¡Vaya manera de despertarnos, con alegría! —exclamó, dando la impresión de que había recuperado su buen humor.

—¡Claro que con alegría! Piensa que tan solo tenemos que buscar una casa para vivir, ver la posibilidad de que continúes tus estudios en Berlín, teniendo en cuenta las fechas en las que estamos y, por fin, buscar trabajo para poder pagar todo eso, además de para poder comer. Nada, una tontería sin importancia.

Hugo pareció despertarse con la conversación.

—Felicia tiene razón —dijo—. Creo que ya hemos descansado lo suficiente, ahora toca ponernos manos a la obra.

—Mientras os vestís, voy a llamar a Kristen, a una de mis antiguas amigas. Tiene un cargo directivo en el *Neues Museum*, junto al Lustgarten.

Al escuchar el nombre del parque, Hugo se levantó de la cama y le dio un cariñoso beso a su esposa. No podía olvidar el lugar de su primera cita, ni siquiera la fecha. Fue el 30 de septiembre de 1919. En aquel momento, apenas llevaba seis meses residiendo en Alemania.

«Parece que, poco a poco, las cosas vuelven a la normalidad», pensó Felicia.

Gisela y Hugo se vistieron y se asearon. La habitación era de auténtico lujo, hasta disponía de dos aseos, así que no tuvieron que pelearse por el turno. Cuando salieron, vieron a Felicia sonriente.

—Primer problema resuelto. El próximo lunes 10 empiezo a trabajar en el *Neues Museum*. Era mi primera opción, ya que me encanta esa zona de Berlín y el museo en concreto, en especial, su sala egipcia. La solía visitar de niña con mi padre. Es un lugar precioso.

—¡Enhorabuena! —le dijeron a coro Hugo y Gisela, abrazándose los tres. Parecía que la suerte estaba cambiando de bando.

—Mi primera opción, sin embargo, no será posible. Me acabo de enterar que uno de los periódicos que fundo tu padre, Rudolf Mosse, el *Berliner Tageblatt*, fue clausurado por los nazis hace apenas tres meses.

—Creo que era el último legado de mi padre y me sorprende que durara tanto. Su línea editorial era demasiado liberal para la ideología totalitaria nazi. Ya sabéis que todas sus propiedades y su valiosa colección de arte fueron confiscadas y subastadas por los nazis en 1934. A pesar de que tengo muchos tíos y primos, no he querido llamarles para pedirles ayuda. Supongo que no se encontrarán en una buena posición, eso los que sigan en el país y con vida —dijo, con cierta tristeza—. Casi prefiero que no sepan que he vuelto a Berlín.

—Tendré que hacer llamadas yo también. Conservo buenos amigos de la época del *Vossische Zeitung* de mi tío Georg. A ver si me pueden echar una mano.

—Siento no poder ayudaros en nada. Ya sabéis que dejé Alemania con doce años. A diferencia de vosotros, no tengo ni idea de qué habrá sido de mis amigas de hace seis años, ni, por supuesto, tengo sus números de teléfono, si es que tienen —dijo Gisela.

—No digas eso —le respondió su madre—. Sí que puedes hacer algo. Tú no tienes que buscar trabajo, sino continuar estudiando. Acércate a la Universidad de Berlín e infórmate. Ya sé que estamos en abril y los cursos estarán casi concluyendo, pero por preguntar, tampoco pasará nada.

—También hemos de buscar una casa y en eso sí que nos puedes ayudar —añadió Hugo.

—Pensándolo mejor —le dijo Felicia a su hija—, como yo ya tengo el tema del trabajo resuelto, te acompaño a la Universidad y luego vamos a dar una vuelta, a ver si vemos algún piso que nos guste. Tu padre tiene que solventar lo suyo.

—¿Me permitís una sugerencia?

—Claro —le respondió Felicia.

—Es una cuestión sentimental. Si podéis buscar algo cercano a la Alexanderplatz, sería estupendo. En esa zona pasé, primero con mi tío y luego con el amor de mi vida, trece años maravillosos.

Felicia le dio un beso.

—Por supuesto, además esa zona es perfecta para acudir a mi trabajo. Apenas quince minutos andando.

—Supongo que esta noche también la pasaremos en el hotel. No creo que podamos resolverlo todo hoy, así que, cuando terminemos todos con nuestras respectivas gestiones, nos vemos aquí, a la hora de la comida —resolvió Hugo.

Madre e hija se despidieron y salieron de la habitación.

Hugo buscó los periódicos que aún se publicaban en Berlín y que no hubieran sido cerrados por los nazis. Para su desolación, apenas había nada que no fueran panfletos tipo *Der Angriff*, dirigido por Goebbels y algunos más en su línea. Parecía que se había impuesto el pensamiento único en Alemania.

Se le ocurrió llamar a la *Ullstein Verlag*, la editorial que había sido propietaria del *Vossische Zeitung* hasta su cierre en 1934. Cuando se vio obligado a huir de Alemania, quedó en buenas relaciones con ellos. Quizá tuvieran algún trabajo para él.

Así lo hizo. La primera, en la frente. La editorial, aunque continuaba sus actividades, ya no se llamaba así. Ahora había sido confiscada por los nazis y se llamaba *Deutcher Verlag*.

«¿Pero queda algo en Alemania que no lo controle Hitler y los suyos?», pensó, desesperado. No obstante, en la editorial se acordaban de su paso por el *Vossische Zeitung*. Además, resultaba que Hans Schäffer, que había trabajado junto con él en su época de los talleres, ahora lo hacía en un medio de la editorial. La telefonista le puso en contacto con él. Estuvieron un buen rato recordando anécdotas pasadas y alguna que otra borrachera con la cerveza de Berlín. Al final, que era lo que a Hugo le interesaba, le ofreció un puesto de trabajo en el *Berliner Illustrirte Zeitung*. Le sonaba. Hizo memoria y recordó que, más que un periódico tradicional, era un semanal en formato de revista ilustrada.

—Las cosas han cambiado bastante desde que te fuiste —le comentó Hans.

—Ni que lo digas. Hace apenas un día que he vuelto a Berlín y el ambiente que se respira en la ciudad es otro.

—Tiene sus aspectos positivos y también algunos negativos, no te lo voy a negar. Ahora no falta trabajo y cobramos un salario digno, pero, por el contrario, no podemos publicar con libertad, como ocurría antes. A ti no te puedo engañar, sabes que siempre te hemos apreciado mucho en los talleres. Te advierto que no vas a ser libre. En el trabajo te dirán de qué debes escribir, cómo escribir y qué fotografías puedes publicar y cuáles no —le reconoció abiertamente Hans—. Y después de todo ello, aún no habrán terminado contigo. Tomarán el trabajo, que te habrá costado varios días de componer, te lo corregirán y lo publicarán bajo tu nombre. Eso si tienes suerte y tu artículo es de su agrado. En caso contrario, lo tirarán directamente a la papelera, sin más explicaciones y, a continuación, te encargarán el siguiente trabajo. Vuelta a empezar la rueda. Así se funciona ahora. Ya sé que no suena demasiado bien, pero te acabas acostumbrando y, al final, hasta te gustará.

—¡Qué barbaridad de control! —no pudo evitar exclamar Hugo. Dudaba mucho que aquello le fuera a gustar en algún momento, pero era lo que había, lentejas. O las tomas o las dejas.

—No pienses como antes, como un periodista. Ahora debes de cambiar tu mentalidad. Eres un propagandista que te debes a una causa común, el bien de tu país —continuó Hans.

«¿El bien?», se preguntó Hugo. «¿Desde cuándo la falta de libertades es un bien?».

De todas maneras, aceptó el empleo y se consideró afortunado, dado el desolador panorama periodístico de la ciudad y, por extensión, de toda Alemania. Hans le informó que la revista se publicaba todos los jueves, pero que su primer día de trabajo sería el lunes que viene, justo el mismo día que Felicia empezaría en el museo. Le dio las gracias a Hans y, en agradecimiento, le invitó a tomar unas cervezas al terminar su primera jornada, en recuerdo de los viejos tiempos.

«Otro tema resuelto, aunque me tenga que prostituir intelectualmente», se dijo. Aun así, estaba contento. Para celebrarlo, dejó la habitación y se bajó al bar del hotel para tomarse una cerveza. Las escalinatas que conducían al *American Bar*, como se llamaba, eran espectaculares, como todo el hotel.

A estas horas de la mañana aún estaba vacío, aunque en Berlín se tomaba cerveza a todas horas.

Antes de entrar en el bar, pensó en salir a comprar el último ejemplar publicado del *Berliner Illustrirte Zeitung.* Iba a trabajar para ellos y los comentarios de Hans habían avivado su curiosidad sobre las férreas medidas de control de los nazis. Las quería ver con sus propios ojos.

Berliner
Illustrirte Zeitung

Von Königsberg bis Klagenfurt, von Köln bis Wien rief der Führer das deutsche Volk, und die Nation erhob sich und bekannte jubelnd vor der Welt: Großdeutschland für ewig!

Para su sorpresa, estaba agotado. Su popularidad era más que evidente, aunque pudo observar un ejemplar antiguo que tenían puesto como reclamo. Aunque estaba algo descolorido, le sirvió para hacerse una idea perfecta de donde se metía a trabajar.

Después de tomarse un par de cervezas, volvió a la habitación a esperar a su mujer y su hija, que no tardaron en volver.

—¿Cómo os ha ido? —preguntó Hugo.

—En cuanto a la casa, con la primera que hemos visto ha sido suficiente. Es modesta, tiene dos habitaciones pequeñas, pero hay algo que la hace especial.

—Para haber elegido la primera, sí que debe ser especial...

—Es un ático próximo a la Alexanderplatz, con una terraza con unas vistas espectaculares sobre Berlín.

Hugo compendió enseguida qué la hacía especial. Los tres habían vivido también en un ático en esa zona, antes de tener que huir de Alemania. Sonrió abiertamente.

—No te esperes el mismo ático que nos dejó tu tío Georg. Este es mucho más modesto, pero suficiente para nuestras necesidades.

—Estupendo —respondió Hugo, que, sin verlo, se fiaba del criterio de su mujer y su hija—. ¿Y en la Universidad qué os han dicho?

—Pues lo que ya suponíamos. Hasta el curso que viene no podrá continuar con sus estudios. Sin embargo, hemos conocido a un simpático muchacho que iba a informarse para matricularse también el curso que viene. Nos ha comentado que, aparte de la Universidad, existen otros centros de formación, en periodos que no hay clases. Él se acababa de apuntar a uno de ellos. Le ha ofrecido a Gisela si le interesaba unirse a ellos.

—¿Y qué has contestado? —preguntó Hugo, dirigiéndose a su hija.

—¿Tú qué crees? —le respondió Gisela— ¡Pues claro que sí! No me voy a pasar cinco meses encerrada en casa, mientras vosotros estáis trabajando. Lo que sea por hacer algo.

—Hablando de trabajo, ¿has encontrado alguno? —le preguntó Felicia a Hugo.

—Sí, he tenido suerte. Me han contratado.

—¿Dónde?

—En el *Salón Kitty* —le respondió.

Felicia se echó a reír a carcajadas. Gisela, en cambio, no le encontró la gracia por ningún lado. Era lógico, era demasiado joven para conocerlo.

—¿Qué tiene de gracioso ese trabajo? —preguntó.

Felicia se lo explicó. El *Salón Kitty* era el burdel más famoso de Berlín. Debía su nombre a su fundadora, Katherina Schmidt, más conocida por Kitty. Cuando Hitler se hizo con el control de Alemania se dispusieron a clausurarlo. Esta acción fue abortada por el general de las *SS*, Reinhard Heydrich y su lugarteniente, Walter Schellenberg, jefe del *Sicherheitsdienst*, es decir, el servicio de inteligencia de las *SS*. Vieron, en un local de estas características, una fuente de información en potencia. Le ofrecieron a Kitty no encarcelarla a cambio de que el local pasara a ser regentado por ellos. Aquello no era realmente una oferta, sino una orden, por lo que no tuvo más remedio que aceptar. Así que los nazis disponían de su propio burdel en Berlín, donde agasajaban a todos los mandatarios extranjeros que visitaban la ciudad y, de paso, obtenían valiosa información.

Gisela abrió esos tremendos *ojazos* azules.

—¿En serio vas a trabajar en un burdel nazi?

—No, pero, más o menos, es lo mismo —le respondió Hugo, riéndose de la ingenuidad de su hija.

«Aunque si lo pienso bien, creo que para lo que voy a hacer en la revista, me lo pasaría mejor en el *Salón Kitty*», se dijo, aún con la sonrisa en la boca.

Aunque con las lógicas dificultades, parecía que la vida se les empezaba a enderezar. Estaban contentos. Lo que no podían imaginar era por donde se les comenzaría a torcer. Ni se lo imaginaban.

42 BERLÍN, 1 DE SEPTIEMBRE DE 1942

—Estoy preocupado por tu hija.

Hugo levantó la vista del libro que estaba leyendo. Ya hacía más de tres años que habían retornado a Berlín. A pesar de la guerra que había desatado Hitler, continuaban viviendo con cierta comodidad en Berlín.

A su mujer le encantaba su trabajo. Le venía de familia, todo lo relacionado con el arte le apasionaba. La familia Mosse, gracias a los diversos negocios, entre otros los editoriales, había amasado una verdadera fortuna. Una parte de ella la habían invertido en arte y en labores de mecenazgo.

Por otra parte, él se había adaptado mucho mejor de lo que pensaba en su trabajo en el *Berliner Illustrirte Zeitung.* Pronto consiguió comprender qué pretendían de él, y les ofrecía el producto exacto que deseaban. Era pura basura propagandística nazi, pero, para su sorpresa, descubrió que se le daba francamente bien la basura. Había ido refinando su técnica y, en la actualidad, la práctica totalidad de reportajes que escribía, pasaban el corte de los censores políticos sin apenas modificaciones. Como los artículos iban firmados con su nombre, se había labrado cierta fama de periodista afecto al Partido Nazi, incluso le reconocieron su labor con alguna condecoración menor.

Era cierto que se sentía un puro mercenario, pero no uno cualquiera, sino uno de los buenos. Hugo pensaba que aquello les ayudaba a pasar desapercibidos en una ciudad cada vez más peligrosa, por las constantes redadas políticas contra los comunistas u opositores a Hitler, pero, sobre todo, contra los judíos. Aunque ellos lo eran, esa información había sido eliminada de los archivos y, en consecuencia, los nazis la desconocían. Pero, incluso así, prefería prostituirse intelectualmente para ayudar a su familia.

En cuanto a Gisela, cursaba sus estudios de medicina en la Universidad, con unas calificaciones magníficas y muy pronto se graduaría. Se había integrado perfectamente en la vida universitaria y, además, había hecho piña con un grupo de amigas y amigos, que también asistían a los cursos de formación, cuando no había clases. Por todo ello, le extrañó la pregunta de su mujer.

—¿Qué pasa con Gisela?

—¿No te da la impresión de que se ha integrado demasiado fácil en esos círculos que frecuenta? Ya sabes en qué consisten esos «círculos». Son como unas inmensas máquinas de lavar cerebros, para adoctrinar a los niños y a los jóvenes en la ideología nazi. Lleva más de tres años asistiendo a la práctica totalidad de sus sesiones. Recuerdo que en España, aunque estaba afiliada a la Federación Universitaria Escolar, la FUE, apenas participaba en sus acciones. Aquí no está ocurriendo lo mismo. Se ha adaptado al medio con pasmosa facilidad.

—¿No se trataba de eso? Supongo que tú también lo habrás hecho en tu trabajo, como te aseguro que yo lo he hecho en el mío. Vivimos tiempos difíciles y hemos de integrarnos, para lograr pasar lo más desapercibidos posibles. Debemos parecer unos berlineses más, sin nada que ocultar.

—Precisamente a eso me refiero.

—No te entiendo.

—Nosotros somos personas adultas y sabemos diferenciar la realidad de la megalomanía del tarado de Hitler, que acabará destruyendo Alemania. Te recuerdo que tú, en una ocasión, llegaste a afirmar que el pueblo alemán jamás permitiría a Hitler llevar adelante sus locuras. Como periodista serás bueno, pero como adivino...

—¡No digas eso ni en casa! —le interrumpió Hugo—. Las paredes tienen oídos. ¿No recuerdas el susto que nos llevamos la semana pasada?

—Claro que me acuerdo. La *Gestapo*, que ya sabes que es la policía secreta de los nazis, se presentó en nuestro propio edificio. Cuando nos disponíamos a escapar por los tejados, nos dimos cuenta que no venían a por nosotros, sino a por los Baumann, nuestros vecinos de abajo. ¿Por qué? Por lo visto, les encontraron algún antepasado judío. Casi nos da un ataque al corazón.

—Entonces, ¿qué problema le encuentras a Gisela? Todos intentamos sobrevivir en un entorno hostil. Hay que adaptarse y ella lo está haciendo muy bien.

—¿No te da la impresión que «demasiado bien»?

—¿Qué pretendes insinuar?

—¿Crees que es capaz de distinguir lo que está bien y lo que está mal? Se pasa el día con esos niños de papá. Se ha apuntado a las Juventudes Hitlerianas. Esos son los ambientes que frecuenta.

—¿Y cuál te crees que es mi ambiente de trabajo? ¿Sabes que hace un mes me visitó el mismísimo Joseph Goebbels en persona? Nadie me había avisado de que quería hablar conmigo. Me tenías que haber visto, parecía más nazi que el propio Hitler. Hasta me despedí de él con un *Heil Hitler!* Insisto, ¿no se trataba de eso? ¿De adaptarnos al medio?

—Pero ella es joven y más influenciable. No lo sé, no tengo buenas vibraciones.

Hugo se quedó pensativo. A pesar de que él no había advertido ninguna anomalía en el comportamiento de Gisela, tenía que reconocer que Felicia era muy intuitiva. Y mucho más inteligente de lo que aparentaba.

—¿Estás insinuando que puede haberse dejado convencer por las chaladuras del *III Reich*? Aunque tan solo tuviera doce años, nos ha reconocido que recordaba lo mal que lo pasamos cuando huimos de aquí, en 1933. También ha vivido los horrores de la guerra civil española, además en primera persona, en los hospitales de campaña. ¿No crees que todo ello le habrá inmunizado contra las atrocidades de las guerras y la violencia contra las personas?

—Tienes razón en lo que dices. Gisela se ha visto forzada a madurar mucho más rápido, por las circunstancias de nuestra vida. Yo, con dieciocho años, estaba tan feliz cultivando mis frutos rojos en el jardín del castillo de mis padres. Ella, con mi misma edad, estaba cosiendo brechas en las cabezas de los combatientes republicanos. Quizá me esté volviendo un tanto paranoica debido a la tensión. Día sí y día también, vemos como pasan los camiones militares con decenas de personas, en dirección a los campos de concentración. Dicen que muchos mueren allí.

Hugo se levantó del sillón y se sentó junto a su mujer. Le pasó el brazo por encima de los hombros y la acercó a él.

—Escucha, todos estamos muy nerviosos, pero las cosas nos están yendo bien, me atrevería a decir que mejor de lo esperado. Por otra parte, tu juicio me merece mucho respeto. Intentaré prestar más atención a lo que me acabas de decir. También te tengo que reconocer que no se me había ocurrido esa posibilidad.

En ese mismo momento, escucharon como se abría la puerta de la casa.

—No deberíamos presentarnos así.

Hugo y Felicia se quedaron helados. Era la voz de un hombre, no la de su hija. Inmediatamente se levantaron del sillón. Desde allí sentados no podían ver la puerta de entrada.

De repente, para su absoluta sorpresa, apareció Gisela con un chico de su edad.

—No me parece correcto ni educado —el muchacho insistía.

—Anda, ¡cállate! —le cortó Gisela—. No quiero que me pase lo mismo que con el anterior novio que tuve.

—¿Has tenido otro novio? Nunca me lo habías contado.

—Porque no éramos novios exactamente. Éramos niños y nos gustaba llamarnos así, pero nada más. De eso hace tantos años que casi ni me acuerdo —le mintió Gisela. Consideró que no era el momento adecuado para hablar de ese tema.

Hugo y Felicia estaban asistiendo a la conversación entre la pareja, absolutamente estupefactos.

—Disculpen nuestros modales —dijo el chico, dirigiéndose a los padres de Gisela—. Me llamo Harald y soy compañero y amigo de su hija.

—¿Compañeros? —se le quedó mirando Gisela—. Papás, os presento a mi novio. Llevamos saliendo apenas un mes. No quería ocultároslo. Además, el sábado ceno en su casa.

El tal Harald se puso colorado.

—Siento mucho estos modales tan inapropiados —intentó excusarse—. Pasábamos por aquí y su hija ha insistido en que subiéramos para presentarme. No ha sido un acto convenientemente preparado, ni he sido invitado formalmente a su residencia. Quiero que sepan que lo lamento.

«¿De dónde ha sacado Gisela a este *pollo* tan redicho?», se preguntó Hugo. Lo observo un poco mejor. No le faltaba ni un solo detalle. Cumplía todos los patrones de la estética nazi, hasta ese ridículo peinado que todos llevaban.

—Por favor, adelante, estás en tu casa —reaccionó Felicia—. Puedes venir cuando quieras. No tenéis que esperar ninguna invitación formal —dijo, mientras se acercaba al muchacho y le saludaba—. Me llamo Felicia.

Hugo cayó en la cuenta que él todavía no había reaccionado.

—Mi esposa tiene razón. Como verás, somos un matrimonio berlinés modesto, no hacen falta las formalidades. Mi nombre es Hugo.

El muchacho se le quedó mirando fijamente.

—¿No será usted Hugo Bernhard? ¿El mismo que escribe esos magníficos reportajes en el *Berliner Illustrirte Zeitung?*

—Bueno, somos un gran equipo trabajando, pero sí, soy yo el que los firma.

—Es un verdadero placer conocerle en persona, señor. Mi padre habla muy bien de usted. Bueno, mi padre y medio Berlín. Es usted un magnífico periodista. Sabe enfocar sus artículos en los temas importantes y no se pierde en los sensacionalismos de otros panfletos. Además, se nota que se prepara sus reportajes con mucha objetividad. De hecho, solemos comentar algunas de sus publicaciones en nuestro círculo, incluso hemos hecho trabajos sobre ellos.

—Anda, no os quedéis ahí de pie. Es una descortesía por nuestra parte no invitaros a sentaros. ¿Os apetece tomar algo?

—No —contestó el muchacho.

—Sí —respondió al mismo tiempo Gisela.

—Ya veo lo compenetrados que estáis —rio Felicia—. Anda, Hugo, acerca una jarra de agua fresca.

Hugo lo agradeció. Aquel muchacho había conseguido ponerle nervioso. «¿Hacen trabajos sobre mis magníficos reportajes objetivos?». Casi le entró la risa con ese simple pensamiento.

Salió de la cocina con una bandeja portando la jarra del agua y cuatro vasos. Ya se encontraban todos sentados. Sirvió uno por uno.

—La verdad es que me siento incómodo, no por ustedes, ya me entienden. Acostumbro a acudir a las residencias de mis amigos cuando me invitan, pero supongo que ya conocen a su hija. En su espontaneidad radica una parte muy importante de su belleza.

«Caramba con el *pollo*», pensó Hugo, todavía con la bandeja en la mano. «No, si al final me caerá bien y todo»

—Disculpa —le dijo Hugo—. Entre tanta conversación no he escuchado tu nombre.

—No se preocupe, señor Bernhard. Me llamo Harald Quandt.

Hugo pareció trastabillarse y se le cayó la bandeja. Menos mal que ya no portaba agua ni los vasos. La jarra tampoco se rompió.

—Disculpad —se excusó—. Esta alfombra es muy traicionera y me he tropezado con un pliegue.

Se retiró de inmediato a la cocina. Su esposa Felicia se percató de que algo sucedía, pero no tenía ni idea de qué.

—Bueno, han sido muy amables conmigo. Les reitero mis disculpas, pero debo irme a mi casa, si no, mis padres me echarán de menos —sonrió Harald—. Esta visita no estaba prevista.

—No te preocupes —le respondió Felicia, mirando hacia la cocina y esperando que saliera su marido, que se estaba haciendo de rogar.

—Ha sido un verdadero placer conocerle en persona, señor Bernhard.

Ahora, Hugo no tuvo más remedio que asomarse.

—Lo mismo digo, Harald.

Gisela lo acompañó hasta la puerta y se despidió de él con un beso. De inmediato, volvió al salón.

Su padre seguía en la cocina.

—¿Me queréis explicar qué pasa? Cuando no os cuento que tengo novio, el caso de Toni en Valencia, mal por mi parte. Ahora que no he querido ocultároslo en Berlín, también parece que mal. ¿Me podéis explicar qué ocurre?

Felicia también se estaba haciendo la misma pregunta, pero ante el silencio de Hugo, intervino.

—Gisela, si te has enamorado de Harald, me parece muy bien cómo has procedido. Ya sabes que en esta casa no somos muy de formalidades, pero, por lo visto, en la de tu novio, sí. Me ha dado la sensación de que ha estado incómodo todo el rato. No paraba de excusarse.

Gisela se dispuso a responder a su madre. Le iba a decir que todo había sido improvisado por ella, cuando su padre, de repente, salió de la cocina con el rostro más pálido que un vaso de leche.

—¿Sabes quién es tu novio? —le preguntó a su hija, sin dejarle responder a su madre.

—Papá, ¿qué clase de pregunta estúpida es esa? Nos conocemos más de tres años. Por supuesto que sé quién es, es un estudiante de ingeniería llamado Harald Quandt. Creo que se ha presentado ante vosotros también.

—Voy a reformular la pregunta, que creo que no me has entendido. ¿Sabes quién es el padre de Harald Quandt?

—¿Y yo qué sé? —le respondió Felicia—. Supongo que alguno apellidado Quandt. A mí no me suena de nada ese nombre. Supongo que será algún rico ingeniero nazi, por lo educado que es y las ideas que tiene. A mí me gusta él, me da igual a qué se dedique su padre y el dinero que pueda tener.

—Primero, no te debería dar igual y segundo, su padre no se apellida Quandt —le respondió Hugo, que seguía con el mismo semblante.

—¿Cómo puede ser eso posible? —le preguntó Gisela, que ahora había cambiado su actitud. Ya no parecía estar al ataque.

Hugo les dijo cómo se llamaba, en realidad, el padre de Harald.

Felicia se tuvo que sentar en el sillón, de la impresión que le había causado y Gisela no llegó a hacerlo, pero tuvo que apoyarse en uno de sus brazos.

Aquello era toda una bomba.

«Al final, Felicia tenía razón con su intuición», fue el último pensamiento que recordaba Hugo de aquella escena.

Se acababa de confirmar que, a veces, las cosas se tuercen por donde uno menos se lo imagina.

43 BERLÍN, 1 DE SEPTIEMBRE DE 1942

—¿Te encuentras bien o llamamos a un médico?

El alma de Hugo comenzó a regresar lentamente a su cuerpo. Entre nebulosas, le pareció verse a sí mismo tumbado en la alfombra de su casa, mirando el techo. Poco a poco empezó a recordar lo sucedido. Había perdido por completo la noción del tiempo.

—¿Cuánto rato llevo así?

—Apenas unos minutos, tranquilo —le respondió su esposa.

Intentó incorporarse de golpe, pero las fuerzas le fallaron y acabó sentado.

—No te precipites, ya tienes mejor aspecto. Ahora, entre Gisela y yo te llevaremos hasta el sillón, no te preocupes.

—Creo que podré hacerlo yo solo —dijo Hugo, que volvió a intentar levantarse, esta vez con éxito. Eso sí, se dirigió de inmediato al sillón, ya que aún estaba algo mareado.

—Escucha, Hugo —le dijo su esposa—. ¿Recuerdas lo sucedido hace un momento?

—Pues claro. Me duele algo la cabeza, se ve que me he debido dar algún golpe, pero mi memoria está intacta.

—Entonces, ¿serías tan amable de explicarnos cómo es posible lo que nos has contado?

—Bueno, intentaré hacerlo lo más breve posible —empezó su explicación Hugo, tomando un vaso de agua de la mesa y dando un pequeño sorbo—. Harald Quandt es hijo del acaudalado industrial Gûnther Quandt y de Magda Behrend.

—¡Eso no es lo que nos has dicho hace un momento! —le interrumpió Gisela, enfadada.

—Espera a que concluya mi explicación y no me interrumpas. Hasta aquí, la figura importante no es Gûnther, sino su madre, Magda Behrend.

—Me suena mucho su nombre —dijo Gisela—. Creo que en las Juventudes Hitlerianas hemos visto algún documental. Me parece que salía hablando en público con en *Führer*.

—¿Con el *Führer*?

—Perdón, es la costumbre. Quería decir con Hitler.

—Sí, seguro que la has visto en algún documental. De hecho, en ocasiones parece la representante no oficial del régimen nazi. Es muy admirada, sobre todo por las mujeres, que quieren parecerse a ella.

—Yo me he perdido —afirmó Felicia—. ¿Qué tiene que ver esa señora con el nombre del supuesto padre de Harald, que resulta que es un tal Günther, pero que, en realidad, no lo es? ¿Es una adivinanza?

—Si me dejáis explicarlo, lo entenderéis enseguida. La madre de Harald y su marido Günther mantenían y creo que aún mantienen ambos, una excelente relación con Hitler, pero se produjo un hecho inesperado en el matrimonio. Magda Behrend se enamoró de otro hombre y se divorció de Günther en 1929. Ese otro hombre se llama Joseph Goebbels, que acogió a Harald como si fuera su legítimo hijo. Esa es la sencilla explicación que el «padre» de Harald Quandt, en la actualidad, sea nada más y nada menos que lo más parecido que Hitler pueda tener como amigo, Goebbels. Casi me atrevería a decir que es aún más extremista que Hitler, es partidario del exterminio del pueblo judío, además de ser un narcisista enfermizo. ¿Lo entendéis ahora?

—Muy claro —dijo una abatida Gisela.

—¿Desde cuándo dices que sois novios? —le preguntó Hugo a su hija.

—Más o menos un mes.

—Todo concuerda. Fue cuando Goebbels me visitó por sorpresa en el *Berliner Illustrirte Zeitung*. Por eso no anunció su visita y vino de incógnito. En realidad, no le importaba mi trabajo, como así dio a entender. Vino a conocer al padre de la novia de su hijo.

—¿No te parece un argumento un tanto retorcido? —le preguntó Gisela.

—No creo en las casualidades. No soy el mejor articulista, ni el que mejor currículo tiene, ni siquiera el más conocido de la revista. Me visitó a mí solo, y, para sorpresa del director, una vez acabada nuestra breve conversación, abandonó las instalaciones sin interesarse por nadie más. Además, si lo recuerdas, el propio Harald acaba de afirmar, hace un instante, que su padre me conocía.

—Eso es cierto —intervino Felicia.

—Además, ¿creéis por un momento que una persona de la importancia y relevancia para el régimen nazi como Joseph Goebbels no tiene a sus hijos bajo una vigilancia discreta? Seguro que nos habrá investigado a fondo, con el trastorno de la personalidad que padece. No creo que permitiera que la familia de la novia de su hijo tuviera la menor mácula en su historial. Sería una vergüenza para lo que representa el *III Reich*.

Ahora, por primera vez, Gisela fue consciente de que lo había vuelto a hacer. Hacía seis años había puesto a su padre en peligro de muerte, por confiar en el novio equivocado, Toni Cano, hijo de Antonio Cano, un agente franquista encubierto. Con toda probabilidad, su padre fue incluido en la lista de personas a fusilar por mediación de la información que Toni facilitó acerca de su familia. Ahora estaba con Harald, nada más y nada menos que el hijo del temible y desequilibrado Goebbels.

Pero ahora existía una importante diferencia que tranquilizaba un tanto a Gisela. La primera vez había aprendido la lección. Se prometió a sí misma que jamás volvería a hablar acerca de sus padres a ninguna pareja que tuviera en el futuro. Con Harald lo había cumplido. Se había ceñido a la historia oficial de su actual vida en Berlín. Su madre trabajaba en el *Neues Museum* y su padre era un periodista muy afecto a la causa nazi y se ganaba la vida escribiendo artículos elogiosos de Hitler y sus hazañas, en la revista en la que trabajaba, controlada por una editorial nazi. Estaba claro que Goebbels se quiso cerciorar en persona de la realidad de estos hechos. Posiblemente también hubieran investigado a su madre en el museo. Todo era, en apariencia, cierto.

Su padre había pensado lo mismo que Gisela. Parecía que tuvieran algún tipo de conexión mental.

El silencio empezaba a resultar incómodo. Hugo decidió romper el hielo.

—Bueno, la verdad es que, bien pensado, tampoco debería suponer un problema para nosotros, quizá hasta se puede convertir en una ventaja. Está claro que Goebbels conocía vuestro noviazgo desde hace un mes, tiempo suficiente para investigarnos. Aún seguimos aquí, sanos y salvos. Han hecho multitud de redadas en este barrio, pero jamás ha venido a nuestra casa ni un solo miembro de la *Gestapo* ni siquiera para pedir un vaso de agua. Por otra parte, te han invitado a cenar a su palacio el sábado que viene, que no es una simple residencia o una casa. Eso es un gran honor. Goebbels no se prodiga en actos sociales, excepto con el *Führer* y su entorno más cercano. Eso parece indicar que hemos debido superar el examen previo de seguridad al que nos habrán sometido.

—¿Previo? —Felicia advirtió la palabra.

—Sí. Nos han investigado y lo que Gisela le ha contado a Harald es cierto y concuerda con nuestra documentación. Pero no olvidemos nuestra procedencia. Somos judíos y, además, lo que ellos llaman unos *Rotspanien,* es decir, unos *rojos* españoles que escapamos de Franco. Por cualquiera de las dos causas nos podrían detener. Del tema judío borraron todos los datos de los archivos, pero no olvidemos que dejamos rastros de nuestra entrada a Alemania. Incluso si investigaran con mucha más profundidad, podrían averiguar qué huimos en el buque hospital *Maine* desde Gandía.

—Eso será imposible —afirmó Felicia—. Viajábamos con nombres falsos.

—No, no es imposible. No me voy a alargar en explicaciones, pero, por los motivos que fueran, el capitán del buque sabía cuál era nuestra identidad real. ¿No te acuerdas que bajé del puente con una chapita en el ojal?

—Sí, claro, pero eso no explica... —intentó argumentar Felicia.

—Además, el mismo día que atracó el *Maine* en Marsella, tomamos un vuelo a París y, de allí, hasta aquí, Berlín. Y ese trayecto sí que lo hicimos con nuestra documentación alemana —le interrumpió su marido—. Ya sé que es difícil que hilen tan fino en la investigación, pero no deja de ser una posibilidad.

—No se me había ocurrido —confesó Felicia—. Si enlazan la llegada del *Maine* a Marsella con nuestros vuelos a Berlín, podrían sospechar algo.

—A pesar de ello, como decía antes, estamos aquí y no nos ha ocurrido nada. Quizá existan más beneficios que inconvenientes en el noviazgo de Gisela. Ahora, se codea con las altas esferas nazis. Yo también soy, en apariencia, un periodista afecto a la causa. En principio, no deberían existir motivos para que nos investigaran más.

Gisela permanecía callada. Ahora intervino. Se la notaba más preocupada que sus padres.

—Pero ahora estamos bajo su atenta vigilancia. Goebbels no creo que haya dejado de hacerlo.

—Eso es cierto, por eso, tendremos que tomar alguna medida de protección adicional —le respondió su padre.

—¿A qué te refieres? —preguntó Felicia.

—Si, por cualquier circunstancia —ahora Hugo estaba hablando, mirando a Gisela—, se presentaran en nuestra casa los perros de la *Gestapo*, tu madre y yo los entretendríamos. Tú debes subir a la terraza y escaparte por los tejados. Contra ti no deberían tener nada. Será a nosotros dos, que hemos tenido un pasado en Alemania, a quién nos busquen. Además, eres la novia del hijo de Goebbels y participas de forma activa en las Juventudes Hitlerianas desde hace más de tres años. Pero, sobre todo, lo más importante. Si llegara a ocurrir, no se te ocurra mirar hacia atrás ni vaciles ni un solo instante.

—No sé si sería capaz de abandonaros, si llegara ese hipotético caso —contestó Gisela, que ahora parecía triste y pensativa.

—Mírame a los ojos. ¿Te acuerdas de la travesía del *Maine*? No te queda otro remedio. Es tu responsabilidad.

Gisela comprendió lo que su padre le quería decir, no así Felicia.

—¿Qué tiene que ver el viaje en el barco británico con la fuga de Gisela en Berlín?

—Nada, simplemente lo he puesto de ejemplo. Recordad que, en varios momentos de nuestra huida, llegamos a pensar que todo se había terminado para nosotros, sin embargo, aún estamos aquí. Somos unos supervivientes natos. A ese espíritu de lucha apelaba, sobre todo en Gisela, que es la más joven —mintió, con absoluto descaro, Hugo.

Felicia, en ese inesperado instante, no pudo evitar recordar un antiguo pensamiento suyo. A veces, los ángeles se juntan con los demonios.

Justo en ese momento, aporrearon la puerta.

44 BERLÍN, 1 DE SEPTIEMBRE DE 1942

—¿De Himmler?

—Sí, ya te lo he dicho.

—¿Del Heinrich Himmler, del *Reichsführer* de las *SS*?

—¿Conoces a algún otro que se llame así?

—Pero ¿qué tienes tú que ver con Himmler? ¿Acaso lo conoces?

—Jamás lo he visto en persona, tan solo en documentales, como supongo que tú también.

—Pero habrás mantenido alguna conversación con él, aunque fuera por teléfono.

—No. Ni lo he visto ni he hablado con él en mi vida. Estoy tan sorprendido como tú.

—¡Algo habrás hecho! —le reprochó—. A nadie le cita el jefe de las *SS* en su despacho, así como así.

—En realidad, no me ha citado en su despacho, sino en su casa.

—¿En su domicilio particular? —el asombro iba en aumento.

—En concreto, me ha ordenado que acuda a su residencia para cenar.

—Ya no sé qué más decir —estaba verdaderamente asombrada—. Lo que está claro que esto no puede ser nada bueno.

—¿Por qué dices eso? ¿No crees que si fuera algo malo, no me haría desplazarme a su residencia? Por ejemplo, si me fuera a purgar, lo podría haber hecho aquí mismo. ¿Para que tomarse la molestia de invitarme a cenar a su casa? Ya te he dicho que no conozco personalmente a Himmler, pero sí su fama. Después del asesinato, hace apenas unos meses, de su mano derecha, Reinhard Heydrich, apodado la *Bestia Rubia*, no creo que quede nadie en Alemania que le supere en determinación y crueldad.

—Eso es lo que me tiene aterrada.

—Tranquilízate —dijo, abrazando a su esposa—. Me va a mandar hasta un trasporte particular oficial, para mí solo. ¿Te lo imaginas?

—No, si pareces hasta emocionado... —le continuó reprochando su mujer, que no comprendía la aparente tranquilidad de su esposo.

—Una cosa así no pasa todos los días. Eso no quiere decir que no esté preocupado. Himmler no me ha comunicado el motivo de la reunión para cenar, ni siquiera quién va a asistir. No me gusta ir a ciegas ni a la cama. No tengo ni idea que puede querer de mí el *Reichsführer* de las *SS*, y, por supuesto, no hace ninguna gracia el no saberlo, pero ¿acaso tengo alternativa? ¿Qué harías tú en mi lugar? ¿No aceptar la «invitación», por llamarla de alguna manera?

—Supongo que no —reflexionó su mujer—, pero, desde luego, no acudiría encantada y sonriente, sin saber qué me iba a pasar.

—¡Qué no me va a pasar nada!

—Eso es lo que tú dices.

—Me parece que esta conversación ya ha entrado en bucle. Nos guste o no, no me queda más remedio que acudir. Como no sé lo que tardará en llegar el trasporte, podíamos ir haciendo algo práctico, en lugar de discutir sin ningún sentido. No sé lo que me voy a encontrar, así que necesitaré llevarme una pequeña maleta. Anda, vamos a hacerla y así dejamos el tema correr.

Prepararon el equipaje en silencio. La verdad es que ya se habían dicho todo lo necesario.

—Por el ruido, parece que tu trasporte acaba de llegar —le dijo su esposa.

Se abrazaron. Estuvieron al menos un minuto unidos.

—Me parece que no debes hacer esperar a Himmler. Hemos preparado la maleta, pero no te puedes ir vestido así.

—¡Tienes razón! —cayó en la cuenta. Se fue de inmediato a su cuarto y, en apenas dos minutos, salió vestido con sus mejores galas.

—Ya no me acordaba lo guapo que estás vestido con el uniforme de gala.

Su esposa le dio un último beso, antes de que su marido saliera de casa.

—Tranquila, que volveré sano y salvo —se despidió, lanzándole un beso al aire.

El *Oberleutnant zur See*, Otto Hartmann, con tan solo veinticinco años de edad, primer oficial de un submarino alemán de la clase *U-Boot*, partió de la base naval de La Spezia, en el norte de Italia, rumbo a Berlín, en un avión fletado adrede para él por la *Luftwaffe*, para cenar con el *Reichsführer* de las *SS* Heinrich Himmler, en su residencia particular.

Algo insólito.

Más que eso, inconcebible.

45 BERLÍN, 1 DE SEPTIEMBRE DE 1942

—Ya sabes que tienes que hacer, Gisela —le dijo su padre—. ¡A la terraza de inmediato!

—¿Pero si no sabemos quién llama a la puerta?

—¡Que te vayas ya! —le chilló.

Gisela, viendo el rostro desencajado de su padre, le obedeció de inmediato y se marchó.

—¿No estamos algo paranoicos? —preguntó Felicia—. ¿Tan solo porque llamen a nuestra puerta?

—¿No escuchas? No están «llamando» a la puerta, como tú dices, la están aporreando con violencia. En unos segundos la echarán abajo. No parece una visita de cortesía.

—Aun así, puede no tener nada que ver con... —intentó explicarse.

—Más vale prevenir —le interrumpió Hugo—. Ahora, pon la mejor de tus sonrisas y vayamos a abrir la puerta.

No llegaron a tiempo. Escucharon un tremendo estruendo. Cuando se asomaron al pasillo, la polvareda levantada por el estropicio causado no les dejaba ver nada.

—¿Son ustedes Hugo y Felicia Bernhard? —escucharon.

—Sí, pero no hacía falta derribar la puerta para preguntar eso —Hugo seguía sin ver nada—. íbamos a abrirla ahora mismo.

—¿Dónde está su hija Gisela Bernhard?

—No lo sé —ahora se empezaba a vislumbrar algo a través del polvo—. Supongo que en alguna reunión de las Juventudes Hitlerianas, como casi todas las tardes.

Se trataba de miembros de la temida *Gestapo*. Eran cuatro, dos de ellos permanecieron en la puerta, bloqueándoles el paso hacia el exterior de su vivienda. Los otros dos, incluido el que parecía que estaba al mando, entraron en su casa sin ningún miramiento, apartándolos con un golpe en sus hombros. Casi los derriban.

Felicia y Hugo se quedaron mirando entre ellos. No sabían a qué venía todo aquello, pero, desde luego, no tenía muy buena pinta. Podían escuchar con claridad como movían los muebles y esparcían por el suelo su contenido.

—Perdón, pero... —intentó intervenir Hugo.

—¡Cállese! —le dijo uno de los miembros de la *Gestapo*, levantando su arma de forma amenazante— Si aviso de que intentar huir, me temo que el *Gruppenführer* Friedrich Panzinger no será tan amable con ustedes.

Hugo palideció de inmediato.

Con los ojos, le hizo una señal a su mujer, indicándole que, lentamente, se desplazara hacia el interior de la vivienda, Con disimulo, se fueron alejando de aquellos dos bárbaros que estaban en la puerta.

—¿Qué está ocurriendo? —le susurró Felicia.

—Tengo una noticia buena y dos malas. ¿Por cuál quieres que empiece?

—No seas infantil en esta situación —le recriminó su esposa—. Cuéntamelo todo, sin levantar la voz.

—Conozco el nombre de Friedrich Panzinger. Escribí un artículo acerca de él en el *Berliner Illustrirte Zeitung*. Es un pez gordo de la *Gestapo*. Para que comprendas su importancia, su rango sería asimilable a un general del ejército en España. No en vano es el jefe del grupo del denominado «IV-A». Es muy violento, así que mucho cuidado. Si se ha dignado a venir él en persona, no creo que nos espere nada bueno.

Felicia palideció, como su marido.

—¿Y dónde está la buena noticia en lo que me has contado? —le preguntó, con temor.

—Que la sección «IV-A» no se ocupa de asuntos relacionados con los judíos. En ese caso, hubieran venido miembros del grupo que comanda el *Obersturmbannführer* Adolf Eichmann. En consecuencia, ese no es el motivo de su presencia aquí.

—Entonces ¿cuál es? ¿A qué se dedica entonces la sección «IV-A»?

—A multitud de cuestiones, desde investigaciones criminales y sabotajes de guerra, pasando por la propaganda enemiga y los asuntos políticos.

Felicia puso cara de no comprender nada.

—¿Qué quieren de nosotros?

—De momento, parece que nada. ¿No has notado a quién están buscando?

—¿A Gisela? —preguntó Felicia, exhibiendo un gesto de terror en su rostro—. ¿No estarás insinuando que buscan a nuestra hija como una criminal?

—¡Claro que no! Pero parece evidente que van a por ella. No me preguntes el motivo, ya que lo desconozco.

Cada respuesta de Hugo, deprimía más a Felicia. Ya no sabía qué pensar ni que decir.

—¿Tendrá algo que ver con su noviazgo? —preguntó, después de un prolongado silencio.

—No creo en las casualidades. Llevamos tres años y medio trabajando y pasando totalmente desapercibidos, como unos berlineses más. Es echarse novio nuestra hija y ocurrir esto. Aunque también existe otra posibilidad, aún peor —dijo Hugo, que seguía con la misma expresión de horror en su rostro.

—¿Aún peor que estén intentando capturar a nuestra hija?

—Por supuesto. Que estén intentando capturarnos a los tres, no solo a Gisela.

—¿Por qué?

—Porque somos *Rotspanien*, ¿no te acuerdas? Si han descubierto nuestra tapadera, estamos perdidos. No es tan grave, a ojos de los nazis, como ser judío, pero nos pueden arrestar.

Hacía un rato que no escuchaban ruidos en el interior de su vivienda. Parecía que hubieran subido a la terraza, lo que les inquietó aún más, si eso era posible.

—Vosotros dos, no os alejéis tanto. Acercaos a la puerta —les dijo uno de los miembros de la *Gestapo* apostados en la entrada de la vivienda.

Obedecieron sin rechistar.

Apenas unos minutos después, apareció Friedrich Panzinger, el jefe.

—Bajaos a estos dos. Parece que la muchacha se intenta escapar por los tejados. Vamos tras ella. Esperadnos en los camiones.

—Como usted ordene, *Gruppenführer.*

—¿Adónde nos llevan? —susurró Felicia, que estaba a punto de ponerse a llorar—. ¿Qué significa eso de los camiones?

—Aguanta, cariño. No podrán con nosotros.

—¡Callaos, cerdos! —les volvió a gritar la misma persona.

Les hicieron descender a empujones. Felicia se llegó a caer por la escalera y se dio un golpe en la cabeza. Hugo no lo pudo reprimir y se encaró con uno de aquellos animales.

—¡Basta de violencia! Sabemos bajar las escaleras nosotros solos. No vamos a huir.

En respuesta a su supuesta insolencia, recibió un culatazo de pistola en todo su rostro. Llegó a marearse y también se cayó. A partir de ahí, todo lo vivió como en una nebulosa.

Cuando llegaron a la calle, a Hugo le pareció ver tres camiones. Por las voces que escuchaba, suponía que en su interior iban muchas personas. Al intuir de qué se trataba, hizo un esfuerzo por recobrar plenamente la consciencia.

Lo consiguió a medias.

Efectivamente, había tres camiones con gente hacinada en su interior. Parecía que se llevaran consigo todas sus posesiones.

Esta desoladora visión hizo que terminara de recuperar la lucidez. «¿Qué pretenden hacer con nosotros, deportarnos a un campo de concentración?», se preguntó, aterrado ante la simple posibilidad. «¡No hemos hecho nada!», quería gritar, pero se dio cuenta de que tenía la boca llena de sangre. La escupió, pero aun así, no terminaban de salirse las palabras. Estaba conmocionado.

Observó que había otros policías separando a la gente por camiones. Supuso que no todos se dirigirían a campos de concentración, ya que la redada, se suponía, estaba dirigida por una sección de la *Gestapo* que no se dedicaba a capturar judíos.

Cuando alcanzaron al policía que discriminaba a las personas por camiones, Hugo hizo un gran esfuerzo para intentar hablar.

—Debe haber un error, señor. Yo soy el periodista Hugo Bernhard y ella es mi mujer, Felicia. Somos berlineses.

Le pareció que el policía estaba mirando una lista.

—Falta una persona de la familia —le dijo—, una tal Gisela Bernhard.

—Es mi hija y no está en casa —le respondió Hugo—, pero, le insisto, debe tratarse de un error. No somos judíos. Yo soy un periodista nazi que escribe para el *Berliner Illustrirte Zeitung*. Hable con su jefe, el *Gruppenführer* Friedrich Panzinger. Lo conozco, escribí sobre él en la revista.

El policía pareció dudar.

—¡Por favor! —le rogó.

En ese momento, todo el universo de Hugo se vino abajo con estrépito. Vio como aparecía el *Gruppenführer* por el callejón trasero de su casa, arrastrando por los pelos a Gisela, que estaba llorando y parecía herida, ya que llevaba la ropa ensangrentada.

Entonces, por fin, comprendió la realidad, aunque no la quiso asumir.

—¡Camión uno y camión tres! —gritó el miembro de la *Gestapo*.

«¡Nos van a separar!», pensó espantado Hugo. Como una reacción espontánea, dio un manotazo al guardia que lo sujetaba, tirándolo al suelo, y rodeó con sus brazos a su esposa.

—Lo arreglaré, mi amor, te lo prometo por nuestra hija. Esto no quedará así —le dijo, mientras se abrazaban y besaban.

Mientras la escena de profundo dolor e intenso amor, al mismo tiempo, sucedía, el policía derribado se levantó del suelo, tomó su arma y apuntó a la cabeza de Hugo.

—Sí, sí que lo vas a arreglar, pero será en otra vida, porque en esta...

—¡Quieto! —se oyó gritar a sus espaldas.

El miembro de la *Gestapo* se giró de inmediato. Había reconocido la voz.

—Los quiero a los tres vivos. ¡Guarda tu arma ya! —le ordenó Panzinger, el general de la *Gestapo*.

—¡Camión uno y camión tres! —se volvió a escuchar de fondo.

Felicia y Hugo se dirigieron una de esas miradas que valen por mil palabras o, incluso, por toda una vida. Habían nacido para estar unidos y aquellos bastardos los estaban separando.

—Nos podrán apartar temporalmente, pero ni un millón de nazis conseguirán separar nuestras vidas —le gritó Hugo, a modo de despedida.

Felicia, en cambio, no dijo nada. Ahora su mirada no era de amor, reflejaba una profunda tristeza, a pesar de que sus ojos, por las lágrimas, no parecían azules, sino verdes, el color de la esperanza.

Vieron cómo, a empujones, porque parece que no podía andar por ella misma, subían a Gisela al camión número tres, el mismo que habían asignado a Felicia. A ellas dos no las separaron. Hugo quiso ver un halo de esperanza. «Quizá solo me quieran a mí y a ellas se las lleven a otra parte», pensó. «Al fin y al cabo, es la novia del hijo de Goebbels, algo podrá hacer».

Sabía que se estaba agarrando a un clavo ardiendo. Intentó buscar un punto de racionalidad en todo aquello que no encontraba. Hasta ahora, su universo se había centrado en Felicia y su pequeña Gisela.

No iba a permitir que se las arrebataran.

No quería derrumbarse del todo en presencia de ellas, pero esa desgarradora visión pudo con él. La percepción de esa pobre gente, que no había cometido ningún delito, sin embargo, conocían su destino y lo asumían con una atormentada mirada, esa mezcla de desesperación y angustia, le devolvió a la realidad. En tan solo un segundo, comprendió lo que ya había entendido, pero se negaba a asumir.

No los trasportaban al cuartel de la *Gestapo*. Aquello era un camión con otro destino muy diferente.

Quiso morirse en ese instante. Tan solo el pensamiento de que debía salvarlas, fue capaz de mantenerle sentado y no desmoronarse.

«Haré lo que tenga que hacer», fue su último pensamiento, antes de que los camiones, que no viajaban uno detrás del otro y, en consecuencia, se perdieran de vista.

Le habían robado a Felicia y a Gisela, que eran la razón de su existencia.

Ya no le quedaba nada, ni siquiera su vida le pertenecía.

46 BERLÍN, 1 DE SEPTIEMBRE DE 1942

El vuelo se desarrolló sin ningún incidente, ya que hacía buen tiempo. Sin embargo, había una tormenta, pero en el interior de la cabeza del joven Otto Hartmann.

Había nacido en el seno de una familia de clase media en Stuttgart. De joven quiso ser médico, no marino, pero los años de dura depresión alemana le hicieron optar por ser oficial del ejército, para poder tener una educación similar a la universitaria. Su familia, en un principio, le había animado a ser médico, pero, en aquellos momentos tan duros, ya no se lo podían permitir. Siempre fue un alumno aventajado, por ello fue seleccionado para cursar estudios en la Academia Naval de Cadetes de Kiel, algo al alcance de pocos. Ahí se preparaba a los futuros comandantes de buques de guerra.

«Es curioso», pensó. Había viajado por todo el mundo. Estuvo en Japón durante su primer entrenamiento y, en su primer destino como oficial de la *Kriegsmarine*, la Armada alemana, fue destinado a Kristiansand, en el sur de Noruega. No fue hasta el año pasado cuando recibió formación específica para ser oficial de submarinos, en la base de Mürwik, cerca de Kiel, en el norte de Alemania. Actualmente era el primer oficial del submarino *U-97*, que comandaba el *Kapitänleutnant* Udo Heilmann, con el que había efectuado ya cuatro patrullas. «Con todo lo que he recorrido y, para mi vergüenza, no conozco la capital de mi país, Berlín».

«Además, menudo estreno», pensó acobardado, cuando su vuelo particular aterrizó en el aeródromo de Berlín. Un coche oficial le estaba esperando. Los nervios iban en aumento.

—Bienvenido, señor —le dijo el chófer, que portaba un uniforme de las *SS*. Tomó su pequeña maleta, la guardó en el portaequipajes y le abrió la puerta—. Adelante, puede subir cuando lo desee.

Otto así lo hizo. Aquello era muy extraño para él. Acostumbrado a la rudeza y a las estrecheces de la vida en los submarinos, le parecía estar en otro mundo.

Otto podría no conocer ni Berlín ni a Heinrich Himmler, pero eso no quería decir que no supiera de ellos. Eso le hacía estar más acobardado. Berlín era una capital que ya imponía de por sí, pero si sumábamos a la ecuación al *Reichsführer* de las *SS*, la cuestión se volvía, incluso, un tanto misteriosa.

Himmler se había casado en 1928 con Margarete Boden y tuvieron un hijo, llamado Gudrum. Más adelante, adoptaron a otro niño, llamado Gerhard, cuando quedó huérfano de un oficial de las *SS*. El motivo de la extrañeza de Otto era que Himmler se separó «de facto» de su esposa, y no hacían vida familiar más que para actos oficiales. Se comentaba que la causa de ese distanciamiento familiar era que Himmler estaba absorbido por su trabajo y apenas le dedicaba tiempo a Margarete. Tan absorbido estaba por su labor al frente de las *Schutzstaffel*, es decir, de las *SS*, que acabó teniendo una aventura con su joven secretaria personal, Hedwig Potthast. Si los rumores que circulaban eran ciertos, este mismo año habían tenido una hija en común, llamada Helge. Precisamente la situación familiar y personal de Himmler era lo que hacía de esta cena, en su residencia personal, todo un misterio para Otto. No le parecía el mejor ambiente.

Sin darse cuenta, sumido en sus pensamientos, no se percató de que el vehículo se había detenido. Himmler vivía en una residencia de lujo en Dahlem, que era un suburbio en las afueras de Berlín. El conductor del vehículo se apresuró a abrirle la puerta para que pudiera salir. Estaba claro que la pareja de guardias de las *SS*, apostados en la puerta conocían su llegada, por lo que le franquearon el paso, sin pedirle su documentación, algo que le extrañó mucho a Otto. En la actual Alemania te solicitaban tus papeles casi en cada esquina. Había multitud de controles y, resulta que, para entrar en la residencia de uno de los jefes supremos del país, casi ni le miraron la cara.

Nada más entrar en la casa, un sirviente le acompañó a una habitación. Cuando Otto la vio, casi le entra la risa. Pensó que era más grande que cualquier submarino de la clase *U-Boot*, en los que él navegaba.

—La cena se servirá en treinta minutos. Puede asearse a su conveniencia —le indicó el miembro del servicio.

Otto ya iba vestido con su uniforme de gala, ya que no sabía qué se iba a encontrar a su llegada, pero ahora disponía de media hora. Decidió sobre la marcha que se iba a dar un baño rápido y a intentar quitar las visibles arrugas de su uniforme, que se le habían producido durante su viaje en avión.

Cuando concluyó, faltaban apenas cinco minutos para la hora que le habían indicado. Intentó aprovecharlos para relajarse. «Nada malo me puede esperar», se decía, a modo de mantra. «Si fuera así, no estaría aquí».

A pesar de sus esfuerzos, los nervios fueron en aumento. «Bueno, supongo que una personalidad del *III Reich* como Himmler, comprenderá que un simple oficial de la flota de submarinos esté nervioso en su presencia. Lo raro sería lo contrario». Ese último pensamiento sí que consiguió tranquilizarle un tanto.

El reloj era impasible a sus reflexiones. Ya se había hecho la hora. Descendió las escaleras. Justo al llegar al final de ellas, le estaba esperando de nuevo el mismo sirviente.

—Le ruego que me acompañe.

Accedieron a un gran comedor, lujosamente decorado. No había nadie sentado alrededor la mesa, pero observó que estaba preparada para cuatro comensales. No pudo evitar que los nervios retornaran.

«¿Quiénes serán los otros dos invitados?», pensaba, y sobre todo el recurrente «¿qué hago yo aquí?».

El sirviente le indicó que esperara en pie a la llegada del resto de participantes. En apenas un minuto, se abrió una puerta lateral. No era la misma por la que había entrado. De inmediato reconoció a Himmler.

—¡*Heil Hitler, Mein Reichsführer*! —se cuadró, con la solemnidad que se esperaba en un simple marinero frente a uno de los jefes del *III Reich*.

—¡*Heil Hitler, Oberleutnant* Hartmann! —le respondió Himmler—. Relájese, espero que haya tenido un vuelo agradable.

—Sí, señor. He tenido la fortuna que el buen tiempo nos ha acompañado.

Apenas había terminado su respuesta cuando se abrió la puerta principal del comedor. Otto observó como dos jóvenes oficiales de las *SS*, que aparentaban menos edad que él mismo, se acercaban hacia ellos.

«No creo que estos dos muchachos sean los comensales que faltan en la mesa», pensó Otto. Apenas tendrían veinte años de edad.

Saludaron a Himmler de la manera protocolaria. Ahora, este, se giró hacia un sorprendido Otto.

—*Oberleutnant* Hartmann, tengo el placer de presentarle a nuestros compañeros de velada.

«¿Qué significa esto?», pensó, en una fracción de segundo. «¿Le habían hecho volar desde Italia para cenar con dos muchachos de las *SS*?».

—A mi izquierda —continuó Himmler—, le presento al *Obersturmführer* Markus Rietschel y, a mi derecha, a la *Hauptsturmführer* Cornelia Schiffer, ambos oficiales de las *Waffen-SS*, como ya habrá podido comprobar por sí mismo, por sus uniformes e insignias.

Se saludaron. A Otto le sorprendió el elevado rango de los dos, para su corta edad. Ambos eran oficiales superiores. El muchacho era teniente, pero la chica era capitán. Nunca había conocido a nadie tan joven con semejante rango en las *SS*. Captó su atención desde el principio. Cuando se saludaron no cayó en la cuenta, pero poco después, observo que la muchacha lucía una Cruz de Hierro de primera clase en la pechera izquierda de su uniforme. Aquello era inaudito. Era una de las condecoraciones más prestigiosas del ejército alemán. Ya era complicado conseguir una de segunda clase. De primera, era un grandísimo honor, ya que previamente te debían de conceder la de segunda clase. Se otorgaban por actos heroicos, de gran valentía o por méritos en el mando de tropas. No conseguía imaginársela en ninguna de las tres situaciones. La realidad es que jamás había conocido a nadie tan joven en posesión de semejante condecoración. Estaba verdaderamente impresionado.

Cuando consiguió superar su asombro, continuó reflexionando. El ejército nazi, conocido en su globalidad como la *Wehrmacht*, que era la «Fuerza de Defensa» alemana, estaba fuertemente organizado y jerarquizado. Se dividía en cuatro ramas principales: el *Heer*, que eran las fuerzas terrestres, la *Luftwaffe*, que era la rama aérea, la *Kriegsmarine*, que era la

Armada naval, a la que pertenecía Otto y, desde 1939, se había incorporado las *Waffen-SS*, que formaban el cuerpo de élite de las *SS*, que dirigía con mano férrea su anfitrión de esta noche, Heinrich Himmler.

Constituían una fuerza formidable, con casi un millón de integrantes. Las *Waffen-SS* se distinguían de una forma muy especial del resto de las fuerzas integradas en la *Wehrmacht.* Para empezar, su uniformidad había sido confeccionada con especial esmero por el conocido diseñador Hugo Boss. Sin duda eran los uniformes más elegantes y que más respeto imponían dentro de la *Wehrmacht.* Además, disponían de su propio sistema de rangos militares diferenciados del resto del ejército. Dentro del *Heer,* Otto conocía que los miembros de las *Waffen-SS* eran considerados soldados extraordinarios, incluso les llegaban a temer.

—Tomemos asiento —dijo Himmler.

Los cuatro se sentaron a la mesa. En la cabecera estaba el *Reichsführer,* a su derecha se sentaron los dos miembros de las *Waffen-SS* y Otto se quedó solo, a la izquierda de Himmler. Intentaba evitarlo, pero el ambiente le impresionaba e incomodaba al mismo tiempo.

Sirvieron el primer plato. Nadie parecía hablar. Otto decidió romper el silencio. Sus nervios no le permitían estar callado mucho tiempo.

—Les tengo que decir que estoy impresionado por su rango y sobre todo, por su Cruz de Hierro —dijo, ahora dirigiéndose a la joven oficial —. Quizá les parezca una indiscreción y no me contesten si no quieren, pero ¿qué edades tienen?

Le respondió la capitán.

—Ambos tenemos veintiún años y, antes de que nos lo pregunte, pertenecemos al *Sicherheitsdienst.*

Inmediatamente, se arrepintió de su pregunta y, por qué no decirlo, su congoja aumentó un grado. Esa rama de las *Waffen-SS* era su servicio de inteligencia. Tenían fama de estar constituidas por las mentes más brillantes del *III Reich.*

Aquella muchacha captó su atención desde el principio, y no tan solo por su extraordinaria belleza, muy al estilo de los cánones arios. Los tripulantes de submarinos no estaban acostumbrados a ver militares con ese porte, y menos del sexo femenino. Las dotaciones de los *U-Boot* eran masculinas y la grasa, el sudor y la suciedad eran sus compañeros habituales.

Además, era la más alta de los cuatro comensales. Otto no pudo evitar sentirse algo abrumado en su presencia.

Himmler, que era un gran observador, se dio cuenta de inmediato.

—Relájese, señor Hartmann. Por sus reacciones, veo que la señorita Cornelia Schiffer le ha impresionado. No se preocupe, suele producir ese efecto, tanto en los hombres como en las mujeres, sobre todo cuando luce su uniforme de gala.

Cornelia sonrió, pero Otto no sabía dónde esconderse de la vergüenza.

El servicio retiró el primer plato de la mesa. Himmler, que tenía fama de ser muy directo en sus conversaciones, no se esperó a que sirvieran el siguiente.

—Supongo, señor Hartmann, que se estará preguntando qué hace aquí esta noche.

—Siempre estoy a disposición de mis superiores en la *Wehrmacht,* y todavía más si se trata de una invitación personal del *Reichsführer* de las *SS.*

—¿Me permite que me dirija a usted por su nombre, Otto?

—¡Por supuesto, señor!

—Pues Otto, dejémonos de formalidades por esta noche. Como habrá podido comprobar, estamos en mi casa cenando, no en la sede de las *SS.* Así que, para mayor comodidad de todos, sobre todo de la de usted, no nos dirijamos por nuestros cargos y olvidémonos de nuestros rangos y condecoraciones por esta velada.

—Lo que usted ordene, señor —contestó un aturdido Otto. Cada vez entendía menos qué pintaba él allí.

—Para empezar, he tenido acceso a su expediente y lo he leído con atención. Debo confesarle que me ha impresionado, es formidable. Sin ninguna ayuda económica ni tener ningún «padrino», ya me entiende, ha ascendido con notable rapidez en el escalafón de la *Kriegsmarine.* Se podría decir que es un hombre que se ha hecho a sí mismo. Admiro a esa clase de personas. Además, todos sus superiores le califican de extremadamente competente y leal.

—Señor, es muy amable, pero...

Himmler le cortó.

—Ahórrese la falsa modestia. No me gusta, me hace perder el tiempo. Los mejores siempre deben ser promocionados y ocupar los principales puestos de nuestro escalafón, tanto a nivel civil como militar, al mismo tiempo que los inútiles deben ser apartados de lugares de responsabilidad, sean cuales sean sus apellidos o su estrato social. Tan solo la preparación, la competencia y la meritocracia nos podrán conducir a la victoria en esta guerra. En eso aventajamos a nuestros enemigos.

—No lo dudo, señor.

—Pues esa es la respuesta a la pregunta que no se atreve a formular y que lleva horas rondándole la cabeza.

—¿Qué? —preguntó Otto, sorprendido e intimidado al mismo tiempo.

—Como ya le había dicho. El motivo de su presencia en mi residencia esta noche.

Los dos jóvenes no intervenían en la conversación, se limitaban a escuchar. Otto intentaba no mirar a Cornelia, pero le resultaba muy difícil, porque estaba sentada justo enfrente de ella. No se podía permitir ni la más mínima distracción. Llegó a pensar que la presencia de los jóvenes, que no sabía qué pintaban sentados en la mesa, podría ser una prueba de Himmler para medir su capacidad de concentración ante situaciones de tensión. Por ello, cometiendo un gran error, intentó ignorarlos y fijarse únicamente en el *Reichsführer*, que continuó la conversación.

—Permítame que le entregue este documento —dijo, mientras sacaba de su chaqueta un sobre.

Otto lo tomó entre sus manos. «¿Qué significaba todo aquello?», era la pregunta que le retumbaba en su cabeza.

Lo abrió con cuidado y leyó su contenido. Cuando terminó de hacerlo, lo volvió a leer. Jamás se pudo imaginar lo que tenía en sus manos. Se quedó pálido de la impresión.

Ahora, aún entendía menos el motivo de la cena.

47 ORANIENBURG, 1 DE SEPTIEMBRE DE 1942

A Hugo ya no le quedaban lágrimas que derramar. Le habían arrancado el corazón. A pesar de todo, aún tenía esperanzas de que el problema se pudiera resolver. Era consciente de que lo tenía muy complicado, pero su esposa y su hija no habían hecho nada. Le quedaba la esperanza de haber visto como su camión no se dirigía en la misma dirección que el suyo. Quizá estuvieran en el Cuartel General de la *Gestapo*, en la Prinz-Albrecht-Strasse de Berlín. Quería pensar que, al ser una detención por motivos políticos, el único que realmente tenía una orden de fusilamiento pendiente de cumplir en España era él. También conocía que, la «justicia nazi», por llamarla de alguna manera, atribuía los mismos crímenes a los encubridores que a los delincuentes, pero su caso era especial. Los tres eran de nacionalidad alemana y, aunque él fuera español de origen, ellas dos habían nacido en Berlín. Esperaba que eso les fuera de ayuda.

En cuanto a su situación, por simple orientación, sabía dónde le habían conducido. Se habían dirigido al norte de Berlín y el trayecto no había durado ni una hora. No le cabía ninguna duda.

Estaban en el campo de concentración de Sachsenhausen, situado en la población de Oranienburg, a escasos 35 kilómetros al norte Berlín.

Hugo había estado una vez en este lugar, como visitante, entrevistando al que entonces era comandante del campo, el *Oberführer* de las *SS*, Hans Loritz. Acababa de ser reemplazado por Albert Sauer, que ostentaba un rango menor dentro de la estructura de las *SS*, era *Sturmbannführer*, pero contaba con una ventaja decisiva. Era el protegido de Theodor Eicke, que había sido una de las figuras fundamentales en la creación de los campos de concentración. De hecho, había desempeñado, hasta 1939, la jefatura de la organización llamada *Totenkopfverbände*, cuya traducción podría ser «Unidades de Calavera». Dentro de la estructura de las *SS*, era la responsable de las inspecciones y control de todos los campos.

Desde el inicio de la guerra, se había constituido una División llamada la 3.ª *Panzerdivision SS Totenkopf*, conocida por su extrema crueldad en combate y contra los civiles, que, a su vez, era una de las treinta y ocho Divisiones que componían las *Waffen-SS*. Su mando le fue asignado precisamente a Theodor Eicke.

Hugo le había entrevistado también para el *Berliner Illustrirte Zeitung*. El reportaje había tenido bastante éxito, incluso una de sus condecoraciones menores le fue impuesta por el propio Eicke, que había quedado muy satisfecho e impresionado por su trabajo, según sus propias palabras.

La bandera de la *Totenkopfverbände* era toda una declaración de intenciones.

Negra, con el símbolo de las *SS* y, en un extremo, su insignia característica, una calavera. Simplemente su visión ya causaba temor.

Hugo intentó seguir pensando, para intentar evadirse. No quería pensar en Felicia y Gisela.

Debido al artículo que había escrito, conocía la historia del campo de concentración, que era un tanto peculiar. Debido a su proximidad a Berlín tenía un papel muy destacado. Por ejemplo, servía de lugar de entrenamiento para los futuros comandantes de otros campos de concentración e incluso del personal de guardia. Además, fue el primer campo diseñado por el arquitecto de las *SS*, Bernhard Kuiper, que aplicó la geometría al terror. El campo tenía forma triangular y estaba rodeado por muros de casi tres metros de altura, con una cerca integrada que parecía electrificada. Existían nueve torres de vigilancia, cada una de ellas armada con una gran ametralladora, que, entre las nueve, debían cubrir toda la extensión del campo de concentración, incluyendo sus sesenta y ocho barracones.

Himmler, en un principio, pensaba exportar este modelo de construcción a otros campos, pero desistió de ello, ya que se demostró que la orografía de cada zona influía en su configuración y no en todos los lugares se podía aplicar este tipo de construcción triangular.

El campo de concentración de Sachsenhausen había sido conocido, desde el inicio de la invasión de Polonia y la apertura del frente ruso, como una máquina de matar prisioneros de guerra. Se decía que muchos cargamentos de soldados de estas nacionalidades, nada más llegar al campo, eran fusilados directamente. Las malas lenguas hablaban de más de quince mil en tan solo un año. Recordaba, de su anterior visita, la zona de fusilamientos y las torres perimetrales.

•

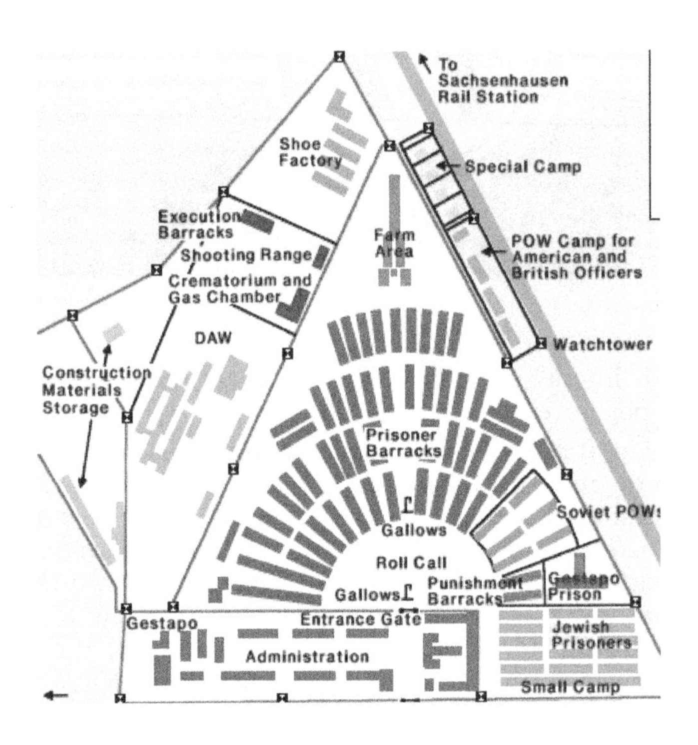

El mal destilado se podía hasta oler.

El camión de trasporte atravesó la reja, con la hipócrita frase, por emplear un término suave, de «*Arbeit Macht Frei*», el trabajo os hará libres. Lo del trabajo lo podía comprender, pero la mera referencia a la libertad en el interior de semejante fortaleza, si no fuera por lo trágico de la situación, le hubiera parecido hasta cómica.

Nada más cruzarla, se encontraron con la entrada al campo.

La llegada al centro del horror humano fue una experiencia traumática para Hugo. Hasta ahora, estaba pensando en Sachsenhausen en términos abstractos, pero se estaba dando de bruces con la realidad. Cuando cruzaron su umbral, aunque ya lo conocía. se hizo una idea perfectamente clara de qué era aquello y de lo que esperaba, si no le ponía remedio.

Pudo ver bastantes barracones, con personas hacinadas en su interior, asomándose por sus pequeños ventanucos. La expresión en sus rostros era el reflejo de la derrota, del hundimiento físico y psíquico más absoluto. Dramático.

Se vino abajo. Pensaba que podría intentar hacer entrar en razón al responsable actual del campo, pero se dio cuenta enseguida que era una pequeña hormiga en un gran hormiguero, al que se disponían a exterminar. Allí no era nadie, tan solo un número.

Nada más descender del camión, clasificaron los presos. Por lo visto, dependiendo de la supuesta ofensa que hubieras realizado al *Reich*, te asignaban un barracón u otro. A Hugo no lo habían detenido por ser judío sino por crímenes políticos. Por el mero hecho de ser un refugiado español que había huido de la España de Franco, ya se consideraba que eras comunista y un enemigo del *III Reich*. También discriminaban a las personas en su calidad de prisioneros de guerra, miembros de la resistencia o simplemente homosexuales.

A pesar de que también vio judíos y personas de otras razas, como la gitana, le dio la impresión que eran un número reducido en comparación con el tamaño del campo. Le pareció, en una primera impresión, que estaba más orientado a disidentes políticos y prisioneros de guerra.

A Hugo le asignaron el pabellón 39.

Llegó a asomarse a su interior.

Nada más hacerlo, un guardia del campo se dirigió a él por su nombre y le ordenó seguirle. Cambio de planes. Parece que esa no iba a ser su ubicación.

Sin conocer al motivo, le condujeron directamente a una celda de aislamiento, que se solía emplear a modo de castigo. Se llegaba a través de un lúgubre y estrecho pasillo.

Por lo menos no le aplicaron la garrucha. Algunos presos en ese tipo de celdas se les colgaba con cuerdas, de manera que su cuerpo quedara suspendido en el aire. Se podían pasar en esa posición semanas. Muchos no lo soportaban y morían.

En su caso, al no atarle, se acomodó en el camastro de su celda. Aquello apestaba. Las celdas eran muy pequeñas y estaban sucias. Supuso que, si la gente se moría por cuestiones de insalubridad, en realidad les estaban haciendo un favor a aquellos carniceros. Uno menos.

Desde la distancia, pudo oír hablar español, aunque la mayoría lo hacían en alemán o polaco. Los rusos parecían estar separados del resto de prisioneros.

La primera noche fue horrible. A pesar de estar en una celda de aislamiento, apenas pudo dormir.

La gente lloraba, llamaba a sus seres queridos, que habían muerto o, como en su caso, estaban separados. También se quejaban de todo tipo dolores. No podía olvidar que Sachsenhausen, además del clásico campo de concentración nazi, tenía una peculiaridad. Disponía de unos cien subcampos, destinados al trabajo de todo tipo, sobre todo relacionados con la industria armamentística, aunque no era la única.

Los prisioneros se levantaban a las cinco de la mañana y volvían al anochecer. Hugo sabía que volvían menos personas de las que se habían ido por la mañana. Quería pensar que los habían trasladado a otro barracón, pero tan solo era un deseo.

Era consciente de que apenas les daban algo de agua y comida. Muchas personas murieron en estos subcampos. Pero ocurría como con la salubridad e higiene, en realidad, cada persona fallecida era uno menos que matar.

A los nazis no les importaba en absoluto. Sus vidas no valían nada.

Le obligaron a ponerse el clásico uniforme que portaban todos los prisioneros, el famoso pijama de rayas. En un principio le pareció humillante, pero claro, al lado de todas las demás calamidades, hasta le pareció una cuestión menor.

No podía olvidar la promesa que le había hecho, antes de ser separados, a su mujer y a su hija. Ello era lo que le daba fuerzas para seguir.

Además, tenía un plan de fuga.

No, no había enloquecido.

48 BERLÍN, 1 DE SEPTIEMBRE DE 1942

—Con todos los respetos, esto no puede ser cierto.

—¿Por qué piensa eso? —le preguntó Himmler. Ahora parecía divertido.

—No lo sé, quizá por las formas. Comprenda mi absoluta sorpresa.

—Le aseguro que su contenido es auténtico.

El *Oberleutnant zur See* Otto Hartmann, que era la denominación exacta de su rango en la *Kriegsmarine*, estaba completamente pasmado.

—Pero esto no funciona así. No debería estar aquí.

—¿Por qué piensa eso?

—Debería estar en presencia del almirante Karl Dönitz.

—¿Eso cree? ¿Acaso piensa que, aunque Dönitz sea una persona muy cercana a nuestro *Führer*, tiene más poder que yo?

—Nadie tiene más poder en Alemania que usted —a Otto le salió espontánea la respuesta.

Himmler sonrió.

—Entonces, ¿dónde está el problema?

—En realidad, no hay ningún problema —respondió, mirando de nuevo el papel que tenía ante sus ojos. A pesar de todo, no lo podía creer.

Levantó la vista. Observó que Markus y Cornelia también estaban sonriendo, como Himmler.

—Con todos los respetos, ¿conocían ustedes el contenido de este documento también?

—Por supuesto —le contestó Cornelia, sin dejar de sonreír—. Precisamente por eso estamos sentados en esta mesa, cuestión que usted se ha preguntado varias veces en la última media hora.

Otto se puso colorado. No debía olvidar ni por un momento quiénes tenía enfrente. Probablemente fueran dos de los oficiales superiores, de la división de inteligencia de las fuerzas de élite de las *SS* más brillantes, a juzgar por su edad y su rango.

No comprendió la respuesta de Cornelia Schiffer, pero decidió no seguir por ese camino, Conseguía intimidarle.

—Acéptelo y ya está. Es real —le dijo Himmler.

—Señor, le aseguro que lo que le voy a decir no es falsa modestia. Tengo veinticinco años y mi experiencia es muy limitada. Hace menos de dos años que ostento el rango de *Oberleutnant zur See*. Hay muchos colegas e incluso de rango superior como *Kapitänleutnant*, más capacitados que yo.

—Lo dudo. La experiencia es algo que se adquiere con la edad y el ejercicio del mando, en su caso. Nada más. Si no le damos oportunidades a nuestros militares más prometedores jamás la tendrán —le rebatió—. ¿Cómo cree, si no, que la oficial Schiffer ha conseguido su flamante Cruz de Hierro?

Otto prefirió no preguntarlo. Volvió su mirada sobre el documento que le había entregado Himmler. Era un despacho de la *Kriegsmarine*, firmado por el almirante Dönitz, adjudicándole la comandancia de un submarino, en concreto el *U-77*, con base en La Spezia. Era un gran salto en su carrera, completamente inesperado. Parecía hecho a medida de él, de hecho, eso es lo que ahora mismo estaba pensando. Sin darse cuenta, expresó sus pensamientos en voz alta.

—Este nombramiento tiene un propósito concreto que me están ocultando. Para recibir este despacho no hacía ninguna falta que me mandara un avión a mi casa para traerme a cenar a la suya.

Nada más terminar de pronunciar la frase, se arrepintió. Quizá había sonado un tanto insolente e incluso descortés. Muy poca gente podría presumir de haber cenado en la residencia privada del *Reichsführer* de las *SS*.

—¡Bravo! —le respondió Himmler, haciendo el gesto de aplaudir con las manos, para sorpresa de Otto—. Vamos progresando adecuadamente.

Otto se envalentonó.

—Ya que los tres parecen conocer el verdadero motivo de mi presencia en Berlín esta noche, ¿les importaría compartirlo conmigo? Porque está claro que esta comandancia no lo justifica.

—Todo a su debido tiempo —respondió Himmler, que, para sorpresa de Otto, se estaba mostrando mucho más cordial de lo que se imaginaba—. Ahora saboreemos el segundo plato, que se nos va a enfriar y luego continuaremos con la conversación, que, desde luego, no ha hecho más que comenzar.

Así hicieron los cuatro. Por un momento reinó el silencio en la mesa. Cuando el servicio retiró los platos vacíos, ese mismo silencio se tornó un tanto incómodo.

—No debe preocuparse de nada —rompió el silencio Himmler—, Me he ocupado de todo.

—¿Qué quiere decir con eso?

—Le he seleccionado una tripulación de primera.

Otto no salía de su asombro. Volvió a expresar sus pensamientos en voz alta.

—¿Puede hacer eso?

Himmler volvió a sonreír. Estaba claro que estaba de buen humor, aunque no sabía por qué.

—Puedo hacer lo que quiera, creo que ya lo he dejado bien claro.

—Por supuesto, no pretendía...

—¡No siga, por favor! —le interrumpió.

Otto no dijo ni media palabra más. Esperó las explicaciones de Himmler.

—El nombramiento será efectivo mañana mismo. Cuando vuelva a su base en La Spezia, ya lo hará como comandante del *U-77*, que se encuentra allí esperándole.

Otto le iba a responder que era muy precipitado. Que necesitaba tiempo para familiarizarse con su futura tripulación y con el propio submarino. Aunque todos pertenecían a la misma clase, cada *U-Boot* tenía sus peculiaridades.

—No se preocupe por eso —continuó Himmler.

—¿Con qué? —pregunto Otto, sorprendido.

—Ya le he dicho que la tripulación del *U-77* ha sido especialmente seleccionada por mí. Su primer oficial será el

Oberleutnant zur See Waldemar Sichart von Sichartshoff y su segundo, el también *Oberleutnant zur See* Hans Schwarz, quizá uno de los mejores ingenieros de los que disponga la *Kriegsmarine.*

Otto no pudo ocultar su asombro.

—Señor, cualquiera de esos marineros posee mucha mayor cualificación para comandar el *U-77* que yo. Tengo que reconocerle que estoy verdaderamente impresionado. Son dos de los *Oberleutnant zur See* que más admiro.

—Pues los va a tener bajo sus órdenes. El resto de la tripulación también es magnífica. Como le decía antes, no debe preocuparse por compenetrarse con el submarino y con la tripulación. Son de lo mejor que le podemos ofrecer. Además, dispondrá de un mes hasta su primera misión.

—¿Un mes solo? —Otto se volvió a agobiar.

—No tenemos más tiempo, lo siento. Partirá el próximo 12 de octubre. Ya está todo dispuesto. Para que pueda compenetrarse con sus nuevos subordinados, necesita salir al mar. No se preocupe, las tres primeras misiones serán patrullas de rutina contra blancos fáciles, buques mercantes y eso.

—¿Y la cuarta? —era la pregunta lógica, que a Otto no se le escapó.

—¿No quería conocer el motivo por el que le he hecho volar desde Italia a Berlín para cenar nosotros cuatro? Pues ahí tiene su respuesta.

Otto estaba un poco asustado, pero debía hacer la pregunta.

—¿Qué se supone que pasará exactamente en la cuarta misión?

49 CAMPO DE CONCENTRACIÓN DE SACHSENHAUSEN, 1 DE SEPTIEMBRE DE 1942

Hugo decidió poner su plan en marcha, incluso antes de acostarse. La ventaja de estar en una celda de aislamiento es que podía hacer lo que quisiera sin que sus compañeros de barracón lo vieran. Ahora mismo, le convenía estar allí, aunque supusiera un castigo estar encerrado entre muros de hormigón, sin ni siquiera una ventana para permitir que entrara la luz natural.

Como tenía previsto, había conseguido camuflar un pequeño pedazo de papel y una pluma muy ligera, además de otro objeto minúsculo. Antes de asignarles los barracones o las celdas, les habían requisado todas sus pertenencias y les habían sometido a una ducha helada. Hugo conocía ese procedimiento e iba preparado para ello. Así debía comenzar su plan de fuga.

No quería demorarlo ni un segundo. Hizo lo que tenía que hacer. A la escasa hora de estar encerrado en la celda, empezó a aporrear la puerta, como si algo grave le estuviera pasando.

De inmediato se presentó uno de los guardias del pabellón de las celdas de aislamiento, como había previsto. Con gran agitación, le dijo que se había arrepentido y había decidido confesar todos sus crímenes, que eran bastante más graves que por lo que había sido encerrado. El guardia, que lo estaba observando por la pequeña ventana de la que disponía la puerta de la celda, pensó que había enloquecido. Era normal que las personas que acababan de llegar a un campo de concentración, el primer día, experimentaran ciertos comportamientos extraños, y más en el caso de aquel prisionero que había sido conducido directamente a una celda de aislamiento, sin aparente motivo.

—¿Qué es lo que te pasa? —le preguntó—. Te conviene tranquilizarte. Con suerte y no te mueres antes, pasarás aquí una larga temporada.

—Por favor, ¿podría entregarle este papel al *Sturmbannführer* Albert Sauer?

—¿De dónde has sacado eso? —ahora el guardia parecía enfadado de verdad. Viendo su actitud, Hugo temió que rompiera la nota.

—Mire el nombre que la encabeza —le dijo.

Así lo hizo. Hugo observó que el guardia se mostró asombrado, pero, por su expresión, vio que tampoco parecía terminarse de convencer. Decidió que era el momento de gastar todos sus recursos.

—Es de vital importancia —insistió Hugo, esta vez, enseñándole una pequeña insignia.

Ahora sí. La sorpresa inicial del guardia se había trasformado en estupefacción.

—¿Cómo puedes tú tener esto? —insistió con sus preguntas, aunque ahora ya no parecía enfadado, sino extrañado.

—Le aseguro que el *Sturmbannführer* lo entenderá y le felicitará por entregarle mi carta y la insignia.

—No sé si hará eso. Se supone que está en aislamiento —aunque el guardia se resistía, se le notaba que estaba considerando la posibilidad.

—Si no se la entrega y se entera, en algún momento, de que no lo ha hecho, con la importancia que tiene para el *Reich*, usted mismo podría tener graves problemas. Piénselo bien. Le aseguro que no soy un prisionero cualquiera. La prueba la tiene en sus propias manos.

El guardia se quedó mirando a la cara a Hugo. Se notaba que estaba reflexionando. Apenas unos segundos después, cerró la pequeña ventana de la puerta y se fue.

Hugo no sabía si había logrado convencerle, pero era su única oportunidad y quería creer que sí lo había hecho. Tan solo se trataba de la primera parte de su plan, que debía superar muchos obstáculos y era consciente que podía encallar en cualquiera de ellos.

Ya fuera del pabellón de aislamiento, el guardia estaba confuso. Aquello era insólito. Llevaba destinado en Sachsenhausen desde hacía tres años. Había sido testigo de todo tipo de cosas, pero era la primera vez que le ocurría algo así. «Desde luego no sé quién es ese pobre diablo, pero ¿me corresponde a mí, un simple guardia, decidir si esto tiene importancia o no?», pensó. Esa reflexión terminó de convencerle. Decidió, al fin, que no perdía nada por entregarle aquello a su comandante. No se quería arriesgar. «Que decida el comandante, que para eso está al cargo de este campo».

La distancia hasta el despacho de Albert Sauer era muy corta. Apenas le llevó un par de minutos plantarse frente a su puerta. Dudó hasta el último segundo. Al final, llamó a la puerta.

—Adelante —escuchó desde el interior.

—*Sturmbannführer*, disculpe si le molesto, pero me ha ocurrido un hecho insólito. Creo que debería de conocerlo —dijo, mientras le entregaba la carta y la pequeña insignia.

La reacción del comandante del campo fue aún más exagerada que la del guardia. Se levantó de la mesa de inmediato. Parecía muy alterado. Después de observar con detenimiento la insignia, pareció calmarse un poco.

—A ver si lo adivino —dijo—. Celda número 10 del pabellón de aislamiento y castigo. Es uno de los que acaba de llegar en el último camión desde Berlín.

Estaba claro que hoy era un día lleno de sorpresas para Hans, que era el nombre del guardia.

—Si me permite la pregunta, ¿cómo ha podido adivinarlo, señor?

—Porque es único.

—No lo entiendo, señor.

—No lo necesita comprender. Le agradezco que me lo haya traído. Puede marcharse.

Hans obedeció y abandonó el despacho.

«¿Quién sería el prisionero de la celda 10?», pensó Hans. «¿Qué significará que es único?»

Todo un misterio.

50 BERLÍN, 1 DE SEPTIEMBRE DE 1942

Himmler le respondió muy brevemente en qué iba a consistir su cuarta misión.

El *Oberleutnant zur See* Otto Hartmann, que se esperaba algún tipo de patrulla de combate que entrañara cierto riesgo, jamás pudo imaginarse lo que acababa de escuchar.

No se pudo reprimir,

—Con todos los respetos, *Reichsführer*, lo que me pide es imposible.

—No me gusta nada esa palabra. Nada es imposible.

—Créame, lo es. Supongo que sabrá la configuración y las características de los submarinos de la clase *U-Boot.*

—De sobra. Le sorprendería saber que he patrullado con uno de ellos en dos misiones. Quería vivir el ambiente que se respira en su interior. No crea que disponía de un compartimento privado como el comandante. Nada de lujos, compartía con la marinería de base el alojamiento y las tareas propias. Conozco perfectamente lo que es «la cama caliente» y «el lecho duro».

Otto iba de sorpresa en sorpresa.

—Pues en ese caso, aún comprenderá mejor mi posición. No es posible lo que pide. Sabe que, a bordo de un submarino, todo depende de la compenetración de todos los oficiales, suboficiales y el resto de la tripulación. Estamos de guardia permanente, veinticuatro horas al día. Me alegro de que haya nombrado la «cama caliente». Ni siquiera cada marinero tiene asignada una cama para él solo. Es compartida en turnos de guardia de cuatro horas, excepto el personal de máquinas, cuyos turnos se alargan hasta las seis horas. El simple fallo de cualquiera de los tripulantes puede conducir a todos a la muerte. Las tripulaciones somos entrenadas para ello y, hasta que no se considera que una persona no dispone de los conocimientos adecuados, no se le permite formar parte de una patrulla, más que en los entrenamientos. Debemos trabajar como una colmena de abejas, perfectamente sincronizadas y con una misión clara que cumplir. Cualquier cuestión que pueda alterar este orden, pone en peligro la vida de muchas personas. No se lo voy a negar, cada vez que he partido de patrulla, se siente un temor imposible de contener. No sabes si vas a volver a casa. ¿Pero sabe cuál es el principal miedo?

—No —le respondió lacónico Himmler.

—Nosotros mismos. Estamos preparados para combatir al enemigo, es más, estamos deseando hundir cuantos más convoyes mejor, aunque vayan escoltados por algún destructor provisto de esa nueva herramienta del diablo, llamada ASDIC o sonar, que permite localizarnos en inmersión y lanzarnos cargas de profundidad. Eso lo asumimos, forma parte de nuestro trabajo y dedicación a nuestra patria. Pero los peores temores son los interiores. La atmósfera en un submarino puede llegar a ser irrespirable, y no me refiero solo a la falta de oxígeno. ¿Por qué cree que está prohibido el alcohol, salvo en fechas señaladas, e incluso las fotografías de mujeres? Si lo ha vivido, sabrá de lo que le estoy hablando.

—Perfectamente —Himmler continuaba con sus parcas respuestas.

—En un *U-Boot*, todos tienen asignada una misión concreta, que ejecutan como un reloj. No sobra ni falta ni un solo hombre. Aunque las configuraciones pueden variar entre modelos, casi siempre navegan el comandante, tres oficiales, ocho suboficiales y el resto, hasta completar una dotación de entre cuarenta y cincuenta personas, todos ellos marineros experimentados en diferentes funciones muy específicas.

—Todo lo que me está contando ya lo sé y me estoy aburriendo —Himmler había torcido el gesto. Ya no parecía tan simpático como al principio de la velada.

—Lo lamento, tan solo pretendía recalcar las diferencias fundamentales entre un submarino y un buque de superficie. No tienen nada que ver.

—La cuestión —siguió Himmler—, es que lo que le he explicado no es una simple petición. Es una orden directa. Si consigue llevar la misión a cabo con éxito, se podría convertir en uno de los más jóvenes *Kapitänleutnant* de la *Kriegsmarine*.

Otto comprendió que era inútil intentar convencer a una persona como Himmler, cuando había tomado una decisión. Intentó ir por otro camino, a ver si colaba.

—Es una norma de la *Kriegsmarine* no aceptar mujeres a bordo de los submarinos.

—Orden derogada por asuntos de emergencia nacional —le contestó Himmler—. ¿Por qué no deja de hacernos perder el tiempo y pasamos a estudiar la misión de una vez?

Ahora sí, Otto se rindió.

—Lo que usted ordene, señor.

—Como ya le había dicho, en su cuarta misión, le acompañarán Markus y Cornelia, abordo de su submarino.

—Para ello, debo desprenderme de dos valiosos marineros —reflexionó Otto.

—No menosprecie a ninguno de los dos. A pesar de su juventud, probablemente tengan más experiencia en ciertas materias que cualquiera de sus tripulantes. No olvide que son miembros de las fuerzas de élite de la inteligencia de las *SS*, es decir, lo más selecto. Reciben un formidable entrenamiento y formación en multitud de disciplinas muy variadas, que probablemente ni se imagina.

Otto se las podía imaginar, pero no sabía en qué podían ser útiles en el reducido interior de un *U-Boot*.

—¿Me permiten hablar? —preguntó con corrección Markus.

—Por supuesto, cualquiera de nosotros lo puede hacer —le respondió Himmler.

—Entre otras muchas materias, soy experto en comunicaciones. Conozco a la perfección y sé utilizar el *Funkmeßortungsgerät* de los submarinos *U-Boot*, es decir, los sistemas de radar. También soy oficial titulado de grado uno en el *Funkmessbeobachtungsgerät*, que ya sabe que es el dispositivo de medición y monitorización de radio, que precisamente lleva equipado su nuevo submarino. También conozco y sé manejar el *Bold*, el dispositivo para generar burbujas con una reacción química, lo que permite camuflar la presencia del submarino de buques en la superficie. Por si le sirve, también estoy estudiando el tercer curso del grado de ingeniería, especializado en motores diésel y baterías.

Otto se quedó impresionado. Él mismo, probablemente, no tuviera tantos conocimientos como el *Obersturmführer* Markus Rietschel.

—*Hauptsturmführer* Cornelia —dijo Otto—. ¿También me va a sorprender con un nivel de conocimientos tan elevados?

Himmler hizo un gesto con la mano.

—La señorita Cornelia no responderá a su pregunta —afirmó, de modo muy tajante.

—Con todos mis respetos, *Reichsführer.* ¿Me permite expresarme con absoluta franqueza? No quiero ofender a nadie de los presentes en esta reunión, pero creo que es mi deber hablar con claridad.

—¡Por supuesto! —le respondió Himmler—. Para eso le hemos hecho venir aquí. De lo contrario le habría enviado las órdenes por el conducto reglamentario, pero también comprenda que se trata de una operación de inteligencia. Quizá haya algunas cuestiones que no esté autorizado a conocer.

—Mis preocupaciones no son con la misión en sí misma, ese tema no es de mi incumbencia —ahora se giró hacia Cornelia—. Nunca una mujer ha sido tripulante en un *U-Boot.* Todos son marineros masculinos, muy buenos en su trabajo, pero rudos y con ciertas necesidades cuando llevan mucho tiempo sin pisar un puerto, no sé si me entiende.

Cornelia sonreía, pero dejó que continuara explicándose. Parecía que estaba disfrutando con el azoramiento de su compañero de velada.

—Usted no solo es una mujer —Otto sabía que se estaba metiendo en un charco, pero los nervios evitaban que se pudiera expresar con más educación—, también es muy femenina y muy guapa. Perdone mi atrevimiento, pero no me la imagino haciéndose pasar por un hombre.

—Es que no pienso hacerlo —le respondió.

—¿Qué? —preguntó Otto, sorprendido. Había dado por supuesto que utilizaría algún tipo de disfraz. No puedo evitar continuar hablando.

—Siento no saber expresarme mejor y disculpe si le ofendo, pero usted la podría liar bien gorda al segundo día de navegación. ¡Qué digo! ¡Hasta a las pocas horas de partir!

Ahora, Himmler se rio.

—Es la primera cosa sensata que le escucho decir en un buen rato.

Markus y Cornelia se miraron y también sonrieron.

—Señor Hartmann —dijo el joven oficial de las *SS*—, le aseguro que tiene razón, pero no con el sentido que pretende dar a su explicación. Mi compañera Cornelia, si la deja sola en el submarino con la tripulación al completo, los cuarenta o cincuenta rudos marineros, en menos de cinco minutos, o estarían todos muertos o inutilizados para cualquier labor. Me he fijado que ha observado con admiración su Cruz de Hierro de primera clase. ¿Cómo piensa que la ha obtenido? ¿En una oficina?

—¿Cómo cinco minutos? —preguntó Cornelia, que continuaba con la sonrisa en su rostro—. Me sobran cuatro.

Himmler se volvió a reír.

—Digamos que la señorita Cornelia tiene otras habilidades que es mejor que no conozca y no se vea obligada a demostrar, por su propio bien.

Otto lo comprendió de inmediato. Probablemente perteneciera a los *Einsatzgruppen* o Grupos de Operaciones de las *SS*. Eran la élite dentro de la élite. Se comentaba que eran capaces de matar a un grupo de personas sin ser vistos ni oídos. Viéndola enfundada en ese uniforme, que realzaba su impresionante figura femenina y su gran melena rubia, le costaba mucho imaginársela en ese papel.

—¡Pero eso también sería un problema! *Hauptsturmführer* Schiffer, le ruego que no se ofenda, y menos con lo que sé ahora de usted —dijo Otto, que intentó relajarse sonriendo. Cornelia se la devolvió—, pero no puedo permitir que en mi submarino se produzca cualquier tipo de tumulto. Esa puede ser la pequeña diferencia entre cumplir nuestra misión o ser hundidos. Aunque sea la mejor en su campo y así lo advirtiéramos a la tripulación, la acabarían molestando. Compréndalo, son gente de mar que no están acostumbrados a navegar con mujeres abordo. Tendría que ver cómo salen disparados hacia los burdeles, cuando arribamos a algún puerto. Los instintos más primitivos, sobre todo dentro de un pequeño submarino, se multiplican por diez.

—Vuelve a tener usted razón —dijo Himmler—, pero todo problema tiene su solución. Para empezar, no sé si habrá advertido que la *Hauptsturmführer* Schiffer será la militar de mayor rango dentro del submarino, incluso por encima del de usted, aunque sea el comandante de la nave.

—Ya me había percatado —reconoció Otto—, pero no creo que ese detalle sea suficiente como para...

Himmler le interrumpió.

—Está usted en racha. Vuelve a tener razón, pero para evitar todos esos posibles inconvenientes, la oficial Schiffer dispondrá de su propio camarote privado, que, a su vez, irá equipado con un retrete particular y una máquina de cifrar Enigma, que tan solo estará autorizada a utilizar ella. Necesito estar en contacto permanente con la *Hauptsturmführer* y, al mismo tiempo, no ser escuchados por nadie más de la dotación. Embarcará en calidad de *B-Dienst*, es decir, como oficial de inteligencia, cargo que está previsto dentro de la estructura de mando de los submarinos *U-Boot*, y sé qué infunde respeto entre la marinería. Se le dejará claro a la tripulación que, a pesar de que usted es el comandante, la *Hauptsturmführer* Schiffer, es la militar de mayor graduación abordo, además condecorada con la Cruz de Hierro. También conozco que los tripulantes de los *U-Boot* tienen cierto temor a los *B-Dienst.*

A pesar de que se daba cuenta de que Himmler había tomado todas las medidas posibles para evitar incidentes, aún albergaba sus dudas, que se incrementaban cada vez que la miraba.

—Además, usted no conoce a Cornelia —insistió Himmler—. Le aseguro que sabrá ser discreta. Sería capaz de situarse a cinco centímetros de usted y ni se daría cuenta.

«Lo dudo mucho», pensó Otto, divertido.

—Desconozco la configuración del *U-77*, pero en el submarino donde sirvo ahora como primer oficial, el *U-97*, no hay ni una sola estancia que no esté ocupada —dijo Otto—. Además, que yo sepa, los *U-Boot* tan solo disponen de un minúsculo retrete para toda la tripulación.

—Ese tema ya está resuelto. Encontrará su nuevo submarino con todo lo necesario para acomodar a la señorita Cornelia —le respondió Himmler.

—Veo que lo tenían previsto desde hace tiempo. Cualquier descompensación de pesos puede afectar gravemente a su navegabilidad. Una modificación de ese calado en la estructura de un *U-Boot* lleva su tiempo y recursos.

—Todo depende de quién sea la persona que lo ordene, ¿no le parece? Ni el tiempo ni los recursos han supuesto ningún problema para el *U-77* —le contestó Himmler—. De todas maneras, quiero asegurarme de que tenga clara cuál es exactamente su misión.

—Por supuesto. Me será entregado, en calidad de comandante, el submarino *U-77* en los primeros días del mes que viene. Nuestro puerto base será La Spezia. Saldremos de patrulla en tres ocasiones, para rodar a la tripulación en misiones de bajo riesgo y sin entrar en combate con barcos de guerra, tan solo mercantes desprotegidos. El primer día de marzo de 1943 aterrizarán en el aeródromo de la base naval, el *Obersturmführer* Rietschel y la *Hauptsturmführer* Schiffer. Dos días después de su llegada, el día 3 de marzo de 1943, partiremos hacia un lugar determinado de la costa española. Las condiciones de la navegación serán las mismas, evitar riesgos innecesarios y silencio absoluto de radio, salvo para cuestiones de emergencia, con el objeto de no ser localizados por las estaciones de escucha enemigas. La prioridad de la misión es dejar a los dos oficiales de las *SS* en las coordenadas que tengo en el sobre que me ha entregado hace un rato. Luego de completar la misión, volver a La Spezia con el mayor sigilo. Esta misión no quedará registrada en los libros de navegación ni en la base. Oficialmente, jamás habrá existido.

—En el improbable caso de ser atacados, ¿cómo debe actuar? —preguntó Himmler.

—Me ha quedado muy claro que la seguridad de los dos oficiales de las *SS* es lo prioritario de la misión, incluso por encima de las vidas de toda la tripulación del submarino.

—Perfecto, veo que lo ha comprendido. Ahora, me gustaría que abriera el sobre, para comprobar que las coordenadas son correctas. Al fondo del comedor, hay una carta de navegación. Le ruego que proceda, para que no quede ninguna duda.

A Otto le extrañó la petición de Himmler. Eso lo podía hacer en su base naval sin problemas, pero obedeció sin rechistar.

Abrió el sobre y, con la ayuda del instrumental, situó con exactitud las coordenadas. Cuando vio el punto en concreto, pensó que se había equivocado. Lo volvió a calcular otra vez. Era el mismo, No había error en sus cálculos.

— *Reichsführer* Himmler, me parece que estas coordenadas contienen algún error.

Himmler sonrió.

—¿Ahora comprende por qué quería que las comprobara antes de irse?

—Pues menos mal que lo hemos hecho. Tendrán que corregirlas antes del 3 de marzo del año que viene.

—No hay nada que corregir —le contestó Himmler.

—¿Cómo es posible? —le preguntó asombrado Otto—. Este punto no está situado en el mar, sino en tierra firme.

—Lo comprenderá todo a su debido tiempo.

51 CAMPO DE CONCENTRACIÓN DE SACHSENHAUSEN, 13 DE FEBRERO DE 1943

Cada día que pasaba, le daba la impresión que envejecía un mes. Ya había asumido que su plan de escape había fracasado, antes incluso de iniciarse. A pesar de la nota y la insignia que le había hecho llegar al comandante del campo de concentración, nada había ocurrido.

Hugo estaba arrasado.

Tampoco comprendía el motivo por el que seguía en el pabellón de castigo y aislamiento. Había visto pasar centenares de prisioneros, pero apenas se quedaban diez días como mucho, suponía que por alguna infracción que habrían cometido, pero él llevaba más de cinco meses y no sabía el porqué.

Le salvaba la amistad que había hecho con Hans, uno de los guardias del pabellón. Tampoco se la explicaba, ya que los miembros de las *SS* que vigilaban el campo, sometían a verdaderas humillaciones y torturas inhumanas a todos los presos. Tenían órdenes de no confraternizar con ninguno de ellos, pero, por alguna razón que se le escapaba, Hans no obedecía esa orden, tan solo en su caso.

Estaba seguro de que ese pequeño detalle había contribuido a permitirle conservar la cordura, ya que le dejaba salir cada día, a escondidas, durante quince minutos a un patio trasero del pabellón, con lo que podía ver la luz natural y caminar un poco, cosas que no podía hacer encerrado entre los fríos muros de su claustrofóbica celda.

Por supuesto no había sabido nada de su mujer Felicia ni de su hija Gisela, que hoy, precisamente, cumplía veintidós años. Su simple recuerdo era insoportable. Para intentar no volverse loco de dolor, se había convencido de que estarían en libertad. Imaginárselas en un campo de concentración similar a Sachsenhausen, le suponía una tortura equivalente a clavarse una daga en el corazón cada cinco minutos.

A pesar de su confinamiento, era perfectamente consciente de lo que pasaba allí. En ocasiones escuchaba llegar varios camiones y, a los pocos minutos, multitud de disparos. Ya sabía la suerte que habían corrido aquellos desgraciados. También, cuando salía al exterior, veía a otros prisioneros. Le resultaba insoportable observar que, a mucha gente, ya no la volvía a ver. No hacía falta ser muy inteligente para suponer el motivo. Incluso, en alguna ocasión, se había atrevido a intercambiar palabras con algún prisionero. No quería hacerlo, ya que temía hacer amistades que no volviera a ver. Eso no le ayudaría nada con el vacío interior que sentía.

De entre esas escasas conversaciones que se atrevía, de vez en cuando, a mantener con prisioneros, el testimonio que más le impresionó fue el de un tal David Cohen. Su edad rozaría los sesenta años. Había sobrevivido a toda su familia, mujer, hijos y nietos. No se podía imaginar una angustia más intensa. No le quedaba nadie en la vida, igual que a Hugo. Sus sentimientos eran muy parecidos. Se sentía muerto en vida. Inmediatamente, se sintió identificado con él.

David había desarrollado una habilidad formidable que le hacía resistente a aquella avalancha de injustificada barbarie. Había sido un prominente miembro de la comunidad judía de Berlín y, con sus muchos años de experiencia como rabino, se había refugiado en la espiritualidad y la meditación. Era de los pocos judíos que había conocido en el campo. No sabía si los habían asesinado o trasladado. Quería imaginar lo primero, pero se temía lo segundo, aunque, desde el principio, le dio la impresión que Sachsenhausen era para prisioneros políticos y militares, no para judíos.

David era reticente a hablar de las salvajadas de las que había sido testigo o protagonista. No quería revivirlas, pero, en una ocasión, le habló del llamado *Sachsenhausen salute*. Él lo había sufrido en sus propias carnes en dos ocasiones. Le obligaron a ponerse en cuclillas, con los brazos extendidos. A continuación le calzaron unas botas alemanas y le obligaron andar todo el perímetro del campo, en esa posición tan incómoda, atravesando tramos de piedra, de arena y de guijarros. Eran, nada más y nada menos que cuarenta kilómetros. No le permitían pararse ni se dignaban a darle ni siquiera un poco de agua. Era un esfuerzo más allá de la resistencia humana, Le contó que muchos no lo soportaban y morían antes de concluirlo. Un compañero de barracón se había suicidado, golpeándose fuertemente la cabeza por una piedra puntiaguda en la base del cráneo, por no poder soportarlo. Ningún guardia lo socorrió, todo lo contrario, se reían mientras lo veían agonizar.

—¿Y tú como lo conseguiste? —recordaba que le preguntó Hugo.

La respuesta de aquel hombre le impresionó.

—La verdadera fortaleza de un hombre no radica en sus músculos ni en su edad. La verdadera fortaleza consiste en levantarte cada vez que un tropiezo te haga caer y levantarte mucho más fuerte que antes de caerte. La verdadera fortaleza consiste en dirigir la mirada a los ojos de esos salvajes y decirles con la vista «no podrás conmigo, tendrás que matarme de un tiro». Esas dos fortalezas son mentales, no físicas. Mira en tu interior, pero no busques el dolor, porque lo encontrarás con demasiada facilidad. Busca lo difícil, la esperanza.

Hugo se sorprendió de aquellas palabras.

—¿Qué esperanza nos puede quedar a nosotros? No nos queda nada.

—Te equivocas. Quedas tú. Recuérdaselo a esos salvajes cada vez que tengas ocasión.

Después de aquella conversación, jamás volvió a ver a David.

A pesar de todo, las palabras de David le reconfortaron un tanto, excepto en que no comprendía que esperanza le podía quedar. Aunque debía de reconocer que, una de las ventajas de permanecer en el barracón de aislamiento, era que no se veía sometido a semejantes torturas. Eso sí, el precio que estaba pagando era elevado. Había perdido más de veinte kilos de peso y su aspecto físico era lamentable, y eso que aún podía pasear quince minutos al día, un privilegio tan inesperado como agradecido hacia Hans.

Esperanza.

Esa palabra de David le martirizaba a diario. Recordaba que, cuando llegó a Sachsenhausen, la tenía. Creía que tenía un sólido plan para conseguir salvar la vida de toda su familia.

Hans le había confesado que le había entregado la carta y la insignia a su comandante. También que le dijo que se comportó de forma muy poco común. Esa era la reacción que esperaba de Albert Sauer. La carta llevaba el encabezamiento de su mentor y al que le debía toda su carrera en las *SS*, Thomas Eicke, y la insignia se la había impuesto en persona, en el *Berliner Illustrirte Zeitung.* Pero eso no importaba nada, tan solo era un reclamo para llamar su atención y que leyera el resto de la nota, que no tenía nada que ver ni con Eicke ni con él.

Iba dirigida a otra persona y su contenido era completamente insólito. Prometía desvelar un misterio, que había permanecido en secreto durante seis siglos.

«Todo para nada», fue su último pensamiento de la mañana. Ahora, tan solo esperaba que Hans le permitiera sus quince minutos diarios de paseo.

A eso se había reducido su vida. Al vació más absoluto.

52 LA SPEZIA, 3 DE MARZO DE 1943

—Es demasiado joven y guapa, ¿no te parece?

—Bueno, joven desde luego, pero lo de guapa tampoco es para tanto. Al lado tuyo, no hay color.

—¡Mentiroso! —exclamó Erika, la mujer de Otto Hartmann, mientras sonreía y le daba un beso a su marido—. No puedes evitar que se te vayan los ojos hacia ella. No te culpo, si yo fuera un hombre o me gustaran las mujeres, supongo que también lo haría.

—Sabes que solo tengo ojos para ti —le respondió Otto, mientras le devolvía el beso a Erika.

—Bueno, su compañero Markus tampoco está nada mal.

—¡Oye! —se quejó Otto.

—No te preocupes. Sabes que tan solo tengo ojos para ti —le respondió Erika, burlándose de su marido, repitiendo su misma frase.

Los dos se rieron.

—Ahora en serio —dijo Erika—, no tengo buenas vibraciones.

—¿Por qué dices eso?

—¿En serio lo ves normal? No te puedo creer. Te mandan a una patrulla que, en realidad, no lo es. Es una simple misión de trasporte de dos jóvenes oficiales de la *Sicherheitsdienst*, es decir, los servicios de inteligencia de las *Waffen-SS*. Unidades de élite.

—¿Y eso te parece extraño? Ya se ha hecho en muchas ocasiones anteriores en esta misma guerra y, supongo, que se seguirá haciendo.

—¡Venga ya! ¿Una mujer en un *U-Boot*? Y no estamos hablando de una mujer cualquiera, sino del canon perfecto de la belleza aria. Es como el *David* de Miguel Ángel, pero en femenino.

—¿No crees que te estás pasando un poco?

—¿Qué opina tu tripulación de ella? Ayer la presentaste a todos tus compañeros.

—Tampoco fue para tanto. Ten en cuenta que en nuestra primera misión con el *U-77*, se extrañaron de las modificaciones que se habían introducido en el interior del submarino. Jamás habíamos navegado con un *B-Dienst* abordo, pero que, además de ello, dispusiera de su propio camarote privado con retrete, que no tengo ni siquiera yo, les sorprendió muchísimo. Algunos, incluso se llegaron a enfadar. Ya sabes lo escaso y valioso que es el espacio en un submarino, y esas modificaciones iban en contra de la comodidad del resto de la tripulación. Por ello les tuve que decir la razón de todo aquello. Desde hace meses sabían que, en nuestra cuarta patrulla con el *U-77*, el *B-Dienst* iba a ser una mujer.

—Te he preguntado qué piensan de Cornelia Schiffer en concreto, no de una oficial *B-Dienst*, en genérico. No rehúyas mi pregunta. Ya sabes a qué me refiero.

—¿Opiniones en privado o en público?

Erika sonrió.

—¡Lo sabía! —exclamó—. Cuéntamelo todo.

—Bueno, en público se comportaron con mucha corrección. No te niego que alguno babeaba, pero no olvides su elevado rango, *Hauptsturmführer* condecorada con la Cruz de Hierro. Será la oficial de mayor graduación del submarino. Eso les cortó un poco. Bueno, eso y el imponente uniforme de las *Waffen-SS*, que ya atemoriza de por sí. No tiene nada que ver con el que utilizamos en la *Kriegsmarine*, mucho más modesto. Ellos son la élite y disponen de muchos más recursos. Nosotros somos simples marineros.

—Todo muy correcto, pero ya supondrás que tengo más interés en las opiniones en privado.

—Me da vergüenza reproducirlas.

—¡Venga, que ya sabes que no soy una mojigata!

El matrimonio de Otto y Erika Hartmann estaban manteniendo esta conversación, acostados en su cama. Eran las cuatro de la madrugada. Desde que se casaron, ya se había convertido en una costumbre que la noche anterior a la partida de su marido, apenas durmieran. Primero disfrutaban del sexo, nunca se sabía si iba a ser la última vez, y después se quedaban hablando, intentando relajarse.

Como estaba previsto, Markus Rietschel y Cornelia Schiffer habían llegado a la base naval de La Spezia anteayer. Por cortesía, ya que su vivienda disponía de cuatro dormitorios, les habían invitado a pasar las dos noches previas al inicio de la misión en su casa. Habían aceptado, demostrando un gran agradecimiento.

—Son una pareja un tanto atípica, ¿no te parece? —observó Erika—. Él parece muy educado, de buena familia y se nota que está recibiendo una formación magnífica. Tan solo hay que ver cómo habla y los conocimientos que tiene.

—¡Te gusta Markus! —rio su marido.

—¡Toma, y a ti Cornelia! —le respondió Erika al vuelo —. ¿Te parece que les despertemos y organicemos una orgía? Aún tenemos tres horas hasta el embarque.

—¡No seas bruta! —simuló escandalizarse Otto.

—Yo me merendaría al tal Markus como un *caramelito*, pero no sé por qué, tengo la impresión de que Cornelia pasaría por encima de ti.

«Y eso que no le he contado que pertenece a los temibles *Einsatzgruppen*, los grupos de élite de operaciones especiales. Igual es hasta una asesina», pensó divertido. Curiosamente, ese pensamiento le excitó.

—Por una vez y, sin que sirva de precedente, te voy a dar la razón.

—Ya sabes que soy una mujer muy intuitiva.

—Y también muy atractiva —dijo Otto, atrayéndola hacía él con una intención muy evidente.

—¿Otra vez? —preguntó *picarona* Erika—. Entonces, ¿no los despertamos?

—Déjate de tonterías, que nos queda poco tiempo.

Terminaron exhaustos y con el tiempo justo para darse una ducha y bajar a desayunar. Cuando lo hicieron, para su vergüenza, sus invitados ya estaban sentados alrededor de la mesa de la cocina.

—Disculpadnos, pero me he tomado la libertad de preparar el desayuno —les recibió Markus—. Espero que no te importe, Érika.

—En absoluto —le respondió—. La culpa es nuestra, se nos han pegado las sábanas.

«Enrollado, más bien», pensó Otto, divertido, al mismo tiempo que miraba a Cornelia, que sonreía de una manera muy particular, como diciendo «a mí no me engañáis». No pudo evitar ponerse colorado. Le producía esa reacción con demasiada frecuencia. Presumía que iba a ser una misión muy peculiar, y no le faltaba razón.

El desayuno que había preparado Markus estaba de chuparse los dedos. Hasta Erika tuvo que admitir que era mejor cocinero que ella misma.

—¿Acabas de preparar ahora mismo estos *Bretzel*? —preguntó una sorprendida Erika—. ¡Están de fábula!

—Sí. Es una costumbre familiar. De donde provienen mis abuelos, en Baviera, la tradición es desayunar medio litro de *Weissbeer*, cerveza de trigo, dos salchichas blancas *Weisswurst* con mostaza y los *Bretzel*, que nosotros llamamos *Pretzel*, en su variedad de bollo horneado blando. Por motivos obvios, tan solo he preparado estos últimos.

«Hasta sabe cocinar», pensó Erika, encantada. «¿Qué no sabrá hacer?».

—¿No te gusta la cocina o es que tu compañero lo hace mejor que tú? —le preguntó Otto a Cornelia.

—Ambas cosas —le respondió—. Tengo que reconocer que me manejo fatal con las ollas y todo eso, sin embargo, los cuchillos de la cocina se me dan muy bien. Si vieras cómo rebano los pepinos, estoy seguro de que te sorprenderías.

«¡Eso por preguntar!», pensó Erika divertida, mientras observaba el rostro de espanto de su esposo, imaginándose la escena.

Dieron buena cuenta del desayuno y se hizo la hora de partir hacia el emplazamiento del *U-77*, que se encontraba muy cercano a la vivienda de los Hartmann. Era costumbre, entre los miembros de la flotilla de submarinos alemanes, que los marineros acudieran acompañados de su familia y les despidieran a los pies del *U-Boot*, antes de comenzar una patrulla. Esta vez no iba a ser posible, ya que la misión era confidencial. Además, no iba a consistir en una patrulla como tal, sino en una misión de trasporte.

Se levantaron y, entre Markus y Cornelia recogieron la mesa. No permitieron que los Hartmann hicieran ninguna labor.

—Es lo mínimo que podemos hacer por su hospitalidad y amabilidad hacia nosotros —dijo Markus—, aunque me temo que ha llegado la hora de partir.

—Así es —le respondió Otto—. El personal técnico ya llevará unas horas en el submarino comprobando las máquinas y los sistemas. Ahora nos toca a nosotros.

´—Ha sido un verdadero placer acogerles en nuestra casa —dijo Erika—, pero, antes de partir, ¿me permiten un minuto a solas con mi marido?

—Por supuesto —respondió Cornelia, mirando a Otto de un modo peculiar.

A Otto le dio la impresión que le estaba diciendo con la mirada «¿no os habéis despedido lo suficiente esta noche?». Le daba la impresión de que aquella muchacha sabía interpretar sus gestos o leer su mente. Cualquiera de las dos posibilidades le intimidaba.

No iba nada desencaminado.

Una vez abandonaron la vivienda la pareja de oficiales de las *SS*, Erika se abrazó con su marido. Estuvieron casi un minuto así, sin decirse nada.

—En un par de semanas nos volveremos a ver. Parece que me estés dando el último abrazo.

Erika no quiso decir nada, simplemente le dio un beso de despedida a su marido.

Los tres partieron hacia el submarino para cumplir una misión de rutina.

Al menos eso creían.

53 CAMPO DE CONCENTRACIÓN DE SACHSENHAUSEN, 3 DE MARZO DE 1943

Era la hora de su paseo diario. A pesar de ello, hoy estaba melancólico. No le hubiera importado quedarse entre aquellos fríos muros de hormigón.

Dicen que la vida se resume en tu final, que es un reflejo de toda tu existencia. Hugo había conocido a la mujer perfecta, dos días después habían tenido su primera cita, se habían enamorado y casado apenas siete meses después de conocerse, viviendo muy felices durante más de veinte años. Fruto de su matrimonio habían tenido a un ángel, no a una hija, Gisela. Sin embargo, intuía que su final no iba a ser reflejo de nada de todo aquello.

Sentía que era por su culpa. No había sabido cuidarlas como se merecían. Debió aceptar su suerte y morir en pie, como un señor, frente a un pelotón de fusilamiento franquista. No le tenía ningún miedo a la muerte, pero sí a perder a su familia.

Al final, ni una cosa ni la otra. No solo las había perdido, sino que las había puesto en un peligro innecesario y, cada día que pasaba en aquel campo de concentración, era más consciente que no saldria vivo de allí. Como siempre pensaba, la muerte se respiraba en Sachsenhausen.

Desde luego no era su mejor día. Pensó que, igual, cuando se presentara Hans, le decía que, como una excepción, prefería quedarse tumbado en su camastro, en lugar de ver la luz del día. En realidad, esa luz ya se había apagado hace tiempo en su interior. Le habían arrebatado su sol y su luna.

Tan solo existía la oscuridad más absoluta,

—¡Hugo! —escuchó, casi gritando— ¡Despierta!

Por lo visto, se había quedado traspuesto, entre tanta oscuridad en su cabeza.

—Me parece que hoy prefiero quedarme en mi celda. No tengo mi mejor día. No te preocupes, pero no saldré a pasear —dijo, mientras se incorporaba de su camastro, en dirección a Hans.

—Sí que me preocupo —le respondió, con una voz que dejaba traslucir un gran nerviosismo.

Ahora, el guardia logró captar toda la atención de Hugo. Se le quedó mirando a los ojos. No recordaba haberlo visto en ese estado de excitación desde que lo había conocido, hacía más de medio año.

—Pues no te quiero ver preocupado. Creo que soportaré un día sin salir a pasear, no me pasa nada. Tan solo me encuentro algo bajo de ánimos.

—No me entiendes. Esta vez no estoy preocupado por mí, sino por ti.

—¿Qué es lo que ocurre? —Hugo ya se había despejado completamente.

—Como comprenderás, no tengo mucha información, soy un simple guardia, pero han puesto a todo Sachsenhausen en estado de máxima alerta.

—Y eso, ¿qué tiene que ver conmigo?

—Lo único que he podido oír es que tú eres el causante de toda la alarma creada.

—¿Yo? ¿En serio? Pues ya me contarás cómo puedo ser el responsable de algo, desde esta maldita celda de aislamiento y castigo. Sin saber el motivo, llevo aquí más de medio año, algo insólito y, a pesar de ello, jamás he montado ningún altercado ni me he quejado, ya me conoces.

—Ya te he dicho que no tengo mucha información, pero tan solo existen tres motivos para poner el campo en este estado. El primero, un ataque aéreo de la aviación enemiga. Sé que eso no se está produciendo, es evidente, no se escucha nada. El segundo motivo podría ser una fuga de un prisionero.

—¿Se ha escapado alguien de esta fortaleza, en alguna ocasión? —preguntó Hugo.

—Aunque resulte difícil de creer, sí. Es verdad que tan solo lo han logrado un puñado, ya que, la mayoría de los que lo han intentado, han muerto electrocutados o ametrallados. Si han conseguido poner un solo pie fuera del campo, entonces son ahorcados públicamente, para que el resto de prisioneros aprendan la lección —le explicó Hans.

—¿Y se ha fugado alguien hoy?

—No, nadie falta.

—Entonces, tan solo nos queda el tercer motivo.

—Sí, eso parece —reconoció Hans, que seguía muy nervioso.

—¿Me lo piensas contar?

—El tercer motivo por el que puede ocurrir lo que está pasando es la visita de algún gran mandatario. Cuando empleo esta palabra es para referirme a nuestro *Führer* o alguno de su entorno muy cercano. Apenas tres o cuatro personas entran dentro de esa categoría.

Para sorpresa de Hans, a Hugo le cambió el semblante. Ya no parecía tan deprimido como al principio. Se apartó del guardia y empezó a dar vueltas alrededor de su minúscula celda.

—¿Hay algo que deba saber? —le preguntó Hans, al ver la extraña reacción de su amigo.

—¿Te acuerdas qué ocurrió entre nosotros el primer día que llegué aquí?

Hans reflexionó un instante.

—¿Te refieres a esa nota y la insignia que me diste, y yo le entregué al comandante del campo?

—Exacto —le respondió—. Creo que esa podría ser la causa de lo que está pasando hoy en Sachsenhausen.

—No entiendo qué tiene que ver una cosa con la otra —le dijo Hans— Ya ha pasado mucho tiempo de aquello, además, tampoco veo por qué tienen que poner el campo en este estado por una simple nota y una insignia. No le encuentro ningún sentido.

—No era una simple nota, Hans —le respondió Hugo.

En ese momento, se abrió la puerta del pabellón, donde se encontraban las celdas de aislamiento. De inmediato, Hans dejó a Hugo y se fue a ver quién había entrado sin solicitar previamente permiso, como era lo preceptivo.

Cuando vio quién se aproximaba hacia él, comprendió por qué no había pedido ninguna autorización. Ni falta que le hacía.

—Ni me nombres —le ordenó a un estupefacto Hans. Pensó que, aunque hubiera querido hacerlo, no habría podido. Se limitó a permitirle el paso. Iba acompañado del comandante del campo, Albert Sauer.

—Celda 10 —le dijo este último.

—Abra esa celda.

Hans obedeció sin rechistar.

—Ahora, márchese y espere fuera del pabellón. No permita que nadie entre, bajo ningún pretexto. Esta visita es privada y no la registrará en su libro. Usted no me ha visto. ¿Ha comprendido lo que le acabo de decir?

A Hans no le salían las palabras.

—Sí, señor —acertó a decir. Ni siquiera se había dirigido a él por su rango ni lo había saludado de la manera apropiada, como era su obligación. Al ilustre visitante tampoco pareció importarle, así que desapareció de su vista de inmediato.

—Albert Sauer tomó las dos sillas que había en el puesto de vigilancia de la entrada. Entraron en la celda de Hugo, que estaba sentado en su camastro.

—Caramba, ¡qué sorpresa! —les recibió—. Llega usted con más de seis meses de retraso.

Ni se molestó en saludarlo ni contestarle. Hugo observó que llevaba un maletín. Lo abrió. Extrajo una especie de máquina. Supuso que era una grabadora de voz. También una pluma y varias hojas de papel, que portaba dentro de una carpeta.

Ahora sí, levanto la vista y miró a Hugo.

—Creo que quería hablar conmigo —dijo el visitante, escuetamente.

—Así es, pero como ya sabrá, le puse unas condiciones muy sencillas y concretas.

El visitante le miró con desdén. Ni siquiera hizo ademán de contestarle. Hugo se las recordó.

—Yo sé que estoy muerto, mi vida no vale nada, pero ni mi mujer ni mi hija tienen por qué pagar por mis culpas. No pido clemencia para mí. Soy culpable y asumiré el castigo que merezca, pero sí una garantía de la liberación de Felicia y Gisela Bernhard, en el caso de que estén retenidas como yo.

—Eso dependerá de lo que me cuente. Si considero que merece la pena, aceptaré sus condiciones, pero, como comprenderá, no me voy a comprometer a nada antes de escucharle.

—¿Qué garantía tengo entonces de que vaya a cumplir su palabra?

—Ninguna, pero es lo que hay. Si no desea continuar, me habrá hecho perder un par de horas valiosas, pero me marcharé tal y como he venido.

Hugo se quedó mirando a aquel individuo. Toda su estrategia pasaba porque lo hubiera visitado en septiembre del año pasado. Por otra parte, ahora lo tenía enfrente. Si Felicia y Gisela estaban en su misma situación, no se perdonaría jamás no haber hecho nada por salvarlas. Se decidió.

—De acuerdo. Lo que le voy a contar es bastante extenso, Veo que ha traído una grabadora, le vendrá bien.

Hugo no conocía personalmente a aquella persona. A pesar de quién era, jamás había sido autorizado a escribir ni una sola palabra acerca de él, en su época en el *Berliner Illustrirte Zeitung,* era un tema vetado. Ello no hizo más que aumentar la curiosidad de Hugo, que se interesó por su personalidad y le investigó de forma discreta, con ayuda del fondo documental que obraba en poder del periódico ilustrado para el que trabajaba.

Hugo, como tanta gente, había leído la popular obra *Kreuzzug gegen den Grial,* es decir, *Cruzada contra el Grial,* escrita por el medievalista Otto Rahn y publicada en 1933. Le había llamado poderosamente la atención sus teorías, al igual que había ocurrido con la persona que tenía sentada enfrente de él. De hecho, lo acabó reclutando para las *SS,* a pesar de conocer que era judío, homosexual y poco afecto a la causa nazi, por decirlo suave. Eso no le importó. Le fascinaron sus conocimientos acerca del ocultismo. Le encargó la búsqueda del verdadero *Santo Grial,* la copa que Jesucristo había utilizado en *La Última Cena,* con sus doce apóstoles. Logró contagiarle su afición al esoterismo y llegó a convencerle acerca de los poderes mágicos de ciertos objetos sagrados. En 1937, Otto Rahn escribiría un segundo libro acerca del mismo tema, titulado *Luzifers Hofgesind,* es decir, *La Corte de Luzifer,* que fue de gran agrado de su ilustre visitante, ya que *germanizó* sus teorías acerca del *Santo Grial,* algo que enlazaba perfectamente con el misticismo nacionalsocialista de los nazis. A pesar de sus esfuerzos, Rahn jamás logró completar su misión y encontrar el precioso objeto. Acabó alcohólico, repudiado por los nazis y deportado al campo de concentración de Dachau, cuestión que lo sumió en una depresión crónica de la que jamás se recuperaría. Acabó suicidándose en 1939, con tan solo treinta y cinco años de edad, aunque su muerte aún estaba envuelta en un halo de cierto misterio. Circulaban rumores de todo tipo.

Aunque en esta misión, tanto Otto Rahn como su ilustre visitante fracasaron, no por ello dejaron de buscar otros objetos sagrados. Durante el *Anschluss*, es decir, la anexión de Alemania sobre Austria, los nazis robaron, del *Museo Hofgburg* de Viena, la supuesta *Lanza de Longino*, a la que le atribuían poderes mágicos, como al *Santo Grial*. Aunque era más conocida por su nombre de *Lanza Sagrada*, popularmente se le asociaba con el nombre de Longino, que fue el soldado romano que atravesó el cuerpo de Jesús de Nazaret, cuando fue crucificado. Los nazis ordenaron hacer una copia exacta de ella y guardaron la original en la Catedral de Santa Catalina de Núremberg. Los nazis se atrevieron a utilizar esta lanza en algunos mítines significados, haciendo ostentación pública de su poder. Hugo lo había visto en algunos documentales.

—No tengo mucho tiempo, ¿piensa comenzar a hablar? —aquella persona le sacó de sus pensamientos.

—Conecte su grabadora —le respondió Hugo—. Le va a hacer falta.

Comenzó su relato remontándose a mediados del siglo XIV. En los preliminares del mismo, notaba el escepticismo de su visitante, pero a medida que empezó a dar detalles concretos, el interés del visitante cambió de forma radical. Notó incluso una pequeña dosis de excitación. Ya no solo le estaba escuchando, además de la grabación, empezó a garabatear en uno de los papeles que llevaba en la carpeta. Al finalizar la exposición, su rostro se había trasmutado por completo. Estaba claro que el relato le había afectado de forma notable.

Se quedó pensativo durante un pequeño instante.

—¿Es cierto todo lo que me ha contado? —dijo, al fin—. Espero que no me haya hecho perder el tiempo, escuchando una historia fantástica, fruto de su imaginación.

—Le juro, por la vida de mi mujer y mi hija, que todo lo que le he narrado es cierto, desde el principio hasta el final —le respondió Hugo, de forma muy contundente.

Durante un instante, parecía que no sucedía nada. Ambos estaban mirándose a los ojos, el visitante calibrando las posibilidades de que aquello fuera real, y Hugo esperando que cumpliera su palabra y pusiera a salvo a Felicia y Gisela.

El visitante se levantó de su silla. Parecía que daba por concluida su visita y que iba a abandonar la habitación.

—¡Espere! Yo he cumplido con mi parte, ahora le toca a usted hacer lo propio con la suya —le conminó.

Heinrich Himmler se giró hacia Hugo.

—Mira a tu alrededor —le dijo—. ¿Qué es lo que ves?

—Muerte —fue la respuesta espontánea que brotó de los labios de Hugo.

Sin saber muy bien el motivo, Himmler le hizo una pregunta a Albert Sauer, que ni él mismo ni Hugo comprendieron.

—Hoy es día 3, ¿verdad?

—Sí, señor. Hoy es 3 de marzo de 1943.

Sin mediar más palabras, el *Reichsführer* salió de la celda, en estampida. Tan rápida fue su reacción que no reparó en que se había olvidado su maletín y todo su contenido en la celda, incluyendo la grabadora. Parecía poseído. Su inesperada reacción sorprendió hasta a Albert Sauer, que también se dispuso a seguirlo, no sin antes dirigirse a Hugo.

—No te muevas. Volveré en un instante.

54 LA SPEZIA, 3 DE MARZO DE 1943

Erika estaba asomada a la terraza de su casa. Desde allí, tenía vistas a la bocana de la salida de la base naval de La Spezia. Aunque todas las mujeres de los tripulantes del submarino sabían que, por primera vez, no iban a poder despedir a sus maridos en el dique, se habían puesto de acuerdo en encender las luces de sus casas a las siete y cuarto en punto.

A esa hora, todas lo hicieron. Fue un bonito espectáculo para los marineros, que no se lo esperaban. Espontáneamente, muchos de ellos salieron a la cubierta del submarino y aplaudieron el gesto. No era el procedimiento reglamentario, pero el comandante Otto se lo permitió. Muchos pensaban que era un mal augurio no celebrar la despedida a los pies del submarino, como siempre se había hecho. Por lo menos, esto les reconfortaba y era bueno para su moral.

Todas las mujeres de los marineros estaban contentas con este gesto, a modo de homenaje.

Todas menos una.

Erika, en realidad, sabía que era una despedida y no un homenaje.

En su interior, intuía que no iba a ser una misión rutinaria más, como había repetido hasta la saciedad su marido, para tranquilizarla.

Estaba llorando.

«Adiós», pensó. «Siempre te querré».

55 CAMPO DE CONCENTRACIÓN DE SACHSENHAUSEN, 3 DE MARZO DE 1943

El *Reichsführer* Himmler había acudido a Sachsenhausen de incógnito. Tan solo conocía su visita el comandante del campo. Había aparcado su coche oficial enfrente del pabellón donde se encontraba Hugo. Aparte del guardia Hans, nadie estaba al tanto de su presencia en las instalaciones.

Ese desconocimiento terminó en apenas unos segundos.

Himmler recorrió la escasa distancia que mediaba entre el pabellón hasta las oficinas del campo a la carrera, para la sorpresa general de todo el personal de las *SS* con los que se cruzó, que no se imaginaban ver a su jefe supremo y, todavía menos, corriendo de esa manera.

Albert Sauer apenas le podía seguir.

—¿Qué ocurre, mi *Reichsführer*? —preguntó, tan sorprendido como el resto del personal.

No recibió respuesta. Himmler se encaminó hacia las oficinas de comunicaciones del campo. Entró como un torbellino.

—¡Todos fuera de aquí! —gritó, sin mediar ninguna palabra más.

Al ver a Himmler, sus rostros palidecieron y salieron a la carrera de la sala de comunicaciones, sin ni siquiera cuadrarse o saludarle.

—Usted no —le dijo a una de las operadoras.

Albert Sauer había seguido a Himmler hasta el interior de la sala.

—Discúlpeme, pero debo pedirle que abandone también esta habitación —le dijo al comandante del campo.

Sauer se sorprendió por la actitud de Himmler, pero no dudo en cumplir su orden de inmediato.

Cuando se quedaron solos, se dirigió a la operadora.

—Quiero que me ponga en contacto con la base naval de La Spezia, a través de una línea segura. Es muy urgente. Especifique quién llama —le ordenó.

La operadora cumplió sus instrucciones de inmediato. La base respondió enseguida. La conversación fue muy breve, apenas duró un minuto.

—¿A qué hora?

—Señor, han partido a las siete de la mañana. Ya estarán en inmersión, camino de su destino.

—*Verdammt! Scheiße!* —gritó Himmler muy enfadado, para el completo bochorno de la operaria. Escuchar esas palabras malsonantes en la boca de su *Reichsführer* no era nada habitual.

—Disculpe, señorita, pero ha sido espontáneo. ¿Podría abandonar la habitación?

—Por supuesto, señor.

Cuando Himmler se quedó a solas, se dirigió hacia la máquina de cifrado Enigma, de la que disponían todos los campos de concentración. Escribió un mensaje. Su destinataria era Cornelia Schiffer, a bordo del *U-77*. Sabía que no lo recibiría de inmediato si estaban en inmersión, pero cuando salieran a la superficie para renovar el oxígeno, las antenas del submarino lo captarían.

A continuación, Himmler salió de la sala de comunicaciones. Tan solo estaba en la puerta Albert Sauer.

—Prepare mi marcha de inmediato. Haga traer mi vehículo hasta aquí.

—Como usted ordene. ¿Qué hago con Hugo Bernhard?

—Todo va a seguir igual. A pesar de que mi presencia no ha pasado lo desapercibida que yo deseaba, no habrá ningún cambio con respecto a los planes iniciales —le respondió, en un tono muy seco.

Viendo el rostro trasmutado del jefe de las *SS*, Sauer no quiso continuar la conversación y dispuso a marcharse para cumplir sus órdenes.

—¡Un momento, *Sturmbannführer*! —dijo Himmler, elevando el tono de su voz—. Que quede muy claro. Usted no ha visto ni escuchado nada de lo que acaba de suceder en la celda. Olvídelo. ¿Lo tiene claro? Lo que sí que quiero es que continúe vigilándolo de cerca y me comunique cualquier cuestión que considere relevante.

—Por supuesto, *Reichsführer* —le respondió Sauer, que, ahora sí, abandonó a su superior para obedecer sus instrucciones.

Una vez Himmler abandonó Sachsenhausen, se dirigió hacia el pabellón de aislamiento. Se encontró en su exterior con Hans, que todavía parecía impresionado de lo que había presenciado.

—¿Sigue en su celda? —preguntó Sauer.

—Desde luego. No ha salido del pabellón, pero yo, siguiendo sus instrucciones, tampoco he entrado.

—Bien, permanezca en esta posición y no permita que acceda nadie, hasta que yo salga.

—¡A sus órdenes! —le respondió Hans, que no sabía a qué se debía todo aquello. «No es de mi incumbencia», pensó.

Albert Sauer entró a través del estrecho pasillo. Al llegar a la celda de Hugo, lo que vio le horrorizó.

Aquello era dantesco.

Había sangre por todas partes.

Entró de inmediato en la celda. Hugo, aprovechando que Himmler, en su precipitada marcha de la celda, se había olvidado su maletín, se clavó su pluma en la yugular. Estaba en el suelo, rodeado de un gran charco de sangre.

Sauer le tomó el pulso. No se lo encontró.

Salió corriendo a la puerta del pabellón.

—¡Llame inmediatamente a un médico! —le gritó a Hans, que, a su vez, al observar la expresión de pánico de su comandante, también salió corriendo en su búsqueda.

Sauer volvió a la celda de Hugo.

—¡idiota! ¡Idiota! ¿Por qué lo has hecho? —empezó a gritarle al cuerpo de Hugo—. ¿No te habías dado cuenta de que estabas en aislamiento desde el primer día, no por un castigo, sino por tu propia protección?

De repente, se dio cuenta de que todos los papeles de Himmler y su grabadora permanecían en la celda. Cuando llegara el médico del campo, no los podía ver. De forma apresurada, se dispuso a recogerlos y guardarlos en su maletín y esconderlo en cualquier rincón.

Calculó que disponía de menos de un minuto.

La mayoría eran hojas en blanco. Había dos con anotaciones de Himmler. No tenía tiempo de leerlas, así que las guardó de forma apresurada, sin embargo, le llamó la atención una hoja de aspecto oficial, con el logotipo de las *SS*. Hugo la tenía agarrada a su mano. Se la arrancó con cuidado. Su curiosidad le pudo y le echó un vistazo rápido.

Se puso pálido. Ahora logró comprender la acción de Hugo.

Era una listado procedente del campo de concentración de Ravensbrück, que era exclusivamente para mujeres. Conocía perfectamente ese formulario, él mismo los firmaba a diario. Era una lista de las fallecidas, fechada el 29 de octubre de 1942, o sea, hacía ya más cuatro meses. Rápidamente recorrió las anotaciones de los nombres.

Allí estaban.

Felicia Bernhard y Gisela Bernhard.

Estaban muertas.

Hugo se había dado cuenta de que Himmler ya había asesinado al único hilo de esperanza que aún le ataba a la vida, por eso había decidido cortarlo.

—¡Hijo de puta! —gritó Sauer, mirando la entrada de la celda—. ¡Nunca tuviste la más mínima intención de cumplir tu palabra! ¡Malnacido!

Se suponía que su rabia iba destinada a Himmler.

A los pocos segundos, apareció el médico. Se acercó a Hugo. Lo examinó brevemente. A los pocos segundos levantó la cabeza y la movió, haciendo el signo de negación, confirmando lo que Sauer ya intuía.

—Lo siento —se limitó a comentar a su comandante.

—¡Joder! ¡Joder! —exclamaba Albert Sauer, sin parar.

El médico Andreas Klien, certificó que Hugo Bernhard, o mejor dicho, Hugo Font, falleció en el campo de concentración de Sachsenhausen, el día 3 de marzo de 1943 a las 11:35 horas.

Por última vez en su vida, Hugo había mirado a su alrededor.

FIN

Mira a tu alrededor

CONTINÚA EN

La reina del mar

El final definitivo de una gran aventura, con Rebeca y Carlota en acción.

¿Crees que el libro que acabas de leer no tiene relación con "Las doce puertas"? Espera a leer el próximo y te llevarás una gran sorpresa.

CLUB VIP

Si has leído alguna de mis novelas, creo que ya me conoces un poco. **Siempre va a haber sorpresas y gordas.**
Si quieres estar informado de ellas y no perderte ninguna, te recomiendo apuntarte a mi club, llamado, cómo no, **Speaker's Club**.

Es gratuito y tan solo tiene ventajas: regalos de novelas y lectores de ebooks, descuentos especiales, tener acceso exclusivo a mis nuevas novelas, leer sus primeros capítulos antes de ser publicados, etc.

Lo puedes hacer a través de mi web y no comparto tu email con nadie:

www.vicenteraga.com/club

REDES SOCIALES

Sígueme para estar al tanto de mis novedades

Facebook

www.facebook.com/vicente.raga.author

Instagram

www.instagram.com/vicente.raga.author

Twitter

www.twitter.com/vicent_raga

BookBub

www.bookbub.com/authors/vicente-raga

Goodreads

www.goodreads.com/vicenteraga

Web del autor

www.vicenteraga.com

COLECCIÓN DE NOVELAS «LAS DOCE PUERTAS» Y BILOGÍA «MIRA A TU ALREDEDOR»

Todas las novelas pueden ser adquiridas en los siguientes idiomas y formatos en ***Amazon y librerías tradicionales***

ESPAÑOL

Formato eBook
Formato papel tapa blanda
Formato tapa dura (edición para coleccionistas)
Audiolibro

ENGLISH

eBook
Paperback
Hardcover (Collector's Edition)
Audiobook (coming soon)

Las doce puertas (Libro 1)
The Twelve Doors (Book 1)

Nada es lo que parece (Libro 2)
Nothing Is What It Seems (Book 2)

Todo está muy oscuro (Libro 3)
Everything Is So Dark (Book 3)

Lo que crees es mentira (Libro 4)
All You Beleive Is a Lie (Book 4)

La sonrisa incierta (Parte V)
The Uncertain Smile (Part V)

Rebeca debe morir (Libro 6)
Rebecca Must Die (Book 6)

Espera lo inesperado (Libro 7)
Expect the Unexpected (Book 7)

El enigma final (Libro 8)
The Final Mystery (Book 8)

BILOGÍA / DUOLOGY «MIRA A TU ALREDEDOR» "LOOK AROUND YOU"

(Forman parte de «Las doce puertas»)

Mira a tu alrededor (Libro 9)
Look Around You (Book 9)

La reina del mar (Libro 10)
The Queen of the Sea (Book 10)
Fin de la serie «Las doce puertas»
End of «The Twelve Doors» series

SERIE DE NOVELAS «ÁNGELES»

Formato eBook
Formato papel tapa blanda
Formato tapa dura (edición para coleccionistas)
Audiolibro

El misterio de nadie (Libro 1)

El faraón perdido (Libro 2)

Las puertas del cielo (Libro 3)

Para vivir hay que morir (Libro 4)

CONTINUARÁ...

TRILOGÍA EN UN SOLO VOLUMEN DE VICENTE RAGA «JAQUE A NAPOLEÓN»

“CHECKMATE NAPOLEÓN”

Jaque a Napoleón, la trilogía: apertura, medio juego y final

ESPAÑOL
Formato eBook
Formato papel tapa blanda
Audiolibro
INGLÉS
eBook
Paperback
Audiobook (coming soon)

Made in United States
North Haven, CT
21 June 2023